UN ÉTAT
DANS L'ÉTAT

Sophie Coignard

UN ÉTAT DANS L'ÉTAT

Albin Michel

Ouvrage publié sous la direction
d'Alexandre Wickham

Aux frères qui assument

Introduction

Enquêter sur la franc-maçonnerie n'a rien d'une promenade de santé. Il faut savoir supporter les moqueurs : « Ah ! les francs-maçons ! Vous avez encore des choses à écrire là-dessus ? » L'interlocuteur assortit généralement cette fine remarque d'un haussement d'épaules et d'une moue empreinte de compassion. Garder le sourire aussi face aux désinformateurs : « La franc-maçonnerie ? Mais ça ne compte plus pour rien aujourd'hui ! C'est fini ! C'est à peine un mauvais Rotary. » Les variations sur ce thème sont infinies, mais le message est toujours le même : circulez, il n'y a plus rien à voir. En général, de tels propos sont un indicateur assez fiable : celui qui les tient est souvent un initié. L'une des réponses les plus fréquemment entendues au cours de cette enquête tenait du test comparatif : « Au lieu de vous intéresser aux francs-maçons, vous feriez mieux d'observer les gays, ils sont bien plus efficaces ! »

C'est oublier une différence notable, qui à elle seule justifie ce livre : on ne choisit pas d'entrer, un jour, dans un supposé « réseau homo », qui exigerait de chacun une prestation solennelle de serment sur l'obligation de secret et le devoir de solidarité. Car devenir franc-maçon demande une démarche volontaire. Le candidat doit se plier à différentes épreuves, plus ou moins contraignantes selon les obédiences. Il doit accepter que l'on mène une enquête sur lui. Admettre que des inconnus votent pour ou contre sa cooptation. Se soumettre, enfin, à la prestation de serment.

Quel autre réseau social en demande autant ? Des Corses aux anciens de Procter & Gamble, en passant par les rugbymen, les inspecteurs des Finances ou les anciens trotskistes, aucun d'entre eux ne se fonde sur une adhésion volontaire qui est aussi une fin en soi. On naît corse, corrézien ou alsacien. Cette fibre régionale peut aider dans certains milieux. Et alors ? On n'a pas choisi. Même analyse pour l'inclination sexuelle. Quant aux études, aux activités politiques ou sportives, elles créent évidemment des liens, d'autant plus solides qu'ils se sont tissés précocement. Mais personne ne milite dans un groupuscule, n'accepte de se couvrir de boue dans un stade ou ne décide d'entrer dans une grande école uniquement pour rencontrer d'autres gens. L'« effet réseau » vient par surcroît, même s'il est souvent utilisé, ensuite, avec enthousiasme[1].

Enquêter sur la franc-maçonnerie est aussi l'un des exercices journalistiques les plus ludiques et les plus enrichissants que l'on puisse pratiquer. Même lorsque l'on croit en avoir épuisé les charmes, une découverte vient raviver l'intérêt que l'on croyait éteint. La pépite peut prendre la forme d'une information inattendue ou plus simplement d'une rencontre stimulante. Car les frères et les sœurs représentent tout de même 150 000 personnes à jour de cotisation dans la douzaine d'obédiences de tailles diverses qui opèrent en France, et plus du double si l'on compte celles et ceux qui, ini-

---

1. Pour une typologie des réseaux selon leurs qualités utilitaires, voir *Les bonnes fréquentations*, de Sophie Coignard et Marie-Thérèse Guichard, Grasset, 1997.

tié(e)s, ont décidé de quitter le navire par manque de temps, par perte de motivation ou par lassitude face aux « magouilles » de certains.

Alors que j'enquête sur ce sujet depuis des années, j'ai longtemps oscillé entre deux convictions : la franc-maçonnerie n'est plus que l'ombre d'elle-même ; elle connaît, au contraire, une vivacité discrète mais bien réelle.

Première version : battue sur le terrain de l'influence, elle s'est recroquevillée dans les loges où des frères un peu frileux aiment à retrouver un filet de chaleur humaine en dissertant sur le symbolisme, le labyrinthe, le trou de la Sécurité sociale ou la bioéthique. Je n'exagère pas : c'est ainsi que de nombreux interlocuteurs, à commencer par les grands maîtres de toutes les obédiences, décrivent l'institution qu'ils sont chargés de représenter. Un système de communication bien français, qui part du principe qu'il vaut mieux faire pitié qu'envie.

Second scénario : tandis que l'autorité de l'État s'étiole, que les corps intermédiaires n'existent plus, que la notion de service public a perdu de son sens, les francs-maçons, ou du moins certains d'entre eux, deviennent des médiateurs, des facilitateurs, voire des décideurs. Progressivement, ils ont donc reconstitué un État dans l'État qui obéit à des règles propres et à des rites connus des seuls initiés. J'ai longtemps minimisé cette éventualité, avant que plusieurs déclics ne se produisent. C'est un chef de gouvernement en exercice qui confie en soupirant à l'un de ses anciens ministres, et non des moindres : « Jamais je n'aurais imaginé que les francs-maçons étaient si puissants. » C'est un patron du CAC 40 qui se fait débarquer de son poste par une loge, alors qu'il est lui-même initié, de même que certains de ses soutiens et... de ses adversaires. Dans une affaire de cette importance, qui a fait la une des journaux, il est

11

impossible que les plus hautes autorités de l'État n'aient pas perçu la dimension maçonnique. Mais elles s'en accommodent, puisque, comme me le confiera l'un de ces représentants : « Dans ce domaine, on n'a jamais de certitudes, et tout le monde fonctionne sur des on-dit. » C'est un candidat à la présidentielle qui signe ses courriers en y apposant les fameux trois points grâce auxquels les frères peu discrets se reconnaissent. Procédé un rien « rustique » ? De la part de Nicolas Sarkozy, qui pesait chacun de ses actes au trébuchet pendant la campagne, c'est surtout la démonstration que les réseaux fraternels sont encore bien trop importants pour être négligés. Faut-il continuer à penser, avec de Gaulle, que « les francs-maçons n'ont pas assez d'influence pour être pris en considération, mais trop pour qu'on s'en désintéresse » ?

Au terme de deux années d'enquête dans toutes les sphères et toutes les couches de la société maçonnique française, il apparaît que dans beaucoup d'histoires politiques, judiciaires, économiques, dans de nombreuses négociations, médiations, promotions, existe une dimension fraternelle qui n'apparaît pratiquement jamais au grand jour.

Et pour cause. Le nerf, non pas de la guerre, mais de l'influence, réside dans le secret. Dans cette dissymétrie qui oblige les non-initiés à en rester au stade des suppositions. Sans ce culte du silence, la franc-maçonnerie serait, en effet, une microsociété comme une autre, au même titre que les anciens d'HEC, les mordus de chasse à courre ou les golfeurs.

Or cette assemblée est bien plus que cela. Elle a, d'abord, une histoire qui se confond avec celle des régimes successifs qu'a connus la France depuis plus de deux cents ans. Elle affiche, ensuite, une immense ambition, puisque son objectif n'est ni plus ni moins que le progrès et la perfection de l'Homme avec un grand H.

Amélioration d'ordre strictement spirituel pour la franc-maçonnerie traditionaliste, représentée en France par la Grande Loge Nationale Française (GLNF), qui s'interdit toute immixtion dans la sphère politique ; engagement dans toutes les affaires de la Cité pour la maçonnerie dite « adogmatique et libérale », une spécialité française incarnée par le Grand Orient de France (GODF), qui s'est débarrassé depuis 1887 de la référence au Grand Architecte de l'Univers. Forte de sa supériorité numérique comparée à d'autres réseaux, elle tisse, enfin, une toile invisible mais bien présente dans tous les compartiments de la société, au risque d'y pratiquer un mélange des genres qui s'est institutionnalisé au fil des années. C'est vrai dans la magistrature, dans la police, dans les grandes entreprises publiques et même aux plus hauts niveaux de l'État, jusqu'à l'Élysée.

Quoi qu'en disent ses représentants autorisés, la franc-maçonnerie, en effet, ne recrute pas indifféremment dans toutes les catégories socioprofessionnelles. Pour faire simple, on trouve dans ses rangs plus de commissaires de police que d'ouvriers agricoles. Souvent encouragé par les obédiences, ce tri social permet de décupler l'influence que pourrait exercer chacun de ses membres à titre individuel. Les fraternelles, mais aussi les loges « chic », parfois dites d'apparat, permettent à des dignitaires de chaque ordre, mais aussi à des ministres, des industriels, des banquiers – et même des... agents secrets ! – de se retrouver entre soi, par affinités.

Pendant une vingtaine d'années, le poids des frères sur la marche du pays a semblé régresser : la franc-maçonnerie est depuis longtemps en panne de grandes causes. L'âge d'or des combats pour la contraception, le droit à l'avortement ou l'abolition de la peine de mort est bien révolu ! Nicolas Sarkozy a donné aux francs-maçons une bouffée d'oxygène en les titillant sur la laïcité, leur terrain de jeu favori. L'affaire des tests ADN ou celle du fichier Edvige a donné lieu, aussi, à une indignation maçonnique relayée par les médias. Mais cette partie visible de l'influence n'est pas la plus importante. Une autre, plus souterraine, se perpétue au-delà des modes, des hommes et aussi des fantasmes véhiculés par l'antimaçonnisme.

Ah ! l'antimaçonnisme ! Une posture odieuse, anachronique, étriquée, mais qui rend un fier service aux frères : elle les transforme en éternelles victimes, contraintes au secret pour échapper à d'improbables persécutions, et justifie ainsi l'injustifiable : l'omertà maçonnique.

Première partie

CULTE DU SECRET

1

« Tout cela n'a plus beaucoup
d'importance »

La forme varie, le fond est identique, quel que soit l'interlocuteur. En décembre 2007, au bar de l'hôtel Bristol, palace devenu l'annexe de l'Élysée, Alain Bauer, ancien grand maître du Grand Orient, virtuose du conseil en sécurité et « expert en tout » auprès de Nicolas Sarkozy, n'hésitait pas à déclarer : « Ce gouvernement est le plus a-maçonnique qui soit, puisque nous sommes à zéro franc-maçon. Même sous le gouvernement du maréchal Pétain, à Vichy, il y en avait hélas[1]. » Quelques semaines plus tard, *Le Point* écrit sans recevoir le moindre démenti que Brice Hortefeux, qui n'est pas le moins voyant des ministres, a longtemps fréquenté les colonnes du temple[2]. Réponse d'Alain Bauer : « Je parlais de frères à jour de leurs cotisations, qui sont donc toujours actifs dans leur loge. » Ah bon ! Quelques jours passent encore et *L'Express* dévoile que Xavier Bertrand, ministre du Travail et éternel candidat à Matignon, est membre du Grand Orient de France[3], une appartenance qui suscitera, dit-on, ce bon mot du Premier ministre François Fillon : « Quand j'ai appris que Xavier Bertrand appartenait à la

---

1. Entretien avec l'auteur, le 4 décembre 2007.
2. *Le Point*, 24 janvier 2008.
3. *L'Express*, 27 février 2008.

franc-maçonnerie, je ne me suis pas étonné de le découvrir maçon ; mais franc, ça m'en bouche un coin. » Alain Bauer ne peut pas être pris en défaut : Xavier Bertrand lui-même assure « s'être mis en retrait en 2004 », au moment de son entrée au gouvernement. Ces subtilités administratives servent avant tout à embrouiller le profane : pour tous les frères, Xavier Bertrand continue bien évidemment à faire partie de la grande famille.

« *Minimisez, minimisez,* *il en restera toujours quelque chose* »

C'est ce précepte que semblent appliquer avec zèle tous les francs-maçons, affichés ou non. Pendant la campagne pour la présidence du Sénat, à l'automne 2008, une « primaire » oppose, à droite, Gérard Larcher, Jean-Pierre Raffarin et Philippe Marini, tandis que l'ancien ministre du Budget, Alain Lambert, se trouve en embuscade, refusant de se plier à la discipline de son parti. Depuis des semaines, le Tout-Paris parle sur le ton de l'évidence de l'influence des francs-maçons du Sénat sur l'élection. Une histoire qui ne date pas d'hier. Christian Poncelet, président sortant, n'a passé que quelques mois en loge il y a bien longtemps, mais il a été élu, en 1998, à la tête de la Haute Assemblée à la grande surprise de Jacques Chirac, qui répétait à qui voulait l'entendre depuis le palais de l'Élysée : « Poncelet ne sera pas élu, c'est un con… » Le Président avait oublié la variable fraternelle, et les frères avaient décidé qu'à 75 ans, René Monory, même s'il appartenait à la famille, avait fait son temps.

Poncelet, qui n'était plus affilié à aucune obédience depuis longtemps, avait bien compris l'alchimie fraternelle. Il en faisait des tonnes, multipliait les signes de connivence et « grattouillait » sans retenue le poignet de ses interlocuteurs lorsqu'il leur serrait la main. Tous, évidemment, n'étaient pas dupes : « Un jour, au restaurant du Sénat, il a fait un geste appuyé lorsqu'il est venu me serrer la main, raconte Alain Bauer. Je lui ai demandé, en riant, s'il avait récemment rejoint notre maison[1]... »

Mais tous ses collègues ne sont pas aussi démonstratifs que l'ancien président, qui n'a accepté de céder la place qu'à 80 ans révolus. Quelques semaines avant le scrutin qui doit désigner le nouveau président – forcément de droite, c'est ainsi au Sénat[2] –, *L'Express* prend l'initiative d'interroger les candidats à sa succession. Que représente, pour eux, la franc-maçonnerie ? La réponse de Gérard Larcher, ancien ministre du Travail qui se défend d'être frère, est en tous points semblable à celle que pourrait faire un porte-parole d'une obédience : « Le mouvement maçon compose à mon sens des cercles de spiritualité non religieuse dont les interrogations face au mystère de la vie ne sont pas sans faire écho à ma foi et à mon engagement chrétien [...]. Au vu de ce ressenti, l'influence de la franc-maçonnerie ne me paraît ni plus ni moins importante que celle d'autres communautés de pensée de notre pays qui s'impliquent dans la vie sociale. Il ne faut pas fantasmer sur le halo de secret qui entoure le mouvement maçon[3]. » Traduction : la franc-maçonnerie n'est pas un réseau, tout juste une communauté de pensée. Son influence ? Mineure, très mineure, même au sein du Sénat où « les valeurs défendues par les candidats jouent un rôle important dans le choix de leurs collègues ».

1. Entretien avec l'auteur, le 18 décembre 2007.
2. À cause de la surreprésentation des élus des petites communes parmi les grands électeurs, la percée de la gauche aux municipales de 2008 n'a pas suffi à renverser la tendance. La question se pose, toutefois, pour le prochain renouvellement, fin 2011.
3. *L'Express*, 16 septembre 2008.

Second précepte découlant de ces quelques phrases d'une langue de bois ciselée : l'essentiel est de banaliser l'appartenance aux loges. De ce point de vue, Alain Lambert, qui dément lui aussi toute affiliation sous l'œil amusé de nombreux frères de la GLNF, qui d'ailleurs l'estiment beaucoup, rivalise de talent avec son concurrent : « La franc-maçonnerie est à mon avis une association d'hommes et de femmes qui veulent faire progresser la société. J'ai de nombreux amis francs-maçons dans des partis politiques et je suis toujours frappé par leur tolérance et la diversité de leurs croyances. Certains sont athées, d'autres croient en Dieu ; politiquement, certains sont de droite, d'autres de gauche. » Lorsque l'on connaît l'humour pince-sans-rire de l'ancien ministre du Budget, cette saillie ne peut être perçue autrement que comme, dirait-on dans les collèges, un « immense foutage de gueule ». Alain Lambert a en tout cas inventé une expression codée, digne d'être retenue et réutilisée : « J'ai de nombreux amis francs-maçons. »

Remontons un peu la pyramide du pouvoir pour parvenir jusqu'à l'Élysée. La porte d'entrée la plus évidente est Franck Louvrier, le très affable conseiller en communication du Président. Le réseau des frères ? « Aux yeux du Président, cela n'a pas beaucoup d'importance. Il reçoit les francs-maçons, en toute transparence. Il a même souhaité qu'ils puissent trouver un espace d'expression à la télévision, au même titre que les différentes confessions religieuses. Mais dans son entourage, cela n'apparaît jamais dans les conversations et ce n'est pas un argument de sélection, en positif comme en négatif[1]. » Bien sûr. Mais en dix ans de fréquentation quotidienne de Nicolas Sarkozy, à Neuilly, dans les Hauts-de-Seine, au ministère de l'Intérieur, à Bercy, à l'UMP puis à l'Ély-

---

1. Entretien avec l'auteur, le 30 septembre 2008.

sée, la variable n'est jamais apparue, d'une manière ou d'une autre ? Vraiment, le conseiller ne voit pas. « Même au ministère de l'Intérieur, qui est, paraît-il, un bastion franc-maçon, je n'ai pas le sentiment que cet élément ait été pris en compte. » C'est le « paraît-il » qui donne toute sa saveur à cette affirmation.

Franck Louvrier, qui est habile – à défaut d'appartenir à la confrérie –, assure donc, lui aussi, que cela n'a plus d'importance. Mais il a la courtoisie de répondre aux questions, même si elles lui semblent absurdes ou d'un autre âge. Ce n'est pas le cas de tous, dans les entourages des principaux candidats à la présidentielle de 2007.

À la seule évocation de la franc-maçonnerie, Patrick Mennucci, le plus proche lieutenant de Ségolène Royal pendant la campagne, refuse de s'exprimer. De peur de se voir demander s'il en fait partie ? Un secret de polichinelle ! Quant à Maurice Leroy, député Nouveau Centre du Loir-et-Cher qui chuchotait à l'oreille de François Bayrou jusqu'à l'entre-deux-tours de la présidentielle, il s'esclaffe lorsqu'on aborde le sujet : « Les maçons n'ont déjà presque plus d'influence sur les élections locales. Alors, à l'échelon national, n'en parlons pas. Ils ne comptent pas plus que les chasseurs ou les pêcheurs. Sincèrement, ils sont beaucoup moins puissants que les homos aujourd'hui[1]. » Est-ce parce qu'il a le parfait profil du frère qu'on a du mal à le croire ?

Didier Schuller, qui a commis l'exploit de devenir célèbre dans la France entière en étant un modeste conseiller général des Hauts-de-Seine, est-il plus loquace ? Il dirigeait aussi l'office HLM des Hauts-de-Seine présidé par son vieil ami, le très raffiné Patrick Balkany. Sa carrière politique, alors qu'il rêvait de remporter la mairie de Clichy, s'est arrêtée net face aux

---

1. Entretien avec l'auteur, le 5 janvier 2007.

investigations du juge Éric Halphen. Tout le monde se souvient de la farce politico-judiciaire qui a animé l'hiver 1994-1995 et dont il a été l'un des héros. Le beau-père du juge Halphen, le million de francs, le flagrant délit, et la fuite précipitée de Schuller vers les Bahamas, puis le – bref – séjour en prison. Tous les acteurs de cette pantalonnade sont francs-maçons, et Didier Schuller lui-même ne fait pas mystère d'avoir été l'un des animateurs de la bien nommée loge Silence, passée de la GLDF à la GLNF et longtemps présidée par l'ancien journaliste Jacques Ourévitch, un transfuge du Grand Orient. L'énarque aux éternelles mines de conspirateur raconte volontiers comment, dans sa jeunesse, il passait de joyeux moments en compagnie de Nicolas (Sarkozy) et de Patrick (Balkany) dans le jacuzzi installé dans la résidence secondaire des parents de ce dernier. Mais, interrogé sur ce sujet sensible, il n'en démord pas : « La franc-maçonnerie, ce n'est plus rien. C'est ringard, tout juste à la hauteur du Rotary Club[1]. » Et d'ailleurs, son ex-ami Patrick Balkany, assure-t-il, n'en est pas.

Si l'on s'en tient aux déclarations, main sur le cœur, des uns et des autres, la sphère politique semble donc désertée par l'influence fraternelle. Et ailleurs ?

Le marché, plus fort que les frères ?

Ancien dirigeant du Medef, dont il fut président de la commission économique puis vice-président, Denis Kessler a magnifiquement réussi dans le secteur de la réassurance, comme P-DG du groupe SCOR. Lorsqu'il a quitté le Medef, il avait confié à quelques amis, en privé, sa lassitude face aux obstacles qui empêchaient, selon

---

1. Entretien avec l'auteur, le 8 mars 2008.

lui, toute réforme sociale d'envergure en France. Parmi ceux-ci, la franc-maçonnerie, très présente tant dans les organisations patronales que dans les syndicats, la mutualité française, et tous les organismes paritaires, dans lesquels les maçons parlent aux maçons. Ce mode de régulation, qui remonte à l'après-guerre, avait sans doute, à cette époque, quelques vertus dans un univers en reconstruction dopé par la croissance, mais semble aujourd'hui figé dans l'obsession de lutter pour sa propre survie. Une analyse intéressante, qui plus est du point de vue d'un témoin de l'intérieur, qui connaît tout des rouages du social en France. Malheureusement, Denis Kessler ne veut plus en parler, considérant qu'il faut aujourd'hui fuir ce tout petit monde pour respirer l'air du large[1]. Le grand patron qu'il est devenu se réjouit que les contraintes du marché et de la mondialisation aient balayé ces jeux d'un autre temps. Pour lui non plus, cela n'a plus beaucoup d'importance.

Ce type de raisonnement est souvent exprimé. De nombreux interlocuteurs voient dans le rétrécissement du secteur public une cause quasiment mécanique d'une perte d'influence de cette grande famille. Mais Air France ou EDF ouverts aux capitaux privés ont-ils vu les maçons déserter pour autant ? Le groupe Veolia est-il plus profane qu'auparavant, juste parce qu'il ne s'appelle plus Générale des Eaux ? La Poste, après son émancipation, verra-t-elle disparaître cet étrange mode de nomination, qui veut qu'une promotion sur trois revienne à l'initiative des frères ? Au Crédit agricole, théâtre de luttes épiques entre initiés et profanes, le dogme du marché a-t-il évincé celui du Grand Architecte de l'Univers ? Et chez Natixis, fruit d'un mariage de raison entre les Banques populaires et les Caisses

---

1. Entretien avec l'auteur, le 23 septembre 2008.

d'épargne, deux hauts lieux maçonniques, l'esprit fraternel a-t-il été gommé par l'obsession du cours de Bourse (qui n'a d'ailleurs pas donné toute satisfaction !) ? C'est en tout cas ce que feignent de croire la plupart des décideurs, en mettant en avant l'internationalisation et le souci permanent du marché. Une vision du monde apparemment logique.

Apparemment seulement, selon le magistrat Jean de Maillard, spécialiste de la criminalité financière, sujet auquel il a consacré plusieurs livres et rapports. « La mondialisation, en allégeant la contrainte étatique, n'a fait que renforcer les réseaux, dit-il. D'ailleurs, sa structuration même repose sur la mise en réseaux. Quelle est la part de ce réseau spécifique qu'est la franc-maçonnerie dans ce nouvel ordonnancement, c'est en effet une vraie question[1]. »

Alors pourquoi un tel déni ?

---

1. Entretien avec l'auteur, le 1er septembre 2008.

2

Ceux qui disent non

Puisque « tout cela n'a plus beaucoup d'importance », les francs-maçons devraient afficher une grande décontraction à l'idée de voir leur appartenance révélée. Pas au point de la mentionner dans une notice du *Who's Who*, au même titre que les décorations, les distinctions ou les loisirs, peut-être. Mais pourquoi la nier avec autant d'opiniâtreté, de véhémence et d'indignation ? À la question « êtes-vous franc-maçon ? », la plupart des initiés répondent par la négative.

Ce mensonge a longtemps été couvert par les obédiences, qui le considéraient comme une forme de protection. Les temps ont changé, au moins dans le discours, puisque les dirigeants du Grand Orient, notamment, encouragent les leurs à se dévoiler. Le moins que l'on puisse dire est que leur recommandation est appliquée avec une grande modération.

En novembre 2002, *Le Point* publie un dossier intitulé « Chirac et les francs-maçons », dans lequel il est fait mention des ministres initiés. Est ainsi cité, parmi d'autres, Renaud Dutreil, alors secrétaire d'État aux PME, au Commerce, à l'Artisanat, aux Professions libérales et à la Consommation. Cet énarque et normalien est à cette époque un des poulains de la chiraquie, promis aux plus brillantes destinées. Il est d'ailleurs à la tête de l'UMP nouvellement créée. **Bref, il y croit.**

Lors de mon enquête pour réaliser cette couverture du *Point*, j'ai accumulé des informations recoupées sur l'appartenance de ce jeune espoir à la Grande Loge Nationale Française (GLNF). Comme il est d'usage, avant publication, je lui fais parvenir, après avoir contacté son service de presse, un fax pour lui donner l'occasion d'exposer son point de vue, fax dans lequel je précise notre date de bouclage, qui se situe trois jours plus tard. Aucune réponse. Ce silence ne m'étonne guère. Il est même assez fréquent lorsque l'on aborde ce sujet avec des questions précises. Face à la question « êtes-vous franc-maçon ? », certains personnages publics hésitent en effet à nier en bloc, de peur d'être pris en flagrant délit de mensonge.

Dès la sortie du *Point*, Renaud Dutreil sort de sa torpeur. Son attachée de presse aussi, qui appelle, catastrophée, m'assurant que mon fax s'est perdu dans les couloirs et que le ministre ne l'a trouvé sur son bureau que bien trop tard. Quel dommage ! Le secrétaire d'État préfère, lui, s'adresser au directeur du journal, Franz-Olivier Giesbert, pour dire tout le mal qu'il pense de mes « méthodes » et réclamer un droit de réponse pour rétablir la vérité. Quelques jours passent encore et j'ai le plaisir de recevoir un coup de téléphone d'un de mes amis, Philippe Manière, alors directeur de la *Lettre de l'Expansion*, qui me transmet les protestations ulcérées qu'il a reçues de l'ami Renaud. Celui-ci peine à comprendre comment de telles calomnies ont pu s'abattre sur lui. Donc il proteste avec énergie.

Le droit de réponse parvient très vite au *Point*. Il est cosigné par Jean-François Copé, alors secrétaire d'État aux Relations avec le Parlement et porte-parole du gouvernement, cité dans l'article et contacté également. Après une rapide leçon de déontologie journalistique –

au cours de laquelle ils évoquent mon « refus de prendre en considération [leurs] réponses », ce qui eût été bien difficile, dans la mesure où ils n'ont ni l'un ni l'autre donné suite à mes questions –, ils en viennent au démenti : « Nous souhaitons rétablir la vérité. Nous n'appartenons ni l'un ni l'autre à une obédience maçonnique. Profondément respectueux des droits fondamentaux dont dispose chaque citoyen, au premier rang desquels figurent la liberté de pensée ou la liberté de culte, nous tenons également à ce que l'on respecte notre liberté de choix. Nous tenions à ce que les lecteurs du *Point* prennent connaissance de notre indignation devant cette manière de procéder, peu conforme à ce que nous croyons être l'éthique journalistique. »

Renaud Dutreil ne ment pas : au moment où il écrit cette lettre, il n'appartient à aucune obédience maçonnique. Précisément, il n'appartient *plus* à aucune obédience maçonnique. Cet ambitieux normalien, sorti à la seconde place de l'ENA, qui dirige depuis l'été 2008 la filiale américaine du groupe LVMH, a pourtant été membre cotisant, pendant plusieurs années, de la GLNF. Il fréquentait même une loge très sélecte, La Lyre de Salomon, composée d'hommes d'affaires et de personnalités du renseignement, comme le général Jeannou Lacaze, ancien chef d'état-major des armées, le général René Imbot, ex-patron de la DGSE nommé après l'affaire Greenpeace, ou le fils de ce dernier, Thierry, lui aussi professionnel du renseignement qui a connu une fin tragique, défenestré dans son appartement parisien alors qu'il travaillait sur l'affaire des frégates de Taiwan. Renaud Dutreil était alors dans le saint des saints. Les membres de sa loge ne se réunissaient pas le soir, mais à midi, en commençant par les agapes – ces repas pris en commun qui représentent la « troisième mi-temps du maçon » –, avant de passer aux travaux. De tels horaires leur permettaient de ne pas croiser les frères ordinaires qui s'égaillent, le soir, dans les couloirs du siège, rue Christine-de-Pisan.

Renaud Dutreil a eu un prestigieux parrainage pour entrer à la GLNF : celui d'Antoine Pagni. Aujourd'hui décédé, cet homme inconnu du grand public, mais pas du monde du renseignement[1], est justement le fondateur de La Lyre de Salomon. Ancien résistant, ami de Charles Pasqua, il était élu de l'Aisne quand il a croisé le chemin du jeune Renaud. Celui-ci est parachuté en Picardie en 1993, à l'âge de 33 ans. Il est suppléant du député de l'Aisne André Rossi qui meurt l'année suivante. Renaud Dutreil entre à l'Assemblée nationale et se fait élire conseiller général de l'Aisne pour le canton de Charly-sur-Marne en 1994. C'est au conseil général qu'il rencontre Pagni, qui y siège depuis 1991. « Quand Antoine s'est entiché de Dutreil, nous étions tous un peu étonnés, se souvient un de ses anciens frères. Mais bon, on l'a fait entrer. Au début, il était assez assidu. Jusqu'au moment où ça s'est gâté. Antoine s'était mis en tête de se présenter aux sénatoriales, et Dutreil ne l'avait pas soutenu. Pour certains d'entre nous, cela a été perçu comme un défaut de solidarité. »

Dans cette ambiance dégradée, le député prometteur se présente aux portes du temple, rue Christine-de-Pisan, sans penser à mal. Il est accueilli très froidement et se fait mettre dehors par un autre fondateur de la loge, Marcel Laurent. « Marcel, qui est un type très sanguin, était très énervé, raconte un témoin de la scène. Dutreil était furieux, alors il est monté chez le grand maître pour protester contre l'affront qui lui était fait. » Le grand maître de la GLNF est pour l'heure Claude Charbonniaud, président de la chambre régionale des comptes de Provence-Alpes-Côte d'Azur, qui sera contesté

---

1. Voir le chapitre 10, « Agents secrets ».

dans les loges par la suite. « On l'a vu redescendre avec Dutreil, qui ressemblait un peu à Agnan dans *Le Petit Nicolas*, le fayot qui rapporte à la maîtresse, poursuit notre témoin. Il a demandé des explications au vénérable, qui lui a laissé le choix : soit Dutreil restait, et tout le monde s'en allait, soit il repartait avec lui. Un camouflet. Finalement, Charbonniaud a invité Dutreil à déjeuner en tête à tête. »

Quelques années plus tard, le jeune espoir de la droite est devenu ministre de la Fonction publique. Il a recruté dans son cabinet un conseiller en communication membre de la GLNF qui a travaillé avec Patrick Ollier, Michèle Alliot-Marie ainsi qu'avec plusieurs chefs d'État africains. François Blanchard ignore que son ministre a appartenu à la même maison que lui. Mais un soir, il croise Marcel Laurent, qui lui demande, l'air de rien, de « passer le bonjour » à son ministre de sa part. « C'est ce que j'ai fait le lendemain matin sur un ton badin, raconte François Blanchard. Renaud Dutreil a blêmi. Puis il m'a demandé avec gravité de ne jamais dire qu'il était franc-maçon. J'étais très étonné et lui ai demandé pourquoi. Il m'a répondu que ce n'était pas possible pour un ministre de la République[1]. »

Les stigmates maçonniques semblent marquer Renaud Dutreil, comme le rapporte le quotidien régional *L'Union* : « Hier matin, à l'issue d'une conférence de presse au cours de laquelle, tout sourire, il a évoqué avec ses colistiers ses projets pour Reims en matière de santé pour tous et les actions à mener en faveur des personnes âgées, le candidat UMP Renaud Dutreil a piqué une grosse colère. "Ce matin encore, sur le marché place Luton, certains membres d'une liste m'ont demandé si, comme Sarkozy, j'étais un adepte de la scientologie. Je

---

1. Entretien avec l'auteur, le 26 décembre 2006.

tiens à le dire, je ne suis ni scientologue, ni franc-maçon. J'en ai marre de ces gens qui tirent la campagne électorale vers le caniveau[1]." » Est-ce par esprit taquin que le même journal donnait pour titre « Dutreil n'a pas encore rendu son tablier » à un article expliquant qu'il n'avait toujours pas démissionné de son mandat de député alors qu'il faisait déjà ses valises pour New York ?

Le temps des parrains

Quant à Jean-François Copé, cosignataire de la lettre indignée envoyée au *Point*, il n'a jamais été à la GLNF mais connaît bien la Grande Loge de France. Amateur éclairé de réseaux, il avait créé, en 1990, alors qu'il n'avait pas 30 ans, le Banquet. Une sorte de club de la réussite pour juniors où se côtoyaient des énarques, des polytechniciens, de jeunes élus et des journalistes. Ce petit monde se retrouvait un mercredi par mois pour dîner chez Edgard, cantine politique du VIIIe arrondissement tenue par le truculent Paul Benmussa, aujourd'hui décédé. Franc-maçon, « Paul », comme l'appelait d'une seule voix le microcosme parisien, avait pris sous son aile le jeune Jean-François, fort médiocrement sorti de l'ENA mais soucieux de rattraper le temps perdu. Des années plus tard, Jean-François Copé n'hésite pas à saluer ce coup de pouce décisif : « Paul était un ami de mon parrain. Ensemble, on avait regardé la carte politique d'Île-de-France, pour me trouver une circonscription[2]... » Jean-François Probst, qui est alors secrétaire général du groupe RPR au Sénat, se

---

1. *L'Union*, 23 février 2008.
2. *Le Nouvel Observateur*, 1er mai 2008.

souvient d'avoir reçu un jour un Paul Benmussa enthousiaste dans son bureau : « Il est allé droit au but : "Écoute, Jean-François, on en a parlé avec quelques frères, il y a un garçon auquel il faut mettre le pied à l'étrier." Le garçon en question, c'était Copé, que je ne connaissais pas à cette époque. La première idée a été de le présenter à Villeneuve-Saint-Georges, dans le Val-de-Marne, face à Roger-Gérard Schwartzenberg. Pasqua ne s'intéressait pas à ce département et la voie était donc libre. De plus, j'ai reçu quelques appels fraternels d'élus du 94, comme Michel Giraud, Roland Nungesser ou Robert-André Vivien. On a emmené le petit jeune pour une première sortie publique à Villeneuve-Saint-Georges à l'occasion du 11 novembre. Mais cela n'a pas marché. Jean-François avait encore – il a fait des progrès depuis – l'arrogance du jeune énarque parachuté qui n'a pas plu aux élus locaux. C'est pour cette raison que nous l'avons envoyé en Seine-et-Marne comme suppléant du frère Guy Drut. La suite de l'histoire est connue[1]... »

Ce qu'il y a de commode avec la maçonnerie, c'est, comme le dit avec malice Alain Bauer, l'ancien grand maître du Grand Orient, qu'elle fonctionne à l'inverse d'une secte : on a du mal à y entrer, mais on en sort très facilement ! Le premier point est discutable lorsque l'on examine les méthodes de recrutement en vigueur depuis plusieurs années[2]. Mais le second ne l'est pas : les obédiences n'ont jamais retenu personne, en vertu d'une règle tacite selon laquelle un initié le reste, même une fois qu'il a raccroché ses gants blancs. Cette confusion entre anciens et actuels permet aux intéressés de broder sans trop de risques.

---

1. Entretien avec l'auteur, le 15 septembre 2008.
2. Voir le chapitre 15, « Concurrence pure et parfaite ».

Silence à droite...

La droite serait-elle plus gênée par ces appartenances que la gauche ? On a longtemps associé, à tort, la franc-maçonnerie à la gauche laïcarde. La vérité est bien différente : la GLNF, seule obédience reconnue par la Grande Loge Unie d'Angleterre, sorte de Vatican des maçons, exige toujours aujourd'hui que chaque nouvel initié jure sur... la Bible. Impossible, donc, d'y entrer si l'on ne se déclare pas croyant. Mais aux XIXe et XXe siècles, le Grand Orient, avec les radicaux, et – c'est moins connu – la Grande Loge de France, avec les socialistes, ont marqué l'histoire politique de la France d'un sceau très laïque. Sans doute, encore aujourd'hui, beaucoup d'élus de droite estiment-ils que l'étiquette maçonnique risque de ternir leur image dans l'opinion.

Par une sorte de défi aux lois de l'arithmétique, alors même qu'ils conviennent, en privé, qu'un des leurs sur cinq est un frère – c'est une estimation –, les sénateurs de droite ne s'affichent presque jamais comme francs-maçons. Seul Bernard Saugey, président de la commission des lois et élu UMP de l'Isère, déroge à la règle en acceptant, fait historique, de prendre la présidence de la fraternelle parlementaire, occupée depuis de longues années par des collègues de gauche, des sénateurs PS Jean-Pierre Bel et Jean-Pierre Masseret au député PS de Seine-Maritime Pierre Bourguignon. Sinon ? Personne ne sait rien des loges, en apparence. Au Sénat, l'élection du président, en octobre 2008, en a fourni l'éclatante démonstration. Jean-Pierre Raffarin, contrairement à ce que pourrait laisser supposer sa rondeur, n'est affilié à aucune obédience. Mais Alain Lambert est très apprécié à la GLNF. Que répond-il lorsque, pendant la campagne, *L'Express* lui pose la question : « Êtes-vous ou avez-

vous été membre d'une obédience maçonnique[1] ? »
« Non », tout simplement. Gérard Larcher, lui, se sent
obligé d'en faire plus, car ses dénégations, il le sait, vont
faire rire : « Je ne suis pas et je n'ai jamais été franc-
maçon. Ceux qui me prêtent cette qualité se trompent
[…]. J'ajoute que je ne considère nullement comme
vexatoire de me voir donner ce titre erroné. » Plusieurs
frères qui assistaient, au printemps, à la tenue blanche
fermée dont il était l'invité, au temple Lafayette du
Grand Orient de France, ont apprécié. « Il a fait un
exposé formidable sur le thème "solidarité, sécurité et
droit du travail", raconte l'un des participants. Tout le
monde était très enthousiaste et nous nous sommes dit
en partant qu'il parlait vraiment comme un franc-
maçon. » Les auditeurs étaient des connaisseurs, puisque la puissance invitante était la loge d'apparat
Demain, qui a accueilli de nombreux ministres et autres
personnalités dans ses rangs[2].

Parmi les candidats à la présidence du Sénat, où le taux
d'initiés atteint des records, puisque le représentant du
PS, Jean-Pierre Bel, est membre du Grand Orient et
ancien président de la fraternelle parlementaire, seul Philippe Marini accepte de se dévoiler à demi-mot : « Je fais
partie du groupe de spiritualités des Assemblées parlementaires, qui siège à côté de Sainte-Clotilde, et je suis
vice-président du groupe France-Saint-Siège. Pour le
reste, je mets mon joker. » Une réponse toute en subti-
lité : maçon peut-être, mais avant tout super-catho !

Ils sont nombreux ceux qui démentent et se récrient
à droite. Patrick Balkany envoie un courrier de dénéga-
tion indignée à chaque fois qu'il est fait mention de son
appartenance. Patrick Devedjian, lui, fait transmettre par

---

1. *L'Express*, 16 septembre 2008.
2. Cette tenue blanche fermée a eu lieu à 12 h 30, le 8 avril 2008.

sa directrice de la communication, un rien embarrassée, que « la réponse est non ». Beaucoup de frères, et non des moindres, se souviennent pourtant de lui en loge. Le ministre de la Relance a même appartenu à la... fraternelle parlementaire ! Quant à Manuel Aeschlimann, le député des Hauts-de-Seine qui a perdu la mairie d'Asnières aux municipales de 2008, il ne comprend même pas qu'on lui pose une telle question, tant elle lui semble saugrenue. C'est donc par une sorte d'hallucination collective que plusieurs frères racontent l'initiation à la GLNF de cet élu qui fait l'objet d'une procédure en cours pour favoritisme devant le tribunal de Nanterre et qui est bien entendu présumé innocent. Ils déclinent même l'identité de son parrain, patron d'une société de communication. Pour comble de malchance, l'ancien procureur de la République de Nanterre, Yves Bot, qui n'a rien d'un plaisantin, a beaucoup ri quand Manuel Aeschlimann, lors d'une réception dans les Hauts-de-Seine, est venu lui « grattouiller » la main en signe de reconnaissance fraternelle. Le haut magistrat n'est pas initié mais n'ignore rien de ces petits gestes qui cimentent les complicités. Il s'est contenté de ne pas répondre et de raconter cette bonne blague à plusieurs amis. Quant à Isabelle Prévost-Desprez, la magistrate qui présidait l'audience, en janvier 2009, elle s'est fait un plaisir de rappeler publiquement, pendant les débats, à quel point Nicolas Sarkozy, alors ministre de l'Intérieur, s'était intéressé de près à l'enquête visant son grand ami Manuel[1].

---

1. À l'époque des faits, Manuel Aeschlimann était le premier adjoint du maire d'Asnières, Frantz Taittinger. Ce dernier a déclaré, pendant l'instruction, que quatre jours après sa mise en examen, il avait été convoqué place Beauvau par le ministre de l'Intérieur Nicolas Sarkozy, qui s'inquiétait des « conditions de sa garde à vue ». La présidente Prévost-Desprez a relu à l'audience sa déposition, dont Frantz Taittinger a maintenu les termes.

... *Laisser-faire à gauche*

L'état des lieux est donc clair : c'est la crispation à droite, tandis qu'un certain fatalisme règne à gauche, où de nombreuses personnalités de premier plan, sans s'afficher, ne démentent pas. Pierre Joxe, Bertrand Delanoë ou Manuel Valls assument leur initiation au Grand Orient. Le sénateur Jean-Luc Mélenchon a fait depuis longtemps de son appartenance une sorte d'étendard virtuel, défendant à tout propos une laïcité sourcilleuse. Henri Emmanuelli ou Jean-Yves Le Drian se montrent plus discrets, de même que Jack Lang, pour qui la fréquentation des loges est de l'histoire ancienne. Christian Pierret, lui, est un membre notoire, non pas du GO, mais de la GLNF. Élisabeth Guigou, pour sa part, a bénéficié des réseaux de son mari Jean-Louis, membre du Grand Orient, lorsqu'elle s'est implantée en Seine-Saint-Denis. Philippe Guglielmi, ancien grand maître du Grand Orient, aujourd'hui maire adjoint de Romainville et premier secrétaire de la fédération PS du département, s'est dépensé sans compter pour l'ancienne garde des Sceaux, dont il est le suppléant à l'Assemblée nationale. Jean-Louis Guigou l'a d'ailleurs rejoint dans la loge Intersection, l'une des plus people de la rue Cadet. Mais le couple Guigou se montre plus que discret sur cette appartenance, pourtant bien établie.

Cette coutume du laisser dire ne signifie pas pour autant que les maçons de gauche sont favorables à la revendication tranquille de leur appartenance. Il y a quelques années, l'avocat Antoine Comte, qui faisait partie du comité central de la Ligue des droits de l'homme, où les frères sont légion, découvre que, redoutant un entrisme trotskiste, des membres du bureau, majoritairement socialistes, veulent que les nouveaux venus déclarent leur adhésion à un mouvement d'extrême gauche. Il prend alors la parole pour indiquer que, dans ce cas, par esprit d'équité, il sera nécessaire de dévoiler toutes les appartenances, y compris à la franc-maçonnerie. Le silence assourdissant qui suivit était éloquent. Et jamais plus il ne fut question d'une quelconque intrusion dans les connivences des uns et des autres !

Pourquoi dire non ?

Si l'on sort du cercle des politiques, le déni est plus important encore. Pour un Patrick Le Lay qui confirme tranquillement son appartenance à la GLNF[1] – tout en affirmant qu'elle est du ressort de la vie privée –, combien de patrons balaient la question d'un revers de la main, ou utilisent cette formule prudente : « Je ne crois pas que l'on puisse dire les choses comme cela » ?... à moins qu'ils ne tentent le célèbre : « J'ai de nombreux amis maçons » ! Pourquoi tant de dénégations si, comme le disent beaucoup d'entre eux, « tout cela n'a plus beaucoup d'importance » ? Pourquoi tant de protestations si, ainsi que le dit la parole maçonnique officielle, les loges sont autant de lieux où des personnes en quête de réflexion et de spiritualité aiment à se retrouver ? À quoi bon cacher s'il n'y a rien à cacher ?

Beaucoup de frères – et de sœurs – assurent que la révélation de leur appartenance risquerait de leur nuire, dans leur travail, notamment. Étrange angoisse : qui cela gêne-t-il aujourd'hui ? D'ailleurs, cette dissimulation n'a-t-elle pas pu leur servir, aussi ? Personne, au surplus, ne demande aux francs-maçons de venir au bureau avec un tablier brodé. Mais de là à nier d'un air indigné !

---

1. *Le Point*, 29 janvier 2004.

Le secret que les maçons s'engagent par serment à respecter concerne les autres, et non leur propre dévoilement. Ce petit pas vers la lumière ne présente donc aucune difficulté, il est même ouvertement encouragé par des personnalités du Grand Orient de France, par exemple.

Pour mieux comprendre la nature de ce secret si difficile à divulguer, même pour soi-même, je suis allée consulter l'un des francs-maçons les plus respectés. Jean Verdun, auteur de théâtre, est ancien grand maître de la Grande Loge de France. Peu embarrassé par la fausse modestie, il déclare d'emblée : « Je suis sans doute le franc-maçon le mieux informé de France[1]. » Ce « pur », de l'avis de beaucoup de frères, a été chassé de la Grande Loge pour des raisons obscures sur lesquelles il refuse lui-même de revenir. Et pour lui, le secret d'appartenance relève de « l'intime ». Mais encore ? Rien du tout. L'intime, c'est tout. Quelque chose, à l'évidence, qu'un profane ne peut pas comprendre. Pour avoir insisté, demandé comment de grandes personnes pouvaient, volontairement, à l'âge adulte, adhérer à un ordre qui n'est pas neutre et ne pas l'assumer, j'ai été mise à la porte de son appartement par Jean Verdun, quarante-cinq ans de maçonnerie, de réflexion, de cordons et d'honneurs, qui m'a tenu en guise d'adieux furibards des propos bien peu fraternels : « Madame, je vous souhaite beaucoup de malheur ! »

À ce stade, il faut donc envisager une autre hypothèse que celle de l'intimité, incommunicable au profane. Le secret ne se justifie pas par les explications peu convaincantes qui sont servies régulièrement. Il est d'une tout autre nature. Il est au cœur de l'influence. Car sans lui, la franc-maçonnerie deviendrait une association comme les autres qui, peut-être, « n'aurait plus beaucoup d'importance… ».

---

1. Entretien avec l'auteur, le 20 novembre 2008.

3

La lancinante « obligation »

« Sur cette équerre, emblème de la conscience, de la rectitude et du droit, sur ce livre de la Constitution, qui sera désormais ma loi, je m'engage à garder inviolable le secret maçonnique, à ne jamais rien dire ni écrire sur ce que j'aurais pu voir ou entendre pouvant intéresser l'Ordre, à moins que je n'en aie reçu l'autorisation, et seulement de la manière qui pourra m'être indiquée. » Cela s'appelle « l'obligation ». C'est, au Grand Orient de France, le début du texte dont le « vénérable maître en chaire » donne lecture au candidat à l'initiation, une fois toutes les autres épreuves passées avec succès : après la solitude du cabinet de réflexion, face à une tête de mort figurant sa disparition et sa renaissance symboliques, le nouveau venu a été soumis à la question tandis qu'il gardait les yeux bandés afin qu'il ne puisse pas reconnaître les visages, au cas où il ne serait pas admis.

La suite du texte évoque « la grande loi de la solidarité humaine, qui est la doctrine morale de la franc-maçonnerie », la défense de la laïcité, le respect du règlement général, et les sanctions qui pourraient s'abattre sur l'impétrant s'il venait à manquer à ses engagements. Ensuite, l'initié se voit retirer son bandeau pour recevoir la « lumière ». Il doit alors signer le texte qui vient de lui être lu et qui est le premier des serments maçonniques.

La formulation varie selon les obédiences mais insiste toujours sur deux points : la solidarité et le secret. À la Grande Loge de France, par exemple, l'impétrant jure sur l'équerre, le compas et le volume de la loi sacrée[1]. Ces trois « marques de la lumière » sont placées sur l'autel des serments, ouvertes au début des travaux d'une loge et fermées à la clôture afin de rappeler à chacun le caractère inviolable du serment qu'il a prononcé. Certes, personne n'est plus obligé, comme il y a deux siècles, de prononcer les terribles paroles : « Je consens, si je deviens parjure, à avoir la gorge coupée, le cœur et les entrailles arrachés, le corps brûlé et réduit en cendre[2]... »

La solidarité et le secret. Que serait la première sans le second ? Si l'entraide s'opère au grand jour, ou du moins à visage découvert, comme c'est le cas des Corréziens, des Alsaciens, des inspecteurs des Finances ou des protestants, elle devient l'objet d'un certain contrôle social. Il est, à tout le moins, permis d'en parler, d'en faire état, sans risquer de démenti cinglant ou de procès

---

1. C'est ainsi que la Grande Loge de France préfère désigner la Bible, afin de souligner sa dimension universelle, témoignage de l'histoire de l'Homme, et de gommer son aspect religieux.

2. Cet extrait provient du serment prononcé dans le rite français de 1786 : « Je jure et promets sur les Statuts Généraux de l'Ordre et sur ce glaive symbole de l'honneur, devant le Grand Architecte de l'Univers qui est Dieu, de garder inviolablement tous les secrets qui me seront confiés par cette respectable loge ainsi que tout ce que j'y aurai vu faire ou entendu dire ; de ne jamais les écrire, tracer, graver ni buriner, que je n'en aie reçu la permission expresse et de la manière qui pourra m'être indiquée. Je promets d'aimer mes frères et de les secourir selon mes facultés, je promets en outre de me conformer aux Statuts et Règlements de cette Respectable Loge. Je consens, si je deviens parjure, à avoir la gorge coupée, le cœur et les entrailles arrachés, le corps brûlé et réduit en cendre, mes cendres jetées au vent, et que ma mémoire soit en exécration à tous les maçons. Que le Grand Architecte de l'Univers me soit en aide. »

pour atteinte à la vie privée. Ainsi, les réseaux corses de Charles Pasqua, comme ceux qui s'agitent autour de la Françafrique – ce sont souvent les mêmes ! –, sont-ils entachés d'une certaine visibilité, et leurs agissements l'objet de commentaires publics. Il est en revanche plus difficile d'établir que ces groupes sont souvent, aussi, des filières fraternelles.

Car le secret de l'appartenance recouvre d'un voile pudique tous les faits et gestes des frères, qu'ils soient ou non répréhensibles, permettant ainsi l'instauration d'un État dans l'État, hors de toute forme de contrôle. Ce sacro-saint secret se trouve donc à la source de tous les malentendus, de tous les fantasmes et de toutes les dérives potentielles. Il crée, entre initiés et profanes, une inégalité difficilement acceptable en démocratie.

Pourquoi, en France, toute promotion considérée comme imméritée, toute réussite vécue comme inexplicable, toute distinction perçue comme discutable appelle-t-elle la franc-maçonnerie comme clé d'explication dans beaucoup de milieux ? Par « antimaçonnisme primaire », selon le jargon habituel employé dans les loges ? Évidemment non. C'est le secret qui en est la seule cause. Et qui permet d'ancrer dans les esprits la terrible équation « maçonnerie égale combines ». Interrogé lors d'une enquête sur les médias et la franc-maçonnerie, André Rousselet, le fondateur de Canal+ et ancien dirigeant d'Havas, qui assure n'avoir jamais été « dragué » par la confrérie, répondait avec malice : « Les comportements humains sont tellement étranges et irrationnels que, lorsqu'on est à court d'explications, on se dit, pour éclairer telle promotion ou tels avantages indûment accordés : "C'est inexplicable, donc, ce doit être la franc-maçonnerie." Par exemple, lorsque je vois que le magazine *Forbes* fait de Jean-René Fourtou le manager de l'année, je trouve ça tellement farfelu que je me dis : là, c'est forcément un

coup de la franc-maçonnerie[1] ! » Cette amusante bou-
tade en forme de vendetta, prononcée par André Rousselet contre celui qui dirigeait alors Vivendi Universal,
actionnaire qui l'avait « exécuté » à la tête de Canal+,
reflète aussi le sentiment du public en général et des
élites en particulier envers cette société qui se revendique discrète et non secrète. Un mélange de condescendance, d'agacement et de paranoïa.

La condescendance s'exprime face à un rituel qui
semble souvent désuet, pour ne pas dire grotesque, aux
yeux de beaucoup de Français. Les têtes de mort, les
tabliers brodés, les cordons, les colifichets, les gants
blancs, les épées, les dénominations pompeuses… Imaginer un président de multinationale, un ministre
important, un grand médecin, un haut fonctionnaire
d'autorité dans cet univers plus proche de « Donjons et
dragons » que de la géostratégie mondiale est depuis
longtemps une source de curiosité amusée pour de
nombreux profanes. Mais au-delà de ce folklore, le
secret maçonnique suscite légitimement quelques interrogations inquiètes.

Les frères de la Caisse

La Caisse des dépôts et consignations (CDC), institution aussi méconnue qu'essentielle à la bonne marche
du pays, a illustré cette dangereuse ambiguïté. Créée en
1816 pour rétablir la confiance dans les finances publiques après les excès du Premier Empire, elle se charge
aussi bien de la gestion du livret A que des régimes de
retraites et du financement des PME. Elle intervient
aussi dans le logement social et est un des plus gros

---

1. *Le Point*, 29 janvier 2004.

investisseurs institutionnels de la place. À chaque crise, en 1929 comme en 2008, c'est elle qui est sollicitée pour mettre ses liquidités au service du redressement. Elle joue donc, à maints égards, un rôle hautement stratégique.

Ce monument de l'économie nationale a été, en 2007, le théâtre d'une guerre aussi violente que secrète sur toile de fond maçonnique. L'enjeu ? Le pouvoir, bien entendu. En décembre 2006, le directeur général Francis Mayer décède. Il n'est pas remplacé tout de suite. En mars 2007, c'est un homme du sérail, Augustin de Romanet, qui hérite de ce poste, l'un des plus enviés de la République. Cet énarque catholique tout en rondeur a fait une brillante carrière dans les équipes ministérielles de la droite, à Matignon auprès de Jean-Pierre Raffarin puis comme directeur de cabinet de Jean-Louis Borloo aux Affaires sociales, avant de devenir secrétaire adjoint de l'Élysée entre juin 2005 et octobre 2006, date à laquelle il a rejoint, pour quelques mois, le Crédit agricole. Ah ! une précision qui a son importance : Augustin de Romanet n'est pas franc-maçon[1].

Dès son arrivée, il a le sentiment que l'entourage de son prédécesseur compte de nombreux frères. C'est du moins ce qu'il confie à des proches, et que confirment plusieurs fonctionnaires de la Caisse. Des frères décidés à préserver leur influence ? Pour sa part, Étienne Bertier, patron de la filiale immobilière Icade, entre assez vite en conflit avec Augustin de Romanet. On évoque alors, à mots couverts, un « désaccord stratégique ». Étienne Bertier, se sentant menacé, réagit fortement. Cet ancien journaliste passé par EDF avant d'être parachuté à la Caisse menace-t-il de mettre ses réseaux à

---

1. Malgré plusieurs demandes, Augustin de Romanet n'a pas souhaité me rencontrer.

contribution pour « flinguer » le directeur général ? Il le dément avec vigueur, de même qu'il assure ne pas être franc-maçon[1]. Le nouveau patron, selon son entourage, est en tout cas le destinataire de coups de téléphone insistants, émanant de personnalités importantes, qui plaident la cause de son collaborateur. D'autres, dont un ancien ministre aujourd'hui sénateur, téléphonent directement au cabinet de Christine Lagarde, aux Finances. Les rumeurs commencent alors à circuler dans tout Paris. Le message ? Les francs-maçons auront la peau de Romanet. Quelques échos fielleux, enfin, paraissent dans la presse, dont un, dans *Le Canard enchaîné,* fait clairement référence à une vendetta maçonnique. Agacement de l'intéressé...

À la Caisse des dépôts, certains regardent ces manœuvres avec effarement. Ébranlés par la longue maladie de Francis Mayer, qui a su moderniser la Caisse et montrer un cap, en devenant un acteur plus présent dans les conseils d'administration du CAC 40, ils redoutent une nouvelle déstabilisation de leur chère maison, vénérable institution installée rue de Lille, à deux pas du musée d'Orsay. Aussi se montrent-ils inquiets lorsque le départ annoncé du numéro deux de la Caisse, Dominique Marcel, provoque une nouvelle agitation. Deux députés socialistes interviennent à l'Assemblée nationale pour dénoncer une « droitisation de la Caisse », tandis que la rumeur interne et – peu – fraternelle laisse entendre que le remplaçant du numéro deux, un profane lui aussi, a signé un appel contre Sarkozy durant la campagne présidentielle, ce qui est faux. Vu de l'extérieur, cet épisode s'explique par des clivages gauche-droite. Dominique Marcel a été directeur de cabinet de Martine Aubry et directeur adjoint de cabinet de Lionel Jospin à

---

1. Entretien avec l'auteur, le 27 novembre 2008.

Matignon. Il est, en quelque sorte, l'exact symétrique d'Augustin de Romanet. C'est lui, qui plus est, qui a conduit l'intérim après la disparition de Francis Mayer. Quand Augustin de Romanet se fait attaquer pour la mise à l'écart de son numéro deux, il réplique dans *Le Monde* : « N'y voyez pas le moindre début d'une chasse aux sorcières. Je revendique le droit du directeur général de la CDC de choisir son plus proche collaborateur[1]. »

Mais, rue de Lille, on parle plus volontiers de chasse aux frères que de chasse aux sorcières. « Avec la mort de Francis Mayer et l'arrivée d'Augustin de Romanet, ce qui était assez difficile à décrypter est apparu au grand jour, dit un administrateur qui a vécu toutes ces crises. Le plus pénible était incontestablement de dépenser du temps et de l'énergie à essayer de deviner qui appartenait au réseau et qui n'en était pas. Dans de telles circonstances, on devient facilement parano, parce que l'on en vient à surinterpréter tout ce qu'on ne comprend pas. On finirait par voir des francs-maçons partout ! » Du temps de l'ancien directeur général, la solidarité fraternelle ratissait assez large à la Caisse des dépôts. Elle accueillait ainsi, pour des dîners informels, l'association des « amis d'Alexandre Adler ». Journaliste et essayiste, personnage truculent et mondain, cet homme de réseaux en tous genres est lui-même membre de la GLNF. Ses « amis », sous la houlette de Paul Ancelin, maire UMP de Ploërmel, en Bretagne, poursuivaient un objectif hautement louable : trouver à Alexandre un point d'ancrage universitaire digne de sa stature, si possible à l'École normale supérieure. Rien n'était trop beau pour faire avancer cette importante mission. Depuis l'arrivée d'Augustin de Romanet, ces « amis » n'ont pas réapparu rue de Lille.

---

1. *Le Monde,* 7 mars 2007.

La Caisse des dépôts, en vérité, a longtemps joué un rôle important dans la vie de la maçonnerie. Plusieurs années auparavant, elle avait ainsi contribué très directement au rayonnement et à l'accroissement du patrimoine de la GLNF. En 1967, cette obédience très conservatrice s'est installée dans des locaux neufs boulevard Bineau, à Neuilly. Mais à l'orée des années quatre-vingt-dix, ses objectifs de croissance la conduisent à voir plus grand. À l'époque, Étienne Dailly, vice-président du Sénat à la réputation sulfureuse, rêve de gravir les échelons à la GLNF. Avide de reconnaissance, il se lance dans une opération immobilière aussi audacieuse qu'astucieuse.

Dans le XVIIᵉ arrondissement de Paris, entre la porte de Champerret et la porte d'Asnières, la SNCF détenait des emprises ferroviaires dont elle ne se servait plus, et qu'elle avait donc cédées à l'Office HLM de la Ville de Paris en 1982. En décembre 1985, la voie AF 17 devient officiellement la rue Christine-de-Pisan. Puis, en mai 1990, l'Office public d'aménagement et de construction de la Ville de Paris cède pour un prix raisonnable une partie de ce terrain à bâtir à la société civile immobilière Christine-de-Pisan, émanation directe de la GLNF. À 7 000 francs le mètre carré, la GLNF s'endette pour 68 millions de francs, ce qui n'est pas rien. Reste à bâtir l'immeuble. C'est là qu'intervient Étienne Dailly. Il obtient de la Caisse des dépôts qu'elle finance la construction. Et qu'elle se charge de la location des étages les plus élevés. Les loyers perçus par la société civile immobilière Christine-de-Pisan serviront à rembourser le crédit contracté pour la construction. « Je me souviens des négociations avec les représentants de la Caisse, raconte ce frère qui a suivi de près la transaction. On leur a dit qu'ils avaient un savoir-faire pour louer des bureaux, qu'ils s'en chargeraient et qu'ils nous garantissaient la rentrée des loyers. Résultat : occupés ou non − et ils ne l'ont pas toujours été −, les étages élevés

payaient les remboursements d'emprunt. » En remerciement de ses excellents services, Étienne Dailly a été, peu
après, élevé au titre de député grand maître de la GLNF.
L'obédience a aujourd'hui récupéré la totalité de la
jouissance de son immeuble et a pu dès son installation,
en 1993, bénéficier de vastes locaux dans lesquels fonctionnent plusieurs temples, dont l'un peut accueillir
plus de mille personnes. Époque bénie que celle où une
grande institution financière encourageait avec tant de
bienveillance les travaux de l'esprit !

Persécutions imaginaires ?

Aujourd'hui, tous les secrets liés au rituel ou à l'initiation sont publics. Des rayonnages entiers d'ouvrages en
livrent les détails dans les librairies spécialisées. Reste
donc le secret de l'appartenance, le dernier à résister. Et
le plus pernicieux, puisque c'est le seul dont les conséquences peuvent rejaillir sur la vie publique. Jean-Michel
Quillardet, qui a été grand maître du Grand Orient
jusqu'en septembre 2008, s'est prononcé pendant son
mandat pour le dévoilement afin que chaque maçon
montre qu'il est fier de son appartenance[1]. Une attitude
d'ouverture assez rare. Son prédécesseur Alain Bauer ne
parle pas de secret mais de « discrétion sur les appartenances » dans son livre *Grand O*[2], un habile plaidoyer *pro
domo* à la fois personnel et collectif. La « discrétion sur
les appartenances » ? Une litote commode que l'auteur
justifie par « le traumatisme de l'Occupation, les humi-
liations, les persécutions, les assassinats et les déporta-
tions qui rendirent les francs-maçons particulièrement

---

1. Déclaration à la Chaîne parlementaire, 13 février 2008.
2. Alain Bauer, *Grand O*, Denoël, 2001.

prudents ». Nulle part on ne trouve une ligne, un mot pour tempérer, remarquer que ces événements se sont déroulés il y a plus de soixante ans et que les risques de persécution sont aujourd'hui totalement imaginaires, sauf à établir un parallèle entre le régime de Vichy et la Ve République, ce qui semble plus qu'osé. À ce compte-là, l'opposition politique devrait aussi entrer dans la clandestinité, et chacun de ses responsables prendre des pseudonymes au cas où... C'est n'importe quoi mais cela fonctionne, dans la mesure où le politiquement correct interdit de remettre en cause une belle posture de victime, même si elle remonte trois générations en arrière.

Un secret peut en cacher un autre

Si l'appartenance fait encore l'objet – serment oblige – d'un silence strictement observé, certains frères s'interrogent sur son application à géométrie variable. C'est le cas de cet ancien vénérable d'une loge du Grand Orient : « Beaucoup de frères considèrent le secret comme inviolable, donnent des leçons à longueur de temps sur la violence propre aux révélations, alors qu'ils se montrent incroyablement intrusifs au moment de l'adhésion, s'insurge-t-il. Chaque candidat reçoit trois enquêteurs, dont l'un chargé de rédiger sa « bio ». On y trouve tout, y compris les histoires de vie privée. C'est d'autant plus facile que la personne est en confiance, même parfois heureuse de pouvoir se livrer. Donc elle en raconte beaucoup, et tout est consigné. Ces archives sont gardées par la loge, et transmises d'un vénérable à l'autre. Personnellement, quand j'ai quitté mes fonctions de président de l'atelier, j'ai emmené tout ce qui me concernait et aussi deux ou trois informations sensibles sur tel ou tel. L'un des membres, par exemple, était homosexuel alors qu'il y avait parmi nous beaucoup de flics pas toujours très progressistes. Si quelqu'un voulait s'amuser à cela, il pourrait détenir des éléments de chantage effrayants. »

Le secret engendre parfois des situations cocasses. À plusieurs reprises, Radio Courtoisie, une station confidentielle et assez éloignée des valeurs de progrès, a donné à l'antenne les « mots de semestre[1] » du Grand Orient, sortes de mots de passe qui permettent de se présenter à l'entrée des ateliers et d'y être reçu. Certains vénérables s'en sont émus, d'autant qu'une lettre confidentielle réputée proche de l'extrême droite, *Faits et Documents*, « balance » régulièrement des noms de maçons dans ses colonnes. Son directeur-fondateur, Emmanuel Ratier, dispose par ailleurs d'une émission sur Radio Courtoisie. Fin 1998, le vénérable d'une loge parisienne du Grand Orient, exaspéré par la « ligne éditoriale » de Ratier, écrit au grand maître Philippe Guglielmi pour lui demander des éclaircissements sur ces fuites à répétition. Et là, surprise, le patron de son obédience lui indique qu'Emmanuel Ratier est... franc-maçon :

« Tu me fais part des agissements malheureusement habituels d'Emmanuel Ratier et de la feuille nauséabonde qu'il édite, intitulée *Faits et Documents*.

Cet individu est membre d'une L.˙. De la G.L.N.F. dont le titre distinctif est "La Nef de Saint-Jean" à La Garenne-Colombes.

La complaisance affichée de cette Obédience vis-à-vis de l'extrême droite, comme les faits ci-dessus le

---

1. Il s'agit en général de deux mots accolés : le nom d'un franc-maçon célèbre et celui d'une vertu.

prouvent, a amené le Conseil de l'Ordre à prendre les mesures conservatoires qui ont été diffusées récemment aux Loges.

En effet, comment assurer la sécurité de nos documents lorsque, dans des locaux du GODF, on peut héberger les Loges qui abritent des personnages à l'attitude si condamnable.

En ce qui concerne l'annuaire dit "carnet bleu", il est tiré à 1 300 exemplaires numérotés dont les destinataires sont répertoriés. Le Conseil de l'Ordre a chargé un imprimeur d'étudier un système de marquage de ces documents pour en empêcher la reproduction sans identification de l'origine.

Ayant le même souci que toi de garantir nos Frères contre toute attaque, j'ai jugé utile de te fournir tous ces renseignements.

Je te demande de croire, V∴ M∴, mon T∴ C∴ F∴, à l'assurance de mes sentiments maçonniques les plus fraternels. »

Signé : Philippe Guglielmi.

Traduction pour les non-initiés : le « carnet bleu » est un petit annuaire qui contient les coordonnées de tous les vénérables, qui leur est exclusivement réservé et n'est pas censé être divulgué. Le contenu de ce courrier amuse beaucoup Emmanuel Ratier[1], qui assure ne pas être initié, et dans le souvenir duquel c'était Serge de Beketch, ancien directeur de *Minute* et ex-franc-maçon, qui donnait les mots de semestre à Radio Courtoisie. Au-delà de l'anecdote, ce courrier indique tout l'embarras qu'il y a à conserver le secret et à le gérer au quotidien.

Par exemple, le Grand Orient se refuse traditionnellement à réagir lorsqu'un individu indélicat est présenté

---

1. Entretien avec l'auteur, le 6 février 2009.

comme franc-maçon. Mais dans les années quatre-vingt-dix, un garçon pittoresque, surnommé Roger la Banane en raison de sa coiffure à la Elvis, commence à faire parler de lui d'abord à Lille, puis dans tout l'Hexagone. Virtuose de la promotion immobilière douteuse, il compte parmi ses nombreux amis un magistrat à qui il fait quelques cadeaux. Et toujours, il est présenté comme membre du Grand Orient de France. Rue Cadet, au siège de l'obédience, on vérifie tous les fichiers : pas la moindre trace d'un Roger Dupré, le vrai nom de ce gars du Nord fâché avec la loi. Un débat s'installe. L'obédience s'est fixé comme règle de ne jamais publier de démenti, lorsqu'une personne est présentée, à tort, comme un membre de la confrérie. Sinon, son silence reviendrait, au fil du temps, à confirmer une appartenance. Mais ses dirigeants décident de faire une exception pour ce frère-là, tant son parcours, son allure et ses fréquentations donnent une image problématique de la franc-maçonnerie.

D'autres cas similaires ont-ils surgi sans que l'obédience réagisse ? C'est probable. Ainsi René Bousquet a-t-il été présenté par quelques médias comme un ancien membre du Grand Orient avant-guerre. Il n'y a pourtant aucune trace du patronyme du secrétaire général de la police de Vichy dans les fichiers de la rue Cadet. Pourquoi a-t-elle laissé dire et laissé écrire ? Simplement parce qu'elle est, comme toutes les obédiences, prisonnière du secret derrière lequel elle se protège. Démentir une appartenance jugée infamante – comme dans le cas de René Bousquet, par ailleurs un intime de François Mitterrand – revient, de fait, à en confirmer implicitement une autre en gardant le silence.

Protéger la franc-maçonnerie des regards indiscrets peut conduire à la faute, surtout pour ses membres qui exercent des fonctions d'autorité. Éric de Montgolfier a ainsi marqué un temps d'arrêt lorsqu'au moment de la réouverture du procès de Maurice Agnelet pour le meurtre d'Agnès Le Roux, l'héritière du Palais de la Méditerranée disparue en 1977, un frère lui a raconté comment, lors de la première enquête, un commissaire franc-maçon avait prévenu le principal suspect, Maurice Agnelet, des perquisitions qui allaient avoir lieu. Il s'agissait moins, selon lui, de protéger un frère, en l'espèce Agnelet, que de soustraire à la curiosité de la justice le nom de tous ses frères de loge, et d'éviter que la maçonnerie ne soit indirectement compromise dans une affaire de meurtre[1].

Pour la fin du secret

Les polémiques sur la franc-maçonnerie, son influence, les fantasmes qu'elle inspire, les anathèmes dont elle est l'objet trouveraient un épilogue saisissant d'un simple trait de plume : en supprimant l'obligation de silence intimée par le serment qui s'impose à l'apprenti avant même que la « lumière » lui apparaisse. Plus de mélange des genres. Plus de suspicion pesant sur tel policier ou tel magistrat. Plus de rumeurs sur l'infiltration d'une entreprise ou la tentative d'éviction d'un profane qui n'appartient pas au réseau.

Les frères qui soutiennent ouvertement cette thèse sont pourtant rares. Parmi eux, Pierre Marion, ancien patron de la DGSE, qui pilote le renseignement extérieur en France, a longtemps été un haut dignitaire de la GLNF avant de la quitter avec fracas. Il se montre impitoyable envers le secret de l'appartenance. « Cette obligation, écrit-il, peut comporter de sérieux inconvénients. Car non seulement elle alimente dans le public des fantasmes nuisibles à la santé de l'Ordre – ces fantas-

---

1. Entretien avec l'auteur, le 5 septembre 2008.

mes ont beaucoup motivé l'Église catholique dans sa condamnation passée –, mais en outre, elle peut justifier aux yeux des plus disciplinés un refus de collaboration avec la justice, en cas d'infractions privées ou publiques commises par des frères. Et cela n'est nullement acceptable. On ne peut qu'être favorable au réexamen du principe ou des modalités en maçonnerie[1]. »

Pierre Marion, qui pratique aujourd'hui directement chez ses frères anglais, n'est pas seul de cet avis. Un ancien hiérarque de la province parisienne de la GLNF, Jérôme Touzalin, a aussi pris du champ, s'agaçant du voile de vertu dont le secret permet de recouvrir les arrangements et dérives de certains. Membre d'une nouvelle obédience, la GLTMF (Grande Loge Traditionnelle et Moderne de France), créée par des dissidents de la GLNF pressés vers la sortie pour avoir osé relever la tête, il a récemment écrit une « planche » appelant ses frères à la levée de l'omertà. Une démarche qu'il explique ainsi : « Le secret maçonnique, la discrétion des Frères, m'étouffent, écrit-il aux initiés. Ce qui pouvait être justifié à certaines époques ne l'est plus ! Ce silence favorise toutes les dérives et abrite toutes les mauvaises manœuvres. Pendant vingt ans, j'ai respecté ce silence. Non point pour couvrir les basses opérations, je ne me doutais pas qu'à part quelques petits arrangements – je ne suis pas naïf à ce point ! – il pouvait s'en passer de si énormes ! Je me suis donc tenu à l'écart, travaillant sagement dans mon atelier, aidant à la direction de la Province. Maintenant ce n'est plus possible. J'enrage que notre discrétion, que j'ai acceptée pendant si longtemps, fasse le lit des ambitieux, des abuseurs de biens collectifs, des dévoyeurs de notre philosophie humaniste. Je suis de ceux, trop rares, qui ne veulent plus cacher qu'ils sont

---

1. Pierre Marion, *Mes bien-aimés frères, histoire et dérive de la franc-maçonnerie*, Flammarion, 2001.

maçons. Si quelques Frères ont les mains sales, nos tabliers, eux, sont restés propres, et la Maçonnerie n'a rien perdu de ses lumières. Pour moi, la Franc-Maçonnerie demeure ce rassemblement d'hommes et de femmes qui sont des pédagogues de la tolérance, de l'ouverture à la culture des autres, de la pacification des esprits, de l'écoute et de la patience. Je suis vraiment entré en maçonnerie pour cela. Et j'y reste parce que j'y crois encore[1] ! »

Ce témoignage en recoupe des dizaines d'autres, provenant de responsables qui se sentent eux-mêmes pris au piège du silence. À le lire, comment ne pas s'interroger sur l'attitude des loges concernant le secret, un thème qui n'est jamais proposé à l'étude dans les obédiences. Les sujets de réflexion ne manquent pourtant pas. Par exemple : comment s'assurer que le secret n'appelle pas toujours plus de secret, laissant la porte ouverte au développement de loges « couvertes », ces assemblées non déclarées, connues seulement de quelques *happy few* ? Pourquoi, aussi, l'appartenance demeure-t-elle l'un des derniers tabous français, puisque la plupart des maçons, surtout lorsqu'ils appartiennent à l'élite, refusent d'assumer leur libre choix ?

---

1. Document communiqué à l'auteur par Jérôme Touzalin.

4

« Vie privée », vraiment ?

La scène se passe dans les locaux de la division nationale des investigations financières, à Nanterre. Les acteurs principaux en sont le commissaire Christian Mirabel, directeur de cette brigade chargée de lutter contre la criminalité en col blanc, et un ancien magistrat, député UMP, fort en gueule, ami et conseiller de plusieurs patrons du CAC 40. Ce 16 janvier 2007, le commissaire a convoqué le député en qualité de témoin. Il enquête sur l'affaire Clearstream, dossier miné et tentaculaire impliquant la moitié de la nomenklatura française, instruit par les juges Jean-Marie d'Huy et Henri Pons. Et pourquoi veut-il entendre un élu de la République ? Parce qu'Alain Marsaud est aussi un spécialiste du renseignement. Et que son nom a été cité dans une note de la DST rédigée par son patron de l'époque, Pierre de Bousquet de Florian, qui laisse entendre que le député UMP de la Haute-Vienne aurait rencontré Imad Lahoud, déjà considéré à cette époque comme le probable faussaire des fameux listings falsifiés auxquels personne ne comprend rien mais qui ont fait couler tant d'encre. Alain Marsaud, dès que le contenu de cette note de la DST a filtré, a tempêté publiquement, n'ayant pas de mots assez forts pour hurler à la calomnie. Pendant son audition, il renouvelle ses manifestations d'indignation.

Le procès-verbal montre bien que le témoin entendu ce jour-là n'est pas un « client facile ». Ancien magistrat antiterroriste, il connaît tout des arcanes de la procédure. Député de la République, il veut faire comprendre qu'il n'est pas n'importe qui. En d'autres termes, Christian Mirabel et ses collègues doivent faire preuve d'une certaine pugnacité pour recueillir auprès de lui quelques informations.

Le commissaire demande au député (feuillet 3 du procès-verbal d'audition) s'il connaît Alain Bauer, l'ancien grand maître du Grand Orient qui, outre ses activités maçonniques, dirige AB Associates[1], une société de conseil en sécurité, et a travaillé comme consultant pour EADS, le groupe où officiait Imad Lahoud. Réponse d'Alain Marsaud : « Je le connais depuis une dizaine d'années. Je ne souhaite pas qualifier la nature de nos relations. » D'étranges propos, qui laissent la place aux interprétations les plus contradictoires : les deux hommes sont-ils fâchés ou au contraire très proches ?

Le commissaire et ses collègues poursuivent en présentant à Alain Marsaud (feuillet 4 du procès-verbal d'audition) un document, que celui-ci reconnaît comme faisant partie du rapport de la DST qui évoque son nom dans le cadre de l'affaire Clearstream. Ils l'informent ensuite que ce feuillet a été saisi lors d'une perquisition dans les locaux de la société d'Alain Bauer et lui demandent si c'est lui qui l'a transmis. Là encore, la réponse est claire. C'est non : « Je ne fréquente pas Monsieur Bauer, donc ce n'est pas moi qui le lui ai fait parvenir. »

---

1. Que les enquêteurs appellent, durant l'interrogatoire, AB Consultants.

55

Les enquêteurs présentent alors au député de la Haute-Vienne un bordereau de fax, trouvé lors de la même perquisition, qui démontre, numéro de téléphone à l'appui, que le fragment de la note de la DST a été envoyé depuis sa permanence électorale, accompagné d'un petit mot : « Pour aiguiser ta curiosité. Bien à toi. » Alain Marsaud fait alors brusquement machine arrière, et confirme être l'expéditeur de cet envoi : « Effectivement, ce fax émane bien de ma permanence en Haute-Vienne. De mémoire, il me semble qu'il a dû me téléphoner pour me demander si j'avais connaissance de cette note de la DST et m'a demandé de la lui communiquer. Je l'ai envoyé par fax à sa société. Depuis cette période[1] nous n'avons plus de relation pour un motif étranger à cette affaire. » Résumons, donc : au feuillet 3, le député n'a jamais rien envoyé à Alain Bauer avec qui il entretient des relations dont il ne souhaite pas qualifier la nature, et au feuillet 4, il reconnaît, face à l'évidence, avoir bien envoyé le fameux fax dix-huit mois avant cette audition ! C'est déjà assez piquant, mais à part le consultant et ancien grand maître, quel rapport avec les maçons et le secret ? Le voici, consigné au feuillet 5 du procès-verbal : « Êtes-vous ou avez-vous été membre du Grand Orient de France ? » interrogent les policiers à brûle-pourpoint. « Je ne souhaite pas répondre à cette question », répond laconiquement le témoin, qui reconnaît juste tutoyer l'ancien grand maître.

Que se serait-il passé, lors de cette audition assez sportive, si les policiers qui la conduisaient étaient eux-mêmes maçons ? Auraient-ils posé toutes les questions ? Auraient-ils consigné les réponses dans le procès-verbal ? Pas sûr. Celui-ci prouve pourtant que face à l'autorité

---

1. Le fax est daté du 20 juillet 2005.

policière, interrogé comme témoin dans le cadre d'une affaire d'État, un élu de la République peut refuser de répondre à une question concernant son appartenance à la franc-maçonnerie, appartenance susceptible de jouer un rôle dans l'affaire pour laquelle il est interrogé.

Confrontés à un tel dilemme – poser les questions qui fâchent ou pas ? Consigner les réponses par écrit ou pas ? –, des frères policiers se seraient-ils par ailleurs désistés, jugeant que leur engagement commun nuisait à l'objectivité de l'interrogatoire ? De mémoire de policiers comme de juges, jamais un officier de police judiciaire n'a demandé à être déchargé d'une mission pour cette raison. Ce qui n'empêche pas Alain Bauer, décidément omniprésent tour à tour comme acteur dans les coulisses du pouvoir et comme moraliste dans ses livres, d'écrire sans s'émouvoir : « Je crois que les frères, juges ou policiers, doivent être assez intègres pour se désister quand ils ont à interroger ou à juger un maçon, s'ils pensent qu'ils n'auront pas la capacité d'être déontologiquement en situation de le faire[1]. » « Déontologiquement », l'adverbe est bien choisi.

Le joker de la vie privée

Les grands mots servent parfois de paravent aux arguments trop faibles. Les défenseurs du secret en appellent donc à la liberté de conscience, qui ferait de l'appartenance à la maçonnerie un élément de la vie privée. « Ce que fait chacun, ce qu'il est, ne regarde que lui, écrit encore Alain Bauer. Il n'y a d'ailleurs là rien de proprement maçonnique, c'est une pratique commune

---

1. Alain Bauer, *op. cit.*

aux organisations syndicales, religieuses et associatives...
qui relève du respect des consciences. » L'appartenance
syndicale, religieuse ou associative fait-elle l'objet d'un
serment, par lequel chacun s'engage à ne pas révéler
l'appartenance des autres ? Pas que l'on sache. Ces propos sont très étranges de la part d'un ancien dirigeant
d'une obédience qui a décidé, à la fin des années quatre-vingt, d'exclure de ses rangs les membres du Front
national. Comment cette appartenance leur aurait-elle
été révélée, sinon parce que le militantisme politique
n'a rien de secret ?

Le joker de la vie privée – adhésion volontaire, effec-
tuée en toute connaissance de cause – trouve toutefois
de nombreux défenseurs sincères. La présidente de la
fraternelle Les Enfants de Cambacérès, qui réunit des
frères et sœurs gays, assure ainsi que l'« outing[1] »
maçonnique est tout aussi violent que celui qui vise les
homosexuels. On ne peut que croire à sa sincérité, mais
aussi s'étonner de la comparaison, pour le moins dou-
blement audacieuse : on ne choisit pas sa sexualité,
d'une part ; l'adhésion à une association, d'autre part,
peut s'apparenter à une démarche personnelle, sûrement pas à un secret intime.

Jean-Claude Delage, secrétaire général du syndicat
policier Alliance, dit cependant la même chose, y compris pour ce qui concerne la maison à laquelle il appartient : « Bien sûr que je suis favorable au secret, à la
liberté de dire ou de ne pas dire. Il s'agit d'un engagement individuel qui fait partie de la vie privée. Dévoiler
publiquement que quelqu'un est franc-maçon est un

---

1. L'« outing », dans son acception première, consiste à dénoncer publiquement l'homosexualité d'une personnalité. Il se distin-
gue du « coming out », où l'intéressé choisit de se dévoiler lui-
même.

acte très violent. Le fait qu'il soit policier n'y change rien[1]. »

Les revirements de la justice

Il faut reconnaître que le secret d'appartenance a été entériné par la justice française pendant de longues années, permettant d'esquiver toutes les questions gênantes sous le prétexte qu'il s'agirait de la vie privée de chacun. La révélation de l'adhésion maçonnique était alors automatiquement punie. L'article 9 du code civil dispose que « toute personne a droit au respect de sa vie privée ». Il s'est appliqué longtemps à la qualité de maçon et interdisait, de fait, toute référence à celle-ci, consacrant ainsi comme une règle intangible ce secret qui se trouve au cœur du fonctionnement de cet État dans l'État. Peu importe, dans ce cadre légal, la véracité de ce que l'on rapporte, ou les preuves que l'on peut fournir. La condamnation est automatique. On n'a pas le droit, c'est tout. Un jugement rendu en mars 2003 par le tribunal de Paris donnait ainsi satisfaction à un célèbre lunetier qui dément appartenir à la confrérie et attaquait pour cette raison le livre *Les frères invisibles*[2], qui dressait un tableau assez sombre du rôle joué par les maçons dans les affaires. Le tribunal a considéré que les auteurs n'avaient rien écrit de diffamatoire, certes, mais que « la franc-maçonnerie se définit comme une association de personnes, constituées en loge, qui professent des principes de fraternité et se doivent entraide, que l'appartenance d'une personne à un tel

1. Entretien avec l'auteur, le 26 février 2008.
2. Ghislaine Ottenheimer, Renaud Lecadre, *Les frères invisibles*, Albin Michel, 2001.

mouvement relève incontestablement de ses convictions philosophiques, et que la révélation – vraie ou fausse – de l'appartenance du demandeur à la franc-maçonnerie caractérise donc une atteinte au respect de la vie privée ». Tout est dans ce « vraie ou fausse », qui semble laisser entendre que la véracité de l'information délivrée n'a aucune importance.

Quelque temps plus tard, dans le cadre d'une enquête publiée dans *Le Point* sur les francs-maçons et les médias, je prends contact avec le rédacteur en chef d'un journal télévisé, qui me renvoie par porteur la missive suivante : « Vous déclarez que des sources concordantes m'identifient comme membre de cette "noble confrérie", pour reprendre votre expression. Je crains que ces sources ne soient qu'une compilation d'articles sur le même thème parus ces dernières années chez vos concurrents [...] que j'ai poursuivis et fait condamner pour atteinte à la vie privée. [...] C'est sur l'application de l'article 9 du code civil, qui protège la vie privée de tout citoyen, que les juges se sont appuyés. Si j'étais cité dans votre article, je me verrais dans l'obligation de réitérer ces poursuites. Ce serait regrettable pour vous et votre hebdomadaire. Je vous remercie toutefois d'avoir cherché à me contacter pour me donner la parole. Cette précaution élémentaire n'avait pas été respectée par vos confrères. Ne voyez dans cette attitude aucune volonté de censure. Je considère qu'aucun sujet n'est tabou à partir du moment où son traitement ne porte pas atteinte aux droits des personnes. Enfin, n'ayant jamais pratiqué l'amalgame entre ma vie professionnelle et ma vie privée, votre problématique m'est tout à fait étrangère. »

Au-delà du démenti qui n'en est pas un, le ton procédurier et menaçant qui est employé donne une vision assez claire de la difficulté d'évoquer publiquement des noms de francs-maçons. Celle-ci a pourtant été nuancée par la Cour de cassation le 12 juillet 2005. Un événement notable qui tend à prouver que les influences maçonniques au sein de la très haute juridiction ne sont pas irrésistibles. Ce jour-là, la première chambre civile doit statuer sur un arrêt de la cour d'appel d'Aix-en-Provence, et donnant raison à trente et un responsables provinciaux de la GLNF dans le sud de la France. Ces derniers avaient attaqué *L'Express* au titre de l'article 9 du code civil, au motif que le dévoilement de leurs noms et qualités constituait une atteinte à leur vie privée. Les juges de la cour d'appel d'Aix avaient considéré que « les convictions philosophiques appartiennent à la conscience de chacun, et que leur révélation publique non consentie constitue une atteinte à la vie privée ». Leurs collègues de la Cour de cassation créent la surprise en estimant que « la révélation de l'exercice de fonctions de responsabilité ou de direction au titre d'une quelconque appartenance politique, religieuse ou philosophique ne constitue pas une atteinte à la vie privée ».

La même chambre de la Cour de cassation persiste et signe, un an plus tard, toujours dans une affaire où *L'Express* a été condamné, cette fois par la cour d'appel de Paris, à la demande du maire de la commune de Ronchin, dans le Nord, et de huit membres du conseil municipal, tous désignés comme maçons par l'hebdomadaire : « Alors qu'elle avait observé que le contexte général de la publication était la mise au jour, légitime dans une société démocratique, de réseaux d'influence, et que l'appartenance à la franc-maçonnerie suppose un engagement, de sorte que la révélation litigieuse, qui s'inscrivait dans le contexte d'une actualité judiciaire, était justifiée par l'information du public sur un débat d'intérêt général, la cour d'appel n'a pas tiré les conséquences légales de ses propres constatations[1]. »

Conclusion : la vie privée ne peut plus servir de prétexte au secret. Ces deux décisions importantes marquent la fin du pouvoir d'intimidation que les frères pouvaient employer à l'égard de tous ceux qui souhaitaient décrypter le fonctionnement de leurs réseaux. Elles vont aussi dans le sens de l'Histoire. Comment admettre, à l'ère de la société ouverte, qu'un groupe influent joue encore sur la dissimulation de l'appartenance pour s'abriter d'une curiosité élémentaire ? Parmi les francs-maçons sincères et désintéressés – il en existe, j'en ai rencontré –, ils sont quelques-uns à ne plus vouloir, désormais, couvrir les « mauvais compagnons » en acceptant d'endosser ce manteau d'hypocrisie que représente la non-révélation de l'appartenance. C'est modeste, mais c'est un début...

---

1. Cour de cassation, première chambre civile, arrêt n° 1431, audience publique du 24 octobre 2006.

5

Impunité organisée ?

La franc-maçonnerie est une sorte de petit État miniature logé, si l'on peut dire, à l'intérieur du vaste État
français. Elle a ses propres institutions dont elle revendique l'exemplarité. Ainsi peut-on lire, dans un document
officiel du Grand Orient de France, les lignes suivantes :
« Les 40 000 Francs-Maçons du Grand Orient de France
organisent, depuis longtemps, la séparation des pouvoirs judiciaire, législatif et exécutif selon un système
d'élection, de contrôle et de renouvellement rigoureux
et exigeant. Il n'est pas exagéré de dire que ce système
a servi de modèle et a influencé le fonctionnement de
bien des structures, politiques ou associatives. » L'État
maçonnique aurait donc, au moins partiellement, servi
de modèle à l'État tout court.

Parmi ces institutions, il en est une qui doit retenir
plus particulièrement l'attention : la justice maçonnique. « À la base du pouvoir judiciaire, les Conseils de
famille des loges ont à connaître des différends concernant un ou des membres de l'atelier, poursuit le document explicatif du Grand Orient de France. Ils doivent
chercher la conciliation. Si cette conciliation ne peut se
faire, le ou les plaignants peuvent déposer plainte
auprès de la Chambre Suprême de Justice Maçonnique
qui attribuera l'examen du dossier à un Jury Fraternel

63

Régional. Si la décision prise par celui-ci ne convient pas à l'une ou l'autre des parties, celles-ci pourront faire appel auprès de la Chambre Suprême de Justice Maçonnique (CSJM) qui désignera, en son sein, une section d'appel qui statuera en dernier ressort. Les membres des Jurys Fraternels Régionaux et de la CSJM sont élus par les Congrès régionaux pour trois ans. »

À la lecture de ce texte, il semble que la justice fraternelle ne soit saisie que de conflits internes, tels que des querelles au sein des loges ou des manquements au règlement général de l'obédience. C'est souvent le cas, comme l'a encore montré, à l'automne 2008, l'« affaire des femmes »[1] ; 169 maîtres maçons appartenant à cinq loges qui avaient osé initier des femmes ont été convoqués devant la Chambre suprême de justice maçonnique pour avoir enfreint le règlement.

Mais il arrive aussi, depuis l'irruption des « affaires » dans la vie publique, que cette Chambre ait à se prononcer sur le sort de frères qui ont des problèmes avec la justice « profane », bref, la vraie. À longueur de discours, tous les grands maîtres qui se succèdent, aussi bien au Grand Orient qu'à la Grande Loge de France ou à la Grande Loge Nationale Française, répètent à l'envi que le « ménage » est fait, que des suspensions sont prononcées, qui peuvent se transformer selon les cas en radiation définitive. On est bien obligé de les croire sur parole, puisque ces jugements sont strictement confidentiels. Même la lecture du bulletin du conseil de l'ordre, document interne qui consigne tout ce qui concerne la vie de l'obédience, de la finance aux affaires intérieures en passant par la justice, n'apprend rien à personne, à part aux initiés eux-

---

1. Voir le chapitre 21, « Les sœurs voilées ».

mêmes. Et pour cause : les identités se limitent en effet à la seule initiale du nom de famille, ou dans certains cas aux trois premières lettres. Une fois la justice passée, il n'y a donc rien à voir. L'un des anciens membres de la section permanente de la Chambre suprême de justice maçonnique du Grand Orient est d'ailleurs formel : Roland Dumas, présenté comme « suspendu » pendant la durée de ses ennuis judiciaires[1], n'a en fait jamais été l'objet de la moindre mesure. Il s'agissait juste de faire illusion auprès des profanes, tout en ménageant, à l'intérieur, un frère influent.

Les frères médiateurs

Du bas en haut de l'échelle, qu'il s'agisse de peccadilles ou d'affaires d'État, l'idée générale est la même : les affaires doivent se régler entre maçons, et ne pas déborder dans le cadre du « profane ». L'ensemble du secteur mutualiste, à forte coloration maçonnique, fonctionne selon ce système. Un médecin hospitalier en a fait les frais. En février 2007, une fondation émanant de la mutualité parisienne reprend un établissement hospitalier de l'est parisien, jusqu'alors géré par l'Assistance publique-Hôpitaux de Paris (AP-HP). Il comprend essentiellement trois services : la chirurgie, la rhumatologie et la réanimation. Très vite, l'ambiance devient assez délétère, car certains médecins croient comprendre que la nouvelle direction souhaite s'orienter vers des soins de suite et abandonner la médecine « haut de gamme » que représentent les trois chefs de service. La patronne de la rhumatologie décide de faire de la résistance et se heurte très vite au directeur, qui lui dit un

---

1. Il a finalement été blanchi par la justice.

jour : « De toute façon, je suis franc-maçon, j'ai des appuis. » Au moins, c'est net.

Pragmatique, la rhumatologue prend conseil auprès de quelques confrères auxquels elle expose sa situation. Elle n'aurait pas de peine à retrouver un emploi ailleurs, mais est révoltée par les procédés employés et soucieuse d'apporter son savoir-faire dans un quartier peu favorisé socialement. L'un de ses contacts, maçon lui-même, n'hésite pas. Il lui conseille une médiation. Il lui fournit même un nom et un numéro de téléphone portable. C'est celui d'un médecin, ancien député RPR reconverti dans l'industrie pharmaceutique. Cette personnalité ne fait d'ailleurs pas mystère de son appartenance à la Grande Loge de France. Lorsque la rhumatologue l'appelle, l'ancien élu l'écoute et lui promet de revenir vers elle. Quelques semaines passent, sans nouvelles. Entre-temps, l'ambiance s'est encore gâtée et la rhumatologue est licenciée pour faute grave, ce qu'elle conteste. Plutôt que de s'engager dans une longue procédure aux prud'hommes, elle souhaiterait s'expliquer avec le directeur et s'entendre sur une sortie négociée. Lorsqu'elle rappelle l'ex-député, celui-ci se montre beaucoup plus distant. Il lui conseille de tenter elle-même une conciliation, qui se révélera impossible à réaliser. Elle a depuis retrouvé un poste très intéressant dans un établissement beaucoup plus chic mais garde un souvenir amer de cette expérience. « Comme par hasard, il y avait un des trois chefs de service qui était franc-maçon, remarque-t-elle. Son départ à lui s'est très bien passé. Je n'avais jamais été en contact avec ces réseaux, même si j'ai quelques amis qui en font partie. J'ai été très choquée par cette manière de faire, par ce "j'ai des appuis" du directeur qui laissait entendre que rien ne pouvait lui résister. »

Lors d'un rendez-vous qui s'est déroulé dans son bureau[1], le directeur dément avoir jamais prononcé une telle phrase, même s'il confirme son appartenance à la franc-maçonnerie, dont il assure être fier. L'établissement, lui, connaît quelques difficultés. La procédure devant le conseil des prud'hommes, elle, est toujours en cours.

L'excuse maçonnique

Pour qui fréquente les allées du pouvoir, l'appartenance maçonnique peut apparaître comme une sorte d'immunité, un sauf-conduit qui permettra de traverser sans trop de dommages les grosses tempêtes. Ce passeport semble être utilisé de diverses façons. Imad Lahoud, le faussaire présumé des listings Clearstream, a de ce point de vue fait preuve de créativité. Interrogé le 28 novembre 2006 par les juges d'Huy et Pons en tant que mis en examen pour dénonciation calomnieuse, faux et usage de faux, il se lance dans un étrange discours en s'adressant au juge d'Huy, évoquant ses conversations avec Pierre Sellier, le patron de Salamandre, une entreprise de conseil en stratégie considérée comme proche de la DGSE : « Il m'a dit qu'il était lui-même franc-maçon ainsi que Philippe Laflandre[2] et vous-même, je cite, que Philippe Laflandre n'était pas un méchant mais qu'il avait sans doute sur instructions d'Alain Bauer, consultant lui-même auprès de Philippe

_____

1. Entretien avec l'auteur, le 15 juillet 2008.
2. Philippe Laflandre était le directeur de la sécurité d'Airbus. Imad Lahoud l'avait accusé d'être venu le menacer au centre de recherche d'EADS, où il travaillait alors, ce que l'intéressé avait démenti.

Delmas[1], de me rendre cette visite à Suresnes et essayer de me faire parler[2]. Ensuite, il m'a redit que vous étiez vous-même donc franc-maçon et qu'il connaissait, là je cite, des gens très proches de vous et que si j'avais besoin de prendre contact avec vous, il était prêt à le faire pour moi[3]. » Que cherche Imad Lahoud en faisant cette déclaration peu ordinaire ? À impressionner les juges sur sa connaissance supposée des réseaux maçonniques, afin de mettre l'un d'entre eux en porte-à-faux ? À faire passer le message que l'histoire est plus compliquée qu'elle n'en a l'air, alors que les apparences ne lui sont pas favorables ? À tenter sa chance dans le brouillard, espérant qu'il a visé juste ?

Ce qui est certain, c'est que cet homme ambitieux connaît bien les élites parisiennes. Marié à une inspecteur des Finances, fille d'un inspecteur des Finances grand ami de Jacques Chirac, ravi de frayer parmi ceux qui comptent, l'informaticien ne lance pas cette petite fable au hasard. Il doit penser qu'elle peut lui servir, qu'il

---

1. Philippe Delmas était le numéro deux d'Airbus, il est cité dans les listings trafiqués de Clearstream et s'est porté partie civile dans l'information confiée aux juges d'Huy et Pons.

2. Les fautes de syntaxe qui figurent dans le procès-verbal d'interrogatoire n'ont pas été corrigées afin de ne commettre aucune erreur d'interprétation.

3. Pierre Sellier, lors d'une audition en tant que témoin, le 8 janvier 2007, a nié la version d'Imad Lahoud : « À l'exception de l'objet du rendez-vous, c'est-à-dire les failles de sécurité du Blackberry, et c'est très précisément la parcelle de vérité sur laquelle M. Lahoud a voulu greffer ses mensonges, je nie formellement qu'il y ait la moindre parcelle de vérité dans les propos mensongers et diffamatoires de M. Lahoud. Ce dernier est à mon sens assez bien résumé par son passé judiciaire. » Il a également déclaré qu'il n'appartenait pas à la franc-maçonnerie, qu'il ne connaissait pas et n'avait jamais eu de contact avec le juge Jean-Marie d'Huy et avec M. Laflandre, et qu'il n'avait aucune raison de disposer d'informations particulières sur leur appartenance à la franc-maçonnerie.

doit y avoir du vrai dans ce qu'il dit, assez en tout cas pour provoquer un petit malaise ou une étincelle salvatrice.

Mission impossible

Car la protection offerte à certains maçons, au sein de l'appareil d'État, montre que tout est prévu pour organiser une impunité assez large. Les frères ne lâchent l'un des leurs qu'en toute dernière extrémité, quand tout a été tenté pour mener à bien un sauvetage, même périlleux.

Éric de Montgolfier, procureur de la République à Nice, a pu en faire l'expérience à ses risques et périls. Quand il arrive dans la capitale du mimosa et des combines, en 1999, il est précédé de sa réputation : c'est lui qui, à Valenciennes, a combattu de puissance à puissance Bernard Tapie et a démasqué sans trembler les mensonges d'un notable local et ancien ministre, le maire de Béthune Jacques Mellick. Élisabeth Guigou, garde des Sceaux, a envoyé le bouillant procureur à Nice pour « faire le ménage ». Les rumeurs les plus folles courent en effet sur cette juridiction, qui mérite, pour le coup, un énergique passage au Karcher.

À peine l'arrivée de Montgolfier est-elle annoncée que le doyen des juges d'instruction, Jean-Paul Renard, s'agite en haut lieu pour obtenir une mutation. Ce membre de la GLNF craint-il à ce point le nouveau venu ? La suite de l'histoire va démontrer qu'il était doté d'une bonne intuition. Renard suit, au sein de l'administration judiciaire, une chaîne maçonnique, pour aboutir au ministre de la Fonction publique Émile Zuccarelli, auquel il demande d'intervenir auprès d'Élisabeth Guigou pour lui obtenir un poste à Monaco ou à Draguignan. Après tant d'années passées sous le soleil de la Méditerranée, pas question, tout de même, de battre en retraite au milieu des corons ! Malgré la séparation des pouvoirs – c'est le Conseil supérieur de la magistrature (CSM) qui seul décide des mouvements des magistrats du siège –, Zuccarelli écrit une lettre d'intervention à Guigou, qui accuse réception sans façon. Mais les quelques règles qui prévalent pour la mutation d'un magistrat interdisent tout de même de jouer aux chaises musicales trop bruyamment : Renard n'est pas déplacé.

Il va donc devoir supporter Montgolfier. Pendant un an, les deux hommes jouent au chat et à la souris. Les dossiers dans lesquels le doyen des juges d'instruction n'a pas fait diligence sont nombreux, sa proximité avec des personnages troubles ou compromis dans les affaires politico-financières, comme le maire de Cannes Michel Mouillot, est de notoriété publique sur la promenade des Anglais. Mais on ne bâtit pas un dossier sur des rumeurs, même persistantes, ou sur des impressions, si fondées soient-elles. Jusqu'à ce jour de juin 2000 où une lettre anonyme arrive sur le bureau du procureur[1]. Elle dénonce les agissements du brigadier Alain Bartoli, député grand porte-glaive (en bon français, ministre de la justice adjoint) de la province sud de la GLNF, lequel, assure la missive, a consulté frauduleusement les fichiers confidentiels recensant les personnes qui ont commis une infraction. Les cibles de ces recherches étaient des élus, des personnes en vue, mais aussi... des postulants à la GLNF. Une information est ouverte et une perquisition dans les locaux niçois de la GLNF permet de trouver de nombreuses pièces écrites, dont un tableau qui recense le nom de candidats à l'initiation, et note pour chacun les éventuels éléments judiciaires embarrassants.

1. Voir annexe 1.

Dans ce document, Jean-Paul Renard est cité comme une source. Éric de Montgolfier comprend aussitôt que le juge d'instruction pourrait utiliser ses accès aux données du casier judiciaire pour s'informer et éclairer son obédience sur le profil des nouveaux venus. Le procureur interroge donc le responsable du casier judiciaire national sur les demandes effectuées par Jean-Paul Renard, puis fait examiner les dossiers instruits par le juge, d'une part, et la liste des candidats à la GLNF, d'autre part. Bingo : un certain nombre de demandes n'ont rien à voir avec les dossiers traités par le magistrat ; certaines, en revanche, concernent bien des candidats. Le 8 juin 2001, une information est ouverte et Jean-Paul Renard est mis en examen pour « détournement de finalité d'informations nominatives soumises à un traitement informatisé ; faux et usage de faux ». Quelques jours plus tard, la nouvelle garde des Sceaux, Marilyse Lebranchu, saisit le CSM afin qu'il engage des poursuites disciplinaires contre le doyen des juges d'instruction.

Fin de l'histoire ? Pas du tout. C'est même à ce moment que vont commencer, pour Éric de Montgolfier, trois ans de solitude, durant lesquels seuls une poignée de fidèles se tiendront constamment à ses côtés. Peu de temps après son arrivée à Nice, le nouveau procureur avait accordé une interview musclée au *Nouvel Observateur* : « Tous ceux qui m'ont accueilli ici m'ont spontanément parlé des réseaux francs-maçons. On m'a dit : vous ne comprendrez rien à cette juridiction ni à cette région si vous ne prenez pas en compte cette réalité. » Voilà pour les généralités. Mais déjà, sans citer Jean-Paul Renard, il lui avait envoyé un petit message : « Il n'est pas sain qu'un magistrat fasse partie d'un réseau qui a pour principe le secret[1]. »

---

1. *Le Nouvel Observateur*, 9 octobre 1999, propos recueillis par Marie-France Etchegoin.

La grande famille des frères va lui faire payer son outre-cuidance. L'interview, la mise en examen, les poursuites disciplinaires. C'est trop. Le procureur réclame à tue-tête une inspection ? Il l'aura. L'Inspection générale des services judiciaires (IGSI) est, place Vendôme, l'un des lieux où l'esprit fraternel souffle avec le plus de vigueur. Presque tous les patrons qui se sont succédé à la tête de ce service hautement stratégique sont des initiés.

Des enquêteurs sourds et aveugles

Sitôt dit, sitôt fait. Pas moins de sept enquêteurs de l'Inspection générale des services judiciaires sont dépêchés sur place. Dès les premières semaines, il apparaît que ces fins limiers n'ont pas pour mission de remuer des montagnes. À la fin de l'année 2001, Éric de Montgolfier est inquiet : les inspecteurs passent plus de temps à compter les gommes et les crayons qu'à rechercher les dossiers qui ont disparu dans les méandres du tribunal.

Une autre mauvaise nouvelle l'attend. Le 13 décembre, Jean-Paul Renard comparaît pour ses manquements devant le Conseil supérieur de la magistrature, réuni en formation disciplinaire. Le juge d'instruction a l'air très à son aise sous les lambris de la Cour de cassation. Il explique, en substance, qu'il a dû se protéger en tant que magistrat face à la croissance des effectifs de la GLNF, avant d'ajouter : « Lorsque je fréquentais une autre section [de la GLNF] que la mienne, si je voyais le nom d'une personne qui avait un casier, je n'entrais pas. » Voilà qui donne une bonne image de la franc-maçonnerie : dans quelle autre association doit-on systématiquement regarder le nom des présents afin de s'assurer qu'il n'y a pas de repris de justice dans la salle ? « La médiatisation de cette affaire, ajoute Renard, je n'en suis pas responsable […].

72

Le procureur de la République a ordonné ma garde à vue. J'ai un dossier contre lui, j'aurais pu faire la même chose. » Les membres du CSM qui siègent, sous la houlette du premier président de la Cour de cassation, Guy Canivet, ne réagissent pas à cette provocation. Il y a pourtant de quoi. Si bien que beaucoup d'observateurs présents dans la salle ne peuvent s'empêcher de songer à la réputation très maçonnique du CSM. Existe-t-il un lien entre celle-ci et le flegme étonnant dont font preuve les magistrats ? Enfin, l'intervention du directeur des services judiciaires, censé représenter l'accusation, n'a de réquisitoire que le nom. « Votre dossier professionnel est excellent, dit-il à l'accusé. Vous êtes très bien noté. Le premier président dit que vous êtes brillant même s'il ajoute que vous êtes depuis trop longtemps à Nice. Votre comportement est grave, mais vous pouvez rendre encore beaucoup de services à la magistrature. » Le verdict tombe début janvier : une simple réprimande, la plus faible des sanctions. L'intéressé va, quelques mois plus tard, exercer ses talents à vingt kilomètres de Nice, au tribunal d'Antibes.

Les émissaires de l'inspection, eux, poursuivent leur mission. En 2003, leur rapport ne fait pas de quartier... contre Montgolfier ! « Le TGI de Nice, écrivent-ils, évolue depuis quatre ans dans des conditions qui nuisent à son fonctionnement, à sa crédibilité et à son image. » Si l'on sait compter, $2003 - 4 = 1999$, soit la date d'arrivée du nouveau procureur. À l'attention de ceux qui seraient trop mauvais en calcul, les inspecteurs estiment que celui-ci porte « une forte responsabilité dans la dégradation de l'état de la juridiction ». Sa mise en cause des francs-maçons ? « Les nombreuses vérifications effectuées [...] n'ont pas permis de confirmer l'existence d'un tel réseau. » Il n'était pourtant pas nécessaire de chercher beaucoup ! En conclusion, l'IGSJ estime impossible de maintenir plus longtemps le procureur de la République à son poste « en raison de son échec dans la réorganisation du parquet comme dans son action visant à réduire les dysfonctionnements ». Pour faire bonne mesure, le garde des Sceaux, Dominique Perben, décide que cette prose est suffisamment édifiante pour que son intégralité soit mise en ligne sur le site du ministère, du jamais vu place Vendôme. Une pointe de transparence dans un océan d'omertà qui laissera supposer à beaucoup d'observateurs que Perben lui-même appartient à la confrérie, ce qu'il démentira. Quel crédit accorder à de telles dénégations ?

Sacrifice humain

L'impunité organisée, c'est cela. C'est une hiérarchie qui ferme les yeux. Ce sont des instances de contrôle (l'inspection) et de discipline (le CSM) qui refusent parfois de voir la réalité en face. C'est un ministre qui baisse le pouce. Cette infinie bienveillance doit, de façon symétrique, aboutir à la punition des gêneurs, en l'espèce Éric de Montgolfier et sa garde rapprochée. En cet été 2003, nous y sommes presque. Le procureur refuse de partir malgré les pressions, mais son avenir ne tient qu'à un fil, tandis que le juge Renard revit sous le soleil d'Antibes.

Ce qui s'est passé ensuite, et qui a infléchi le cours de l'histoire, résulte de l'interaction improbable entre trois personnages atypiques et courageux, qui ne se connaissent pas et ne partagent, à première vue, qu'un seul point commun : ils ne portent pas le tablier. Le premier, Éric de Montgolfier, résiste ouvertement. Il bénéficie du soutien d'une partie de la presse, l'autre se réjouissant publiquement des infortunes du procureur. Le deuxième, Bernard Bacou, vient d'être nommé premier président de la cour d'appel d'Aix-en-Provence. À ce titre, il est le supérieur hiérarchique de Jean-Paul Renard. Il prend la peine d'étudier deux dossiers : celui dans lequel le juge d'instruction est mis en examen et les annexes du rapport de l'IGSJ, qui contiennent de nombreuses perles que les inspecteurs semblent n'avoir pas remarquées mais qui justifieraient largement des poursuites disciplinaires. Bernard Bacou demande à la chancellerie de se saisir du dossier qu'il a lui-même reconstitué, mais il n'est pas entendu. Il se résout donc à faire jouer une nouvelle disposition qui lui permet de saisir directement le CSM.

L'institution confie alors le soin de rédiger un rapport à l'un des siens, qui siège comme représentant des premiers présidents de cour d'appel. Vincent Lamanda, troisième personnage clé de l'histoire, a toujours clamé ne pas être franc-maçon. C'est même cette non-appartenance qu'il a mise en avant pour se faire élire par ses pairs au CSM, ce qui tranche dans les hautes sphères de la magistrature.

Vincent Lamanda, à lui seul, fait en quelques semaines le travail que sept inspecteurs n'ont pas réussi à abattre en près de deux ans. Il reprend toutes les pièces annexes au rapport de l'IGSJ et produit un texte carabiné, dans lequel il ne reste rien de l'« excellent » magistrat Renard. Le maire de Cannes, Michel Mouillot, fréquentait la même loge que lui. Cela ne l'a pas empêché de vouloir instruire le dossier de corruption concernant l'élu. Le président du conseil général, Charles Ginésy, est inquiété dans un dossier de favoritisme. Renard instruit le dossier, et passe des moments de détente à la montagne avec Ginésy fils, tous frais payés bien entendu. Il conseille un frère lié au milieu qu'il avait eu comme « client » lorsqu'il était juge d'instruction à Grasse. Mauvaise fréquentation ? « Ce n'est pas parce que quelqu'un a commis une erreur une fois dans sa vie qu'il faut lui marcher dessus pour le restant de ses jours », se justifie Renard lors de sa deuxième comparution devant le CSM, le 14 octobre 2004.

Là, le ton a changé par rapport à la première séance, trois ans auparavant. Les acteurs sont parfois les mêmes,

tel Guy Canivet, premier président de la Cour de cassation, qui dirige les débats. Mais Renard n'est plus que
l'ombre de lui-même, faisant allusion à des problèmes
personnels. Ses interrogateurs le bousculent davantage.
Concernant l'affaire Ginésy, Guy Canivet lui demande :
« Vous avez des relations avec le fils et l'instruction du
père traîne ? » Même l'avocat de Renard, Me Michel Car-
dix, lui aussi initié, part battu d'avance. Il défend mollement, sans y croire.

Plusieurs témoins de la scène – y compris dans les
rangs des magistrats – se posent la question : le sort de
Renard a-t-il été réglé préalablement en loge ? A-t-on
décidé de sacrifier ce frère pour sauver l'essentiel ?
N'était-il, tout simplement, plus possible de lui porter
secours ? Le 29 octobre, Jean-Paul Renard est mis à la
retraite d'office à l'âge de 54 ans. « Les violations graves
et répétées aux obligations de prudence, de diligence,
de neutralité, de loyauté et de rigueur professionnelle,
toutes contraires à l'honneur et à la considération et
ayant porté atteinte à l'autorité de la justice, montrent
que Monsieur Renard a perdu les repères éthiques indispensables à l'exercice des fonctions de magistrat en
même temps que tout crédit juridictionnel à l'égard des
auxiliaires de justice et des justiciables », conclut le
conseil de discipline. C'est vrai, mais c'était déjà vrai
trois ans plus tôt, avec les mêmes faits à l'appui. C'est
aussi cela, les mystères de la franc-maçonnerie.

Et Jean-Paul Renard, qu'est-il devenu ? Tous les initiés
de la Côte d'Azur affirment qu'il travaille aujourd'hui,
de manière discrète, pour un cabinet d'avocats installé à
Antibes. L'un des associés de ce cabinet, François Stifani, est par ailleurs grand maître de la Grande Loge
Nationale Française.

Le monde, ce monde-là en tout cas, est vraiment tout
petit.

Deuxième partie

MÉLANGE DES GENRES

6

Signé Sarkozy !

« Même s'il avait voulu, il n'aurait jamais tenu ! »,
s'amuse l'un de ses plus anciens amis, selon lequel Nicolas Sarkozy nourrit une incompatibilité quasi physiologi-
que avec le statut de franc-maçon. « Vous l'imaginez
demeurer pendant un an, à raison de deux réunions par
mois, au milieu d'une assemblée où il est tenu au silence
le plus absolu ? » Le vœu – provisoire – de silence en
loge s'applique en effet à tous les nouveaux venus, à
l'exception de quelques chefs d'État africains auxquels
la GLNF offre une formation accélérée. À ces rares
exceptions près, il fait partie des exigences non négocia-
bles de l'initiation.

Pendant sa traversée du désert, après la défaite
d'Edouard Balladur, Nicolas Sarkozy a fréquenté, comme
intervenant extérieur, plusieurs loges de Neuilly, dont
celle de l'ancien sénateur Henri Caillavet, une des figures
les plus marquantes du Grand Orient. Certains croient se
souvenir de quelques appels du pied du maire de Neuilly,
redevenu avocat, après la répudiation chiraquienne,
pour approfondir les relations et aller plus loin si affinités. Ils assurent ne pas avoir donné suite, car Nicolas
Sarkozy, déjà à l'époque, n'avait pas le profil pour recevoir la lumière. Il n'est pas interdit de voir dans cette évocation une sorte de rêve rétrospectif.

Cependant, à défaut d'avoir expérimenté personnellement le cabinet de réflexion préalable au passage sous le bandeau, Nicolas Sarkozy sait appliquer aux frères le traitement « segmenté » qu'il réserve à toutes les « communautés ». Cette vision de la société, où l'on ne s'adresse pas à l'ensemble des citoyens mais à chacun de ses sous-ensembles, marque très fortement sa communication avec les maçons.

Un paraphe trois points

En 1996, à l'époque de sa disgrâce, personne ne s'intéresse vraiment à son sort. Mais quelques-uns de ses confrères avocats sont assez intrigués. Certains parlent beaucoup entre eux de courriers qu'ils ont reçus, et au bas desquels la signature de Me Sarkozy est très nettement agrémentée de trois points. L'histoire court dans Paris, où plus d'un analyste des réputations se répand sur une appartenance certaine de l'ancien ministre à la grande confrérie.

Le temps passe. Le maire de Neuilly gravit un à un les échelons qui le mènent, en 2002, au ministère de l'Intérieur. Un poste taillé sur mesure pour lui, qui devient très vite l'ami des policiers. Et voilà que les trois points de sa signature, dont personne ne parlait plus depuis des années, redeviennent un sujet de conversation.

Début 2006, lors des manifestations contre le CPE, Nicolas Sarkozy doit faire face à la grogne des syndicats policiers, dont les adhérents supportent mal, sur le terrain, les assauts des « éléments incontrôlés » et souhaiteraient un soutien plus explicite du gouvernement. Sans se faire prier, le ministre écrit à plusieurs patrons de syndicats, notamment au secrétaire général d'Alliance, classé à droite, pour les assurer que tout le ministère est derrière eux dans les opérations de maintien de l'ordre souvent difficiles qu'ils ont à mener. En dessous de sa signature : trois points très ostensiblement dessinés en triangle.

Alliance, il est vrai, compte de nombreux maçons parmi ses dirigeants. Jean-Claude Delage, son secrétaire général, un flic sympathique qui a gardé de sa Marseille natale un accent chaleureux, est le premier à défendre, avec véhémence et conviction, le secret de l'appartenance. Nicolas Sarkozy, engagé dans la campagne présidentielle, distribue-t-il les – trois – points en fonction des destinataires de ses missives ? En tout cas, l'histoire fait parler. Et, comme toujours, Alain Bauer, l'ancien grand maître du Grand Orient devenu le spécialiste chargé de la sécurité et de la police auprès du Président, a sa petite anecdote pour banaliser cette amusante histoire. « J'ai plusieurs lettres de lui sur un mur de mon bureau, s'amuse-t-il. Il n'y en a pas deux qui sont signées de la même manière. » Alors, pourquoi le fantasme collectif aurait-il vu trois points là où il n'y avait rien à signaler ? « C'est d'autant plus idiot que les francs-maçons savent que Nicolas Sarkozy ne l'est pas, tandis que les autres, au mieux, n'en ont rien à faire », poursuit Bauer.

C'est bien essayé, de la part de l'ancien grand maître du Grand Orient, qui sait mentir avec un entrain plaisant, mais ce n'est pas vrai. Dans le paysage morcelé de la maçonnerie française, toutes les obédiences n'entretiennent pas des relations mutuelles d'une grande courtoisie. Elles se communiquent, certes, chaque année, depuis le temps des affaires, la liste des personnes radiées pour mauvais comportements, afin que celles-ci ne puissent pas frapper à la porte d'un temple où elles ne sont pas encore défavorablement perçues. Mais c'est bien la preuve que tous les maçons ne se reconnaissent pas entre eux, notamment entre membres du Grand Orient de France et de la Grande Loge Nationale Française, puisque la seconde interdit toute relation avec le premier. La signature « trois points » peut donc, à la

81

marge, susciter quelques sympathies fraternelles. « Et si le ministre était un des nôtres ? » ont rêvé les plus naïfs, tandis que les autres trouvaient plutôt agréable ce clin d'œil dans leur direction.

Itinéraire d'un non-initié

Et d'ailleurs, l'illusion fonctionne. Au cours de l'enquête destinée à nourrir ce livre, plusieurs maçons ont soutenu mordicus que le Président avait été initié. Leurs arguments n'emportent pas la conviction, puisque ceux de la GLNF soupçonnent Alain Bauer de l'avoir embrigadé au GO, tandis que quelques antisarkozistes de la rue Cadet – et ils sont assez remontés depuis les discours sur la « laïcité positive » prononcés au cours de l'hiver 2007-2008 ! – verraient bien le chef de l'État à la GLNF, qui compte, il est vrai, une solide implantation dans les Hauts-de-Seine.

Il faut toutefois faire preuve d'une candeur touchante pour imaginer Nicolas Sarkozy, une fois Président, rejoignant une obédience. « Pour lui, dit l'un de ses proches, c'est un réseau parmi d'autres. Et quand on est le chef, c'est bien d'avoir des membres du réseau autour de soi. Pour qu'ils puissent décoder et envoyer des messages. »

Le Président a d'ailleurs côtoyé intimement des frères dès le berceau politique. Son parrain, l'ancien maire de Neuilly Achille Peretti, auquel il a succédé à la hussarde en 1983, était à la GLNF, que l'on appelait alors « Bineau », car son siège était situé boulevard Bineau, à Neuilly justement. Ce personnage haut en couleur avait pistonné au parti gaulliste l'un de ses compatriotes corses, Charles Ceccaldi-Raynaud, un ancien de la SFIO, avocat puis commissaire de police. Cet homme habile qui savait renvoyer l'ascenseur est allé loin. Il a conquis la mairie de Puteaux et a régné sur cette ville richissime, grâce aux revenus fiscaux générés par La Défense, pendant trente-cinq ans. Membre de la GLNF, il a gracieusement mis à la disposition de ses frères, pendant des années, une ancienne école pour faire office de temple. Dans une lettre adressée en 2007 à la chambre régionale des comptes où il vantait avec enthousiasme l'excellence de sa gestion municipale, l'ancien édile, qui fut le suppléant de Nicolas Sarkozy à l'Assemblée nationale en 1993 – il y siégea grâce à l'entrée de celui-ci dans le gouvernement Balladur –, n'hésitait pas à comparer Puteaux à une « nouvelle Carthage[1] », une référence maçonnique transparente. Il a eu pour conseiller municipal puis comme adjoint un frère très apprécié, l'ancien fonctionnaire de la DST Roger Latapie, qui a géré pendant des années le temple mis gratuitement à la disposition de la GLNF !

Faire le tour des maçons dans les Hauts-de-Seine serait long et fastidieux. À Rueil-Malmaison, le frère Patrick Ollier a succédé au frère Jacques Baumel. À Suresnes, le maire, Christian Dupuy, est le fils de l'ancien grand maître de la Grande Loge Richard Dupuy, qui avait demandé, à Jacques Chirac un point de chute pour son fils avant les municipales de 1983. Le jeune avocat, alors âgé d'à peine plus de 30 ans, avait réussi l'alternance en succédant à un socialiste, Robert Pontillon.

Mais tous les frères des Hauts-de-Seine ne sont pas les amis de Sarkozy. Ainsi de Patrick Ollier, dont la cote d'amour n'a jamais été bien élevée. C'est en revanche sur ces terres que le futur président a rencontré de nom-

---

1. Cité dans *9-2, le clan du président*, d'Hélène Constanty et Pierre-Yves Lautrou, Fayard, 2008.

breux amis initiés. Patrick Balkany ne peut être cité à ce titre, car il dément fermement appartenir à la Grande Loge, ce qui provoque toujours quelques sourires amusés. Brice Hortefeux, lui, assistait aux journées nationales pour la jeunesse de l'UDR en 1976. C'est lors de cette manifestation que le jeune Sarkozy est monté pour la première fois à la tribune. La légende raconte qu'un grand étudiant blond, alors tout juste majeur, s'est présenté dès le lendemain à la permanence du parti gaulliste à Neuilly, où il résidait. C'était Hortefeux. Devenu ministre, il est resté plus que jamais proche de son idole de jeunesse mais s'est éloigné des colonnes du temple. Très discret, il refuse de confirmer ou de démentir son ancienne appartenance, pourtant confirmée par plusieurs témoignages.

Brice a été témoin du premier mariage de Nicolas et est le parrain de son fils Jean, aujourd'hui conseiller général des Hauts-de-Seine. Pour Manuel Aeschlimann, c'est l'inverse. Nicolas Sarkozy, qui a été témoin à son mariage, est le parrain de l'un de ses enfants, un garçon prénommé Lohengrin. Mais avec Aeschlimann, Nicolas Sarkozy a sûrement fait moins « bonne pioche » qu'avec Hortefeux. Après avoir pris la mairie d'Asnières en poussant vers la sortie le maire de l'époque, le compagnon de la Libération Michel Maurice-Bokanowski, en 1991, il a été désavoué par les électeurs aux municipales de 2008. Depuis, il n'est plus que député. Et n'a plus la même proximité avec son ami, qui semble s'être détourné de lui. Il fut, pendant la campagne présidentielle de 2007, dans le premier cercle, avec un beau titre de « conseiller opinion » du candidat. Manuel Aeschlimann est entré à la GLNF peu après son arrivée à la mairie d'Asnières. À l'époque, il racontait avec amusement à ses collaborateurs son initiation, un passeport de plus pour la carrière. Mais lorsqu'on l'interroge aujourd'hui, il fait démentir avec un aplomb remarquable par l'un de ses collaborateurs.

Reste le cas de Patrick Devedjian, qui dément appartenir au club alors que des frères peu suspects de mythomanie se souviennent du jeune député en tablier. Avec Patrick Devedjian et Brice Hortefeux, Christian Estrosi représentait au début du quinquennat l'avant-garde du canal historique sarkoziste au gouvernement, qu'il a quitté après les municipales de 2008. Une éviction à laquelle les francs-maçons n'étaient d'ailleurs pas étrangers[1]. Il est lui aussi passé sous le bandeau à la GLNF, qu'il a fréquentée dans une loge de la Côte d'Azur, France 7, dont l'ancien maire de Cannes, Michel Mouillot, le fera évincer pour cause de dilettantisme.

Si l'on récapitule, les frères ont jalonné le parcours du Président et sont encore nombreux autour de lui : dans le premier cercle, si l'on excepte Patrick Balkany, qui assure ne pas être concerné, on compte Brice Hortefeux, Christian Estrosi, Patrick Devedjian – qui dément – et bien sûr Xavier Bertrand, qui a montré, en révélant son appartenance au Grand Orient dans *L'Express*, en 2008, que l'on peut se montrer transparent sur ce sujet sans le moindre inconvénient.

Au total, les instances dirigeantes de l'UMP comme le gouvernement comptent donc dans leurs rangs quelques personnalités formées dans les colonnes du temple.

Au cabinet du président de la République aussi, plusieurs personnalités ont fréquenté les loges. Le nom qui revient le plus souvent est celui de son plus proche collaborateur, le secrétaire général de l'Élysée Claude Guéant, dont se souviennent quelques frères de la GLNF. Celui-ci ne confirme ni ne dément cette appartenance qui remon-

---

1. Voir le chapitre 16, « Petites niches entre frères ».

terait d'ailleurs à quelques années. Pierre Charon, lui, s'emporte carrément lorsqu'on fait allusion à son affiliation fraternelle. Surnommé le conseiller « rire et chansons » du Président, chargé de mille choses, des contacts avec le show business au chaperonnage de Carla en passant par la surveillance à distance de la villa de Christian Clavier en Corse, il fait partie des sarkozistes historiques. Ancien conseiller de Jacques Chirac pour la presse, il a été écarté, à l'époque, par la jeune Claude, qui voulait le job pour elle toute seule. Pierre Charon assure donc à tous ses amis depuis des années qu'il n'est pas franc-maçon, et c'est une occasion de plus de les faire rire. Il est pourtant formel : il a certes côtoyé dans sa prime jeunesse des personnes qui ont par la suite reconnu leur appartenance, mais elles n'avaient pas encore été initiées. Charon est un précoce. En 1974, il n'a que 23 ans mais est déjà fou de politique. Il préside alors, avec Michel Vauzelle – un frère qui codirigea la campagne présidentielle de François Mitterrand en 1981 et est aujourd'hui président de la région PACA –, le comité de soutien des jeunes à Jacques Chaban-Delmas, en compagnie d'un autre franc-maçon de choc qui fera parler de lui dans les pages « faits divers » au début des années quatre-vingt : Didier Schuller, l'ancien directeur de l'office HLM des Hauts-de-Seine. Une bataille perdue, mais le jeune Charon reste un fidèle de Chaban. En 1978, il se rend pour la première fois à l'Élysée. Il a rendez-vous avec le préfet Riolacci, conseiller de VGE, pour lui demander que le parti du président ne présente pas de candidat contre son mentor pour la présidence de l'Assemblée nationale. Chaban bat Edgar Faure de quelques voix et tient le « perchoir » de l'Assemblée nationale de 1978 à 1988. À l'hôtel de Lassay, Pierre Charon fait partie du cabinet. C'est à cette époque qu'il fonde sa « fraternelle » à lui, qui, assure-t-il, n'a rien de maçonnique. Le club de la Cravate, puisque tel est son nom, compte dix-sept membres fondateurs dont de nombreux policiers de haut rang tels Ange Mancini, aujourd'hui préfet de la Martinique, Jacques Poinas, inspecteur général et ancien patron de l'UCLAT[1], ou encore Claude Cancès, lui aussi inspecteur général et ancien patron de la police judiciaire, quelques hommes de médias comme Pierre Lescure, ainsi que des profils plus improbables comme le pilote automobile Hubert Auriol. On compte quelques frères dans la bande ? Charon répète que ce n'est pas l'objet[2], qu'il s'agit juste d'une bande de bons copains qui s'entraident et se reçoivent. Pourquoi le club de la Cravate ? Parce que Pierre Charon, président à vie, a fait fabriquer dix-sept cravates club identiques, à bandes vertes, rouges et jaunes avec des points noirs. Aujourd'hui, les anciens compères ne se réunissent plus comme avant, même si l'on a vu certains d'entre eux dans un restaurant de Clichy, à l'automne 2008. Le conseiller du président, lui, occupe un bureau avec vue sur cour à l'Élysée. Il est le coach, le confident, le « conseiller de Carla », et se charge de déminer toutes les sales histoires pour « Nicolas ». Un poste stratégique qu'il trouve manifestement bien plus exaltant que la fréquentation des loges.

Un grand maître à l'Élysée

Avant même de devenir Président et de pratiquer l'ouverture politique, Nicolas Sarkozy s'est rapproché d'un franc-maçon venu de la gauche. Élu grand maître du Grand Orient à 38 ans, en 2000, Alain Bauer cumule plusieurs vies, qu'il se plaît parfois à enjoliver. S'il assure avoir appartenu au cabinet de Michel Rocard

---

1. Unité de coordination de la lutte antiterroriste.
2. Entretien avec l'auteur, le 11 décembre 2008.

à Matignon entre 1988 et 1991, les conseillers qui y travaillaient quotidiennement, eux, ne gardent pas ce souvenir. « Depuis longtemps gravitaient dans l'orbite de Rocard trois jeunes gens très intelligents et très carriéristes, se souvient un collaborateur de toujours de l'ancien Premier ministre[1]. Alain Bauer, Manuel Valls, aujourd'hui député-maire d'Évry, et Stéphane Fouks, le seul des trois à n'être pas franc-maçon. Ils s'étaient partagé le marché. Au premier l'influence, au deuxième la politique, au troisième le monde des affaires. Ils ont très bien réussi, en se faisant passer pendant des années pour les patrons des Jeunes rocardiens, une organisation dont ils étaient à peu près les seuls membres. »

Alain Bauer est aussi criminologue. Chantre de la « tolérance zéro », il a vu son étoile monter à la fin des années quatre-vingt-dix, quand la théorie de l'« excuse sociale » n'a plus convaincu. Consulté à plusieurs reprises par Nicolas Sarkozy, alors ministre de l'Intérieur, il a su trouver le ton qu'il fallait pour retenir son attention.

Au printemps 2006, le ministre lui demande de dresser une liste de grands maîtres qu'il pourrait inviter place Beauvau. À l'époque, les deux hommes se vouvoient encore : « Est-ce que vous voudriez venir au déjeuner pour faire les présentations ? » demande le maître de céans. Bauer a déjà anticipé en téléphonant lui-même à chacun des intéressés. Il s'empresse donc d'accepter. Quelques mois plus tard, les relations sont devenues plus amicales et les deux hommes se tutoient.

Au cours d'une de leurs rencontres, à l'été 2006, il est surtout question de sécurité. Mais Bauer finit par apostropher le candidat à la présidentielle avec une certaine franchise : « Tu souffres d'un grave problème structurel. Tu penses que la République est comme une grande

---

1. Entretien avec l'auteur, le 12 septembre 2008.

commode dans laquelle il y aurait plein de tiroirs que l'on ouvrirait les uns après les autres pour gérer le contenu de chacun. Tu as une image de libéral qui donne l'impression de ne pas être républicain. Personne d'autre parmi les candidats, pas même ceux d'extrême gauche, n'est susceptible comme toi d'être l'objet d'un procès en antirépublicanisme. Si tu continues, tu vas faire une campagne à cloche-pied. »

Sarko commence par s'agiter, signe d'agacement, lorsqu'il entend ce diagnostic. Puis un grand silence s'installe dans le bureau, avant qu'il ne concède : « Tu as raison. »

Nouveau silence.

« Puisque tu es si intelligent, t'as qu'à me faire des propositions. »

Alain Bauer s'empresse de rédiger quelques feuillets où il invoque le drapeau, Valmy, Jaurès et Blum. Il l'envoie au ministre de l'Intérieur qui doit s'envoler pour Marseille, où il va prononcer durant le premier week-end de septembre un grand discours de rentrée à l'occasion de l'université d'été des Jeunes populaires. Par curiosité, Alain Bauer écoute la radio le 3 septembre pour savoir si son nouveau champion a tenu compte de ses conseils. Et là, ses espoirs les plus fous sont dépassés. Il retrouve des passages entiers de la note qu'il a envoyée au candidat. Extraits : « Quand Jaurès disait aux lycéens : "Il faut que, par un surcroît d'efforts et par l'exaltation de toutes vos passions nobles, vous amassiez en votre âme des trésors inviolables", c'était le contraire du nivellement prôné par la gauche d'aujourd'hui. Quand Blum leur disait : "L'émulation scolaire est une forme de l'égalité vraie, qui n'est pas l'uniformité, mais le développement entièrement libre des puissances individuelles", c'était le contraire de l'égalitarisme vanté par la gauche d'aujourd'hui. »

Puis, dans une très longue tirade, le mot République revient plusieurs fois par phrase – il sera prononcé plus de vingt fois par le candidat, avec notamment cette apostrophe : « Jeunes Français, la République est à vous. La République, c'est vous. »

Pour Sarkozy, c'est un triomphe : la salle se lève et applaudit comme jamais. Pour Bauer, c'est l'heure de gloire. Et comme on ne change pas une équipe qui gagne, le ministre de l'Intérieur lui demande une trame de discours pour sa visite à Périgueux, la ville de Xavier Darcos, le 12 octobre. Sur cette terre maçonnique, le candidat prononcera un discours intitulé « Notre République ». Alain Bauer l'a truffé de références à Eugène Le Roy, écrivain, franc-maçon et auteur du célèbre *Jacquou le croquant*. Il a mobilisé toutes les ressources du Grand Orient pour le nourrir et a même mis à contribution le directeur de la bibliothèque de l'obédience.

Mais l'ancien grand maître du Grand Orient n'est pas seulement devenu l'inspirateur du ministre de l'Intérieur. Il fait aussi fonction, à l'occasion, de tour operator. Entre le discours de Marseille et celui de Périgueux, le futur président s'envole pour les États-Unis. Une visite très symbolique. Depuis le discours de Dominique de Villepin à l'ONU, en mars 2003, pour s'opposer à la guerre en Irak, la cote de la France est au plus bas. Il s'agit de la faire remonter, de se montrer gracieux avec toutes les incarnations de l'Amérique éternelle. La date du voyage n'a pas été choisie par hasard : Nicolas Sarkozy sera sur place le 11 septembre, tout un symbole.

Qui peut mettre du liant entre le ministre de l'Intérieur et l'administration de George Bush ? L'ambassadeur à Washington Jean-David Levitte, bien entendu. Surnommé « diplomator », on le dit capable de réconcilier les pires ennemis. Mais un autre gentil organisateur se mêle de recoller les morceaux après la grande fâcherie de 2003. Alain Bauer a vécu aux États-Unis où il a travaillé pour une entreprise de sécurité. Ses détracteurs assurent même qu'il s'agissait d'une couverture de la CIA ou, plus piquant encore, de la NSA, la très secrète National Security Agency. Le principal intéressé balaie ces allégations avec un amusement théâtral. Dans le cadre de ses activités de consultant spécialisé dans la sécurité, il a en revanche un contrat avec la police de New York, la célèbre NYPD. Il planifie donc une rencontre avec remise de médaille à Raymond Kelly, patron de la police new-yorkaise, le samedi 9 septembre, tandis que le 10, veille de la date anniversaire, une visite est prévue à la caserne des pompiers. Il laisse aussi entendre que ses contacts à la Maison Blanche n'ont pas été inutiles. Il s'associe enfin à la collecte de fonds et de soutiens, à l'occasion d'un dîner chic à Manhattan en l'honneur du candidat de la droite, où même les gauchistes de Park Avenue trouvent celui-ci délicieusement plus fréquentable que Ségolène Royal.

Présidentielle : jamais sans mes frères

« C'est la première fois dans l'histoire de la Ve République que les deux principaux candidats ont autant de francs-maçons dans leur entourage le plus proche[1] », se réjouit Pierre Mollier, directeur de la bibliothèque et du musée de la franc-maçonnerie au Grand Orient de France, pendant la campagne présidentielle. Pas question, évidemment, que ce maçon de haut rang, historien reconnu de la franc-maçonnerie, en dise plus. Mais s'il se montre si satisfait, c'est que même dans l'entourage de Nicolas Sarkozy, on trouve des frères du GO, traditionnellement ancrés plutôt à gauche. Il y a Alain Bauer, bien entendu, mais aussi Xavier Bertrand, dont l'affiliation réjouit les hautes sphères de la rue Cadet. Et encore, le score aurait pu être

---

1. Entretien avec l'auteur, le 9 janvier 2007.

meilleur ! En 1994, en effet, le conseil de l'ordre[1] décidait en séance plénière de rendre une décision défavorable à l'affiliation d'un certain M. Estrosi, venant de la GLNF, à la loge fraternelle Pasquale Paoli du Grand Orient de France.

Côté Ségolène, l'un de ses soutiens de la première heure a été le sénateur-maire de Lyon Gérard Collomb, qui affiche avec une simplicité qu'on aimerait rencontrer plus souvent son appartenance au GO. Le codirecteur de campagne, François Rebsamen, ex-chef de cabinet de Pierre Joxe, aujourd'hui sénateur-maire de Dijon, s'était mis en sommeil du Grand Orient mais a conservé un réseau très vivace au sein des loges ; tout comme le Marseillais Patrick Mennucci, ex-directeur adjoint de la campagne présidentielle, ou le conseiller d'État Christophe Chantepie, président de l'association de campagne Désirs d'avenir et directeur de cabinet de la candidate. Sans ce maillage, le ralliement de Jack Lang à la présidente de Poitou-Charentes n'aurait pas été aussi rapide. « C'est tout bête, l'un des proches de Ségolène Royal fréquente la même loge qu'un conseiller de Lang et que moi, raconte un témoin. À la fin d'une réunion, ils se sont rapprochés et ont initié le mouvement[2]. » Voilà · la politique, même au plus haut niveau, est parfois simple comme une tenue en loge !

Panne d'idées

Il est plus difficile, pour les frères de gauche, de revendiquer une quelconque influence sur les programmes et propositions. Non pas que les membres du Grand Orient ne travaillent plus en loge, mais à part la

---

1. Séance plénière des 16 et 17 décembre 1994.
2. Entretien avec l'auteur, le 8 janvier 2007.

laïcité, la bioéthique et l'euthanasie, ils n'apportent plus grand-chose. « Certains ont planché sur la crise financière, la refondation d'un État providence, la lutte contre la pauvreté, explique un membre de l'obédience. Mais il faut bien reconnaître que nous ne sommes pour rien, par exemple, dans la création du RSA… »

Il semble loin le temps où, en 1971, avant la conquête du Parti socialiste par François Mitterrand, le programme provenait, en grande partie, des ateliers de la rue Cadet. Le siège du Grand Orient était, à l'époque, le théâtre de tractations de puissance à puissance, comme le raconte l'ancien membre du PSU et ambassadeur de France Gilles Martinet dans *Les francs-maçons des années Mitterrand* : « Le complot s'est noué au Grand Orient. C'est rue Cadet que se sont déroulées les rencontres secrètes entre Mauroy, Mitterrand, Defferre, puis Chevènement, récupéré au dernier moment. Il n'était pourtant pas facile d'unir l'autogestionnaire du CERES à un Defferre ! Je sais, en tout cas, que Guy Mollet a été ulcéré quand il a appris l'histoire[1]. »

Ambitions fraternelles…

François Mitterrand les appelait les « frères la grattouille » pour se moquer de leur façon de serrer la main en exerçant une pression avec l'index et le majeur en signe de reconnaissance. Mais il les fréquentait lui aussi avec plaisir. Il passait tout à Charles Hernu dont il louait l'indéfectible fidélité. Et fermait donc les yeux sur les frasques et les mensonges de ce frère fantasque et noceur qui avait, ironisaient ses camarades, été capable

---

1. Patrice Burnat, Christian de Villeneuve, *Les francs-maçons des années Mitterrand*, Grasset, 1994.

de bâtir une fraternelle vraiment solide : celle de ses créanciers.

Dans la belle-famille de Mitterrand, le beau-père ainsi que la belle-sœur, Christine Gouze-Raynal, comptaient parmi les initiés. Dans l'entourage, on pouvait repérer le publicitaire Georges Beauchamp, son premier directeur de cabinet, puis plus tard des hommes comme Guy Penne, le Monsieur Afrique de l'Élysée, ou ses directeurs de cabinet Jean-Claude Colliard puis Gilles Ménage, ainsi que les amis Roland Dumas et François de Grossouvre, dont l'histoire se terminera mal, par un coup de feu à l'Élysée. Sans oublier des frères moins connus mais très actifs, tels Roger Fajardie, Gérard Jaquet ou le très controversé André-Jean Faucher, condamné à mort à la Libération, dignitaire de la Grande Loge, journaliste à *Minute* et à *National Hebdo* qui sera un des contacts de l'Élysée lorsqu'il s'agira de communiquer indirectement avec Le Pen.

Il a été beaucoup écrit que Mitterrand n'aimait pas les maçons à cause de l'attitude du Parti radical, véritable succursale des obédiences, qui s'était fourvoyé au moment des accords de Munich et du vote des pleins pouvoirs à Pétain. Une autre version circule, parmi les plus anciens adhérents du Grand Orient de France, qui n'en parlent que sous couvert d'anonymat et malheureusement sans preuves définitives. Juste après la guerre, François Mitterrand aurait, selon eux, fait des travaux d'approche pour entrer au Grand Orient. L'obédience avait alors mis en place une commission d'épuration assez sévère. Celle-ci aurait été informée de sa décoration de la Francisque. Il faut se souvenir qu'outre les persécutions nazies à l'égard des frères durant l'Occupation, le siège du Grand Orient avait été saccagé et ses archives pillées. La réponse fut donc claire : initier un porteur de la Francisque, jamais ! Un épisode qui peut avoir suscité, chez cet homme de la IVe République, une certaine condescendance à l'égard des « frères la grattouille ».

Valéry Giscard d'Estaing, lui, ne correspond pas vraiment au profil du maçon. Il avait, certes, fait de l'ancien grand maître du Grand Orient Jean-Pierre Prouteau un secrétaire d'État aux PMI, et comptait plusieurs frères, dont le spécialiste du financement électoral Victor Chapot, grand argentier du Président et éminent adhérent de la GLNF, dans son entourage, mais rien de très remarquable. Pourtant, deux obédiences, la GLDF et la GLNF, se disputent par la voix de certains de leurs dirigeants historiques l'honneur et le privilège d'avoir négocié, avec Michel Poniatowski, les conditions de son éventuelle initiation lorsqu'il était président de la République.

Côté GLNF, c'est un de ses plus vieux adhérents, surnommé « l'homme aux cent filleuls », qui assure que des discussions ont bien eu lieu, mais qu'elles ont achoppé sur les exigences du Président, lequel souhaitait être initié à l'Élysée en étant directement promu maître. La timidité de la GLNF pour accéder à ces désirs semble bien étonnante : l'obédience se montre très conciliante lorsqu'il s'agit d'initier un chef d'État africain, bombardé directement maître maçon et autorisé dans de brefs délais à devenir grand maître de l'obédience de son pays, elle-même affiliée à la GLNF, bien entendu. « Cette histoire d'initiation, c'est n'importe quoi[1] », s'exclame Marcel Laurent, aujourd'hui grand maître de la GLCS (Grande Loge des Cultures et des Spiritualités) qui fréquentait alors assidûment la GLNF et était très proche de Victor Chapot. « La direction de la GLNF aurait accepté n'importe quel compromis pour avoir Giscard dans ses rangs, poursuit-il.

---

1. Entretien avec l'auteur, le 12 novembre 2008.

Il faut, pour respecter un minimum la tradition, une lune entre chaque passage de grade. Il est donc possible de devenir apprenti le jour J, veille de la pleine lune, d'être fait compagnon le lendemain et d'attendre encore vingt-huit jours pour atteindre le grade de maître. Mais Giscard n'avait pas besoin de cela. Il avait tous les maçons qu'il voulait autour de lui et les grands maîtres auraient accouru ventre à terre à l'Élysée à la moindre convocation. Tous les maçons de la GLNF racontent cette prétendue négociation avec Giscard parce que cela leur donne de l'importance. Le pire, c'est que la plupart d'entre eux ont fini par y croire. »

Côté Grande Loge, la légende raconte qu'en 1975, Michel Poniatowski, ministre de l'Intérieur et homme de confiance de Giscard, convoque le docteur Pierre Simon, grand maître de la GLDF, pour lui montrer le compte rendu d'une écoute téléphonique qui désigne un autre haut dignitaire de son obédience, un concurrent en quelque sorte, comme informateur de l'hebdomadaire d'extrême droite *Minute*. C'est de cette rencontre que seraient nées les premières conversations. Elles ont cessé lorsque Pierre Simon a perdu son poste, à la fin de l'année 1975. Ces échanges sont avérés, mais aucun élément ne permet d'assurer qu'ils portaient sur une éventuelle initiation du Président.

Cette rumeur persistante vient peut-être de la déformation d'une histoire, vraie celle-ci : la candidature avortée de VGE au Jockey Club, où de bonnes âmes ont eu la courtoisie de le dissuader de se soumettre formellement aux suffrages de ses distingués membres, lui assurant qu'il serait impitoyablement « blackboulé »[1].

---

1. Le Jockey Club emploie en effet la même méthode d'élection que les loges maçonniques : une boule noire – défavorable – vaut quatre boules blanches – favorables.

Et Chirac ? Maçon ou pas ? Impossible de trouver la moindre trace ou le plus petit témoignage fiable sur son prétendu passage dans la loge suisse Alpina. Il a, en revanche, payé de sa personne pour plaire aux frères, n'hésitant jamais à les inviter, à les flatter, à les visiter dans leurs différentes instances, tel le Carrefour de l'amitié, fraternelle parisienne chic fondée par l'homme d'affaires corrézien Eugène Chambon.

À chacun son grand maître

Entre ces différences de trajectoires, de sensibilités, se trouve tout de même un point commun entre les quatre derniers présidents de la République. Chacun avait son grand maître. Pour Giscard, c'était Prouteau, premier patron du Grand Orient qui se soit prononcé en faveur d'un candidat de droite. Mitterrand, lui, avait un admirateur inconditionnel en la personne de Roger Leray, un ancien ouvrier ajusteur qui a incarné l'une des vertus que la franc-maçonnerie ne pratique plus assez, celle de l'ascenseur social. Mitterrandolâtre sans retenue, Roger Leray n'a jamais perdu une occasion de clamer son admiration pour l'ancien chef de l'État, même quand il a été nommé par Michel Rocard, alors Premier ministre, membre de la mission de réconciliation sur la Nouvelle-Calédonie. Chirac, lui, avait Michel Baroin, l'ancien commissaire des Renseignements généraux venu infiltrer le Grand Orient et qui a si bien rempli sa mission qu'il en est devenu le patron. Mais quand Chirac remporte, à la troisième tentative, l'élection présidentielle, Baroin a quitté ce monde depuis longtemps, victime d'un accident d'avion au Cameroun.

Et, pour que la tradition soit maintenue, Alain Bauer a réussi à s'immiscer, pas dans le premier mais dans le deuxième cercle des familiers. Il assure même que Nicolas Sarkozy lui a proposé, fin 2007, de le nommer secrétaire d'État à la Sécurité publique. Il a refusé, dit-il, car il y aurait perdu du pouvoir. L'homme a la mémoire longue, et se souvient du calvaire vécu, au même poste, par le frère Robert Pandraud, sous la férule de Charles Pasqua, entre 1986 et 1988.

Il préfère continuer de conseiller le Président tous azimuts, un jour sur les grèves étudiantes, le mois suivant sur la banlieue, le troisième sur le malaise de la police. Il est un sujet qu'il n'évoque sûrement jamais au cours de ses entretiens : le mélange des genres institutionnalisé qu'il est pourtant bien placé pour connaître...

7

Conflits d'intérêts

Les écoutes téléphoniques ne laissent place à aucun doute : tous les protagonistes s'appellent « mon frère » et semblent d'humeur badine. Ils évoquent parfois une loge nommée Lutécia et passent leur temps à se rendre de petits et grands services. Et alors ? On n'a plus le droit de se donner un coup de main et de se dire des mots doux ?

On a le droit... sauf quand on franchit les bornes de la légalité, ce qui semble être le cas de cette joyeuse bande, qui compte même parmi les siens un ancien policier de la Brigade de répression de la délinquance économique, chargé de traquer les délits financiers. Entreprenant, cet ancien fonctionnaire a créé, comme beaucoup, une petite entreprise spécialisée dans la sécurité privée. « Ce qui est ennuyeux, explique l'un de ses anciens collègues, c'est que la plupart de ces ex-policiers continuent de venir glaner des infos rue du Château-des-Rentiers[1], et qu'ils trouvent une oreille attentive auprès de ceux qui partagent la même appartenance qu'eux. Souvent, dans l'esprit des collègues, il s'agit juste de rendre service, d'ailleurs. Mais c'est un vrai problème, qui aurait

---

1. Siège de la sous-direction des Affaires économiques et financières, qui chapeaute notamment la BRDE et la Brigade financière.

moins de chances de survenir si les uns et les autres n'appartenaient pas au même réseau. »

En l'espèce, l'engagement fraternel de cet ancien policier et la nature exacte de ses activités, qui s'apparente parfois, selon les écoutes, à de l'extorsion de fonds, seraient restés dans l'ombre sans l'intervention de Tracfin, l'organisme chargé, sous la tutelle de Bercy, de signaler les mouvements d'argent suspects sur des comptes bancaires, qui a aussi été à l'origine de l'affaire de l'UIMM et des ennuis du député socialiste Julien Dray.

En 2006, Tracfin signale qu'un certain Michel L. a reçu 486 000 euros d'une société d'édition dont on trouve les publicités délicieusement désuètes dans les pages de certains magazines. Plus intrigant encore, ces 486 000 euros lui ont été versés sur deux comptes différents en deux parts égales de 243 000 euros. Il expliquera aux enquêteurs que la maison d'édition l'a rémunéré pour l'« assistance fiscale » qu'il lui a prodiguée. En effet, la société a obtenu du fisc un dégrèvement de 6,7 millions qui entraîne une économie de 4,86 millions d'euros. Une sacrée économie ! Les policiers chargés de l'enquête travaillent alors sur une autre hypothèse : celle du financement politique. Dès le début, ils ont placé Michel L. sur écoutes pour tenter de vérifier leur intuition. Ils découvrent assez vite que ce dernier évolue sous plusieurs identités, et qu'il a déjà été condamné, sous un autre nom, pour s'être enfui de France en 1994 avec les subventions de l'Association nationale des arts du cirque (ANDAC), dont il a prétendu qu'elles avaient servi à payer la rançon pour libérer les otages français détenus par les Serbes de Bosnie. Pragmatiques, les enquêteurs veulent savoir comment cet homme peut bénéficier de faux papiers d'identité. Ils ont en tête une autre histoire de francs-maçons, celle du Carrefour du développement dans laquelle Yves Chalier s'était fait remettre un vrai-faux passeport par un frère policier, le contrôleur général Jacques Delebois. Ils veulent donc explorer la piste politique.

Celle-ci semble, en effet, pouvoir exister. Car en avril 2005, Renaud Donnedieu de Vabres, alors ministre de la Culture, a écrit une lettre à son collègue du Budget, Jean-François Copé, pour attirer son attention sur le cas de cette société d'édition martyrisée par le fisc et solliciter sa clémence. La bienveillance du ministère dépasse en effet toutes les espérances, avec un dégrèvement total : l'administration renonce purement et simplement à demander son dû. Mais Jean-François Copé ne fait rien d'autre, en l'occurrence, que suivre l'avis du comité de contentieux fiscal, organisme technique qui examine ce genre de dossiers.

Les enquêteurs, néanmoins, s'entêtent : L. est un ancien du RPR, des millions d'euros transitent sur ses nombreux comptes bancaires, et, *last but not least*, les 486 000 euros qu'il a reçus ont été ensuite divisés en une quinzaine de « lots » et rétrocédés à divers intermédiaires. Qu'ont-ils à voir avec « l'assistance fiscale » ? « C'est un procédé assez classique, explique un bon connaisseur de cette enquête. On fractionne une somme pour brouiller les pistes en cas de pépin, mais aussi pour rester en dessous de la ligne du radar de Tracfin[1]. » Si la piste politique piétine, la filière maçonnique, elle, s'établit de plus en plus. Parmi les destinataires de ces « petits paquets » – dont certains atteignent 50 000 euros, d'autres plafonnant à 18 000 euros –, on retrouve tous les frères mis sur écoutes, dont l'ancien policier de la BRDE et le dirigeant d'une société spécialisée dans les fausses factures qui a un nom typiquement maçonnique, très reconnaissable par tous les initiés puisqu'il fait réfé-

---

1. Entretien avec l'auteur, le 10 janvier 2008.

rence... au 33ᵉ degré d'initiation ! Encore une fine allusion entre frères.

Le 7 juin 2007, Michel L. a été mis en examen avec un de ses associés pour « blanchiment de capitaux » par le juge d'instruction parisien Jean-Christophe Hullin. Il est bien entendu présumé innocent.

Le commissaire téméraire

La morale de cette fable judiciaire inachevée ? Le mélange des genres est détestable. La fraternité qui peut exister entre policiers, ex-policiers et francs-maçons qui franchissent la ligne jaune multiplie les risques de conflits d'intérêts. Et c'est le secret de l'appartenance qui le rend possible. Il suffit de se référer aux démêlés d'Alain Bartoli ou du juge niçois Jean-Paul Renard, à l'affaire du vrai-faux passeport, aux disparitions mystérieuses de scellés du dossier Elf dans les locaux de la Brigade financière, à Roger la Banane et à ses amis qui étaient prévenus des perquisitions à venir et à bien d'autres encore pour réaliser que sans ce secret qui brouille les cartes, un franc-maçon policier ne serait pas soupçonnable d'abuser de ses relations et de ses fonctions.

En avril 2007, Patrice Demoly, commissaire principal et chef de la Brigade de répression de la délinquance économique auprès de la police judiciaire de Paris, publie dans la revue du Syndicat des commissaires une tribune libre intitulée : « Police et franc-maçonnerie : la nécessaire transparence ». Loin d'être un brûlot, son texte s'interroge de façon très mesurée sur la double loyauté qui peut tirailler ses collègues francs-maçons. « Le secret maçonnique, pour des fonctionnaires d'autorité, peut générer doutes et suspicions quant à leur indépendance et à leur impartialité dans la recherche de la vérité, loin de la fraternité érigée par les loges en principe fondamental. Les missions régaliennes de l'État exigent une neutralité totale, éloignée de tout soupçon. »

Ce policier spécialisé dans les délits économiques et financiers rappelle que la question n'a rien de théorique, puisque les évaluations, par nature invérifiables, de la proportion de commissaires appartenant à une loge varient entre 25 et 50 % des effectifs selon les sources auxquelles on se réfère. Il évoque alors une solution sur la pointe des pieds : la fin du secret. « Il est une évidence, malheureusement nécessaire de rappeler, car certains préfèrent l'ignorer : le conflit d'intérêts généré par une double appartenance rend délicate toute enquête sur les activités, délictueuses ou non, de son frère de loge (tout comme d'ailleurs d'un familier ou d'un proche...). Dans ce contexte, au-delà de la problématique d'une hiérarchie parallèle au sein de certaines structures (la hiérarchie maçonnique pouvant primer la hiérarchie administrative) qui peut faire douter de la légitimité d'une décision ou d'une politique, la question de la double appartenance, et de son corollaire, fonctionnaire-maçon ou maçon-fonctionnaire, perd une part de son contenu, dès lors qu'elle est transparente, c'est-à-dire connue de celui (généralement la victime) qui est susceptible d'en redouter les effets. »

Il lui en a fallu, du courage, à ce commissaire Demoly pour rappeler publiquement quelques saines évidences ! D'ailleurs, sa contribution n'a pas déclenché un enthousiasme ravageur dans les rangs de son syndicat, le fameux « Schtroumpf », puisqu'elle a attendu près de deux ans avant d'être publiée, à la faveur d'un changement de direction. Elle est précédée d'un court « chapeau » embarrassé : « Écrit il y a déjà quelques mois, nous publions ci-après un article qui n'avait pu, au nom de la cohérence éditoriale du moment, puis ensuite du fait du calendrier, être diffusé. Sous l'entière responsabilité de son auteur, cet article trouve pleinement sa place dans notre rubrique "Tribune libre". Voici donc une nouvelle pièce à verser au dossier d'un débat qui ne cesse de faire couler beaucoup d'encre. »

De l'encre sympathique, peut-être, tant le thème demeure tabou, au point que beaucoup de ses collègues regardent, depuis, le commissaire Demoly comme un homme en sursis, même s'il ne lui est rien arrivé. Il est vrai que ce policier de haut niveau s'est montré très prudent. Il a évité de citer des exemples et se refuse, depuis, à rencontrer les journalistes ou à préciser sa pensée. En passant en revue sa carrière, il apparaît toutefois qu'il a été en charge, entre autres, des enquêtes sur la Mnef et sur l'Angolagate. Deux affaires où se profilent de nombreux frères.

La Mutuelle nationale des étudiants de France, qui a connu une notoriété involontaire à la fin des années quatre-vingt-dix, était dirigée par Olivier Spithakis, membre de la loge Spinoza de la Grande Loge de France ainsi que l'un de ses avocats. Un frère commandant de police aux RG a été inquiété pour avoir, pourrait-on dire, « loué » son fils à la mutuelle étudiante. Celui-ci siégeait en effet au conseil d'administration, position enviable puisqu'elle lui rapportait 6 000 francs par mois entre 1991 et 1995 (soit, en pouvoir d'achat, l'équivalent de 2 000 euros). Mais cet « administrateur » a assuré, lorsqu'il a été interrogé par la Brigade financière sur la destination de ses émoluments, qu'il en rétrocédait près de la moitié à son père, lequel a affirmé à son tour aux enquêteurs avoir reversé 30 000 francs (4 500 euros) à un dirigeant maçon de la mutuelle étudiante. Des sommes ridicules certes, mais qui circulaient d'autant plus facilement que tous les protagonistes étaient habités par l'esprit d'entraide propre aux loges.

Désistements impossibles

Face aux invitations répétées à la levée du secret, la réponse est toujours la même : le dé-sis-te-ment.

C'est ce que répond Alain Bauer à Patrice Demoly dans le numéro suivant du « Schtroumpf », un syndicat que l'ancien grand maître connaît bien puisqu'il a signé avec son ancien secrétaire général, André-Michel Ventre, en 2001, un livre intitulé *Les polices en France*[1]. Il souligne, vieille rengaine, « les conditions d'autodésistement, qui ne doivent rien au fichage, mais à la claire volonté de respecter une éthique et une morale liées à la fonction et au serment librement prêté lors de la prise de fonctions ».

Travaux pratiques. Un policier maçon spécialisé dans les affaires financières est chargé d'une enquête. Accordons-lui le bénéfice du doute. Imaginons qu'il est de bonne foi et n'a intrigué en rien pour en être saisi. Que fait-il lorsqu'il découvre que ses investigations risquent de mettre en cause des frères ? Selon Alain Bauer, il se désiste. Autrement dit, il va voir sa hiérarchie et lui explique qu'il ne peut pas poursuivre, qu'il doit être remplacé par un collègue. Et comment justifie-t-il cette demande ? Parce qu'il ne le sent pas, ce dossier ? Parce qu'il est surmené ? Parce qu'il n'a pas le moral ? Parce qu'il a mal à la tête ? Évidemment non.

Le simple fait de se désister revient donc à révéler son appartenance. À sa hiérarchie, mais aussi à tous les autres. Le même schéma prévaut pour un magistrat.

En tout cas, après des recherches poussées, il apparaît que jamais un policier ne s'est désisté. Soit le cas ne s'est

---

1. Alain Bauer, André-Michel Ventre, *Les polices en France*, PUF, coll. « Que sais-je ? », 2001.

jamais présenté, ce qui, au vu de la pénétration maçon-nique dans la police et parmi ses « clients » en col blanc, semble statistiquement impossible. Soit, et c'est bien sûr ce qui se produit dans la réalité, des francs-maçons continuent d'enquêter sur d'autres frères, auxquels les lie un double serment de secret et de solidarité.

Les désistements n'ont jamais eu cours non plus dans la magistrature. Tout juste peut-on mentionner le cas d'une juge d'instruction niçoise, Anne Vella, qui a pré-féré faire son « coming out » lorsqu'elle a dû rouvrir le dossier Agnès Le Roux, qui avait une première fois été refermé, à la fin des années soixante-dix, pour des rai-sons multiples dont la moindre n'était pas l'apparte-nance du suspect numéro un, l'avocat radié Maurice Agnelet, à la franc-maçonnerie. Cet effort de transpa-rence, toutefois, n'a pas été suivi d'une demande de désistement, la magistrate estimant que son engagement dans une loge n'interférait en rien dans la conduite de son instruction.

Pantouflages « trois points »

Les conflits d'intérêts ont ce pouvoir particulier, dans la fonction publique, de ne pas s'éteindre avec la démis-sion du principal intéressé. C'est même là tout le charme du pantouflage, dans la police comme ailleurs.

Lorsqu'un enquêteur de la Brigade financière, par exemple, démissionne pour exercer une activité privée. Il peut se faire embaucher par une grande entreprise, afin d'assurer la « sécurité interne », ou encore créer sa propre structure privée et devenir prestataire de services. Pourquoi son employeur, ou ses clients, s'adressent-ils à lui ? En raison de son expertise, mais aussi – surtout ? – parce qu'il a gardé quelques contacts au sein de son corps d'origine, qui peuvent lui fournir des informations exclusives.

Tous les « pantouflards » de la police ne sont pas maçons, bien entendu. « Mais la franc-maçonnerie rajoute un petit plus, dans la mesure où elle permet de conserver un réseau plus proche et plus efficace[1] », note un magistrat spécialisé dans les affaires financières. Plus question, alors, de désistement, à moins que ses frères et collègues ne se sentent obligés de signaler cette proximité embarrassante.

Il est possible d'imaginer d'avance la réponse standard venue des obédiences : le cas ne s'est jamais produit, c'est donc... qu'il n'existe pas. Un de ces anciens policiers a pourtant poussé plus loin encore le sens de l'intégration fraternelle : dans le tour de table qui a servi à créer son entreprise, le principal apporteur de capitaux, une banque, compte parmi ses dirigeants un franc-maçon influent. Il continue en outre de fréquenter ses anciens collègues de bureau qui, au nom de la solidarité fraternelle, peuvent toujours lui donner, en toute bonne conscience, quelques informations. C'est vrai : pourquoi voir le mal partout ?

---

1. Entretien avec l'auteur, le 9 janvier 2008.

8

La magistrature en tablier

« Je ne savais pas que ce serait aussi difficile. Dès mon arrivée à la galerie financière, il a fallu que je jette toutes mes forces dans la compréhension des dossiers, et puis que je me lance comme pour n'importe quelle autre affaire [...]. L'enquête a commencé par la perquisition chez Salomon. L'avocat est coupable et protégé, c'est évident. Puis, très vite, il y a eu la découverte de l'Atelier, des pratiques affairistes. Mon père me parlait parfois des francs-maçons, mais, à l'époque, cela ne me paraissait pas ténébreux. En découvrant l'Atelier, ou la loge, j'ai lu et relu les procès-verbaux. Une chose est certaine : les Frères sont puissants. » Julie Cruze, la jeune femme qui écrit ces lignes, est juge d'instruction au pôle financier du tribunal de Paris. Saisie d'une affaire de commission occultes et de prêts bancaires de complaisance, elle découvre un bureau d'études dont le patron, dignitaire franc-maçon, fraie avec des avocats, mais aussi des magistrats affiliés à la même obédience. Pour brouiller les pistes dans la conquête du poste de grand maître à la Grande Loge Universelle de Jérusalem, qui donne accès à de hauts personnages du monde économique et financier, certains carriéristes sont prêts à tout. Même à assassiner un entrepreneur et un avocat. Même à menacer la jeune juge et à manipuler son mari.

Qui est Julie Cruze ? Elle n'existe pas. Enfin, pas vraiment. Elle est l'héroïne des romans que la magistrate Isabelle Prévost-Desprez écrit en collaboration avec l'écrivain Thierry Colombié[1]. Mais elle est le double littéraire fidèle de celle-ci. Non seulement Julie la blonde aux yeux bleus ressemble physiquement à Isabelle, mais elle a aussi le même parcours, débuté au tribunal de Lille, et les mêmes réactions franches, directes et parfois abruptes. Il en faut, face à des interlocuteurs aussi retors que les prévenus et les avocats que doit affronter Julie.

Caricature agrémentée d'un piment antimaçonnique ? Pas du tout, dans l'esprit des auteurs, qui assurent restituer l'effrayant, mais véridique, quotidien de la justice lorsqu'elle s'approche de trop près des pouvoirs politique et financier. D'ailleurs, Isabelle Prévost-Desprez, aujourd'hui vice-présidente du tribunal de Nanterre, a repris à son compte les mots d'un policier dont elle appréciait le travail d'enquête : « Tous les frères n'étaient pas nos clients, mais presque tous nos clients étaient des frères. » Et s'il n'y avait que les « clients » ! Mais il faut aussi compter avec les collègues ! Et c'est là que les – vrais – ennuis commencent. Car c'est une chose de devoir démêler l'écheveau de connivences parmi des suspects et des mis en examen, c'en est une autre d'être contraint de se méfier des autres juges, des représentants du parquet et de certains officiers de police judiciaire, chargés des enquêtes. Au total, une seule règle s'impose à tout magistrat saisi d'une affaire sensible : n'accorder sa confiance à personne au sein même de son corps et de son équipe.

Isabelle Prévost-Desprez ne nourrit aucune animosité particulière contre la franc-maçonnerie quand elle

---

1. Isabelle Prévost-Desprez, Thierry Colombié, *Le secret d'Arcadia*, Fayard, 2007 et *L'affaire Coobra*, Fayard, 2008.

intègre la magistrature. Elle entendait bien son père, un médecin généraliste du Nord, faire des commentaires, mais haussait les épaules comme s'il s'agissait de propos d'un autre temps. Son premier contact avec les loges remonte aux affaires politico-financières de l'Essonne, au milieu des années quatre-vingt-dix, dont l'épisode le plus célèbre demeure l'envoi par Jacques Toubon, garde des Sceaux, d'un hélicoptère dans l'Himalaya pour récupérer le procureur d'Évry Laurent Davenas, parti marcher sur les cimes. Objectif de l'expédition : empêcher l'ouverture d'une information judiciaire à l'encontre de Xavière Tiberi, auteure d'un rapport devenu fameux sur la francophonie[1].

Parmi les personnes mises en cause dans les dossiers de fausses factures à tiroirs, un responsable de bureau d'études, Pierre Besrest, est mis en examen pour « corruption et escroquerie » par Isabelle Prévost-Desprez et écroué précisément à Fleury-Mérogis le 3 avril 1996. Le procureur de la République d'Évry en personne rend visite à ce détenu dans sa cellule. Après tout, rien ne le lui interdit. Il est responsable de l'activité pénitentiaire dans sa juridiction. Mais aucun chef de parquet ne vient jamais, d'ordinaire, s'assurer en personne que les prisonniers sont bien traités. Dans le même temps, les demandes de permis de visite affluent, toujours pour venir réconforter Pierre Besrest, sans doute. Et le procureur demande même qu'il soit extrait de sa cellule pour les besoins d'une enquête préliminaire. Il n'en revient pas quand Isabelle Prévost-Desprez refuse, au téléphone, d'envisager cette hypothèse.

---

1. La cour d'appel de Paris annulera pour la troisième fois les poursuites contre Xavière Tiberi le 15 janvier 2001 pour des problèmes de procédure.

La juge a en effet saisi, lors des perquisitions, des listes de membres de la GLNF ainsi que plusieurs circulaires portant comme en-tête « À la gloire du Grand Architecte de l'Univers ». Et certains de ses collègues, au Palais de justice de Paris, sont venus lui demander d'y jeter un œil. Redoutaient-ils de voir leur nom y figurer ?

Quelques années plus tard, Pierre Besrest se retrouve cette fois devant le tribunal de Nice. Un lieu où l'ambiance a changé depuis l'arrivée du procureur Éric de Montgolfier, et de son adjoint Gilles Accomando. Ces deux hommes envoyés en milieu hostile en 1999 n'ont cessé de se battre contre les – multiples – interférences maçonniques dans les dossiers de justice. En 2002, Pierre Besrest se fait surprendre par étourderie. Arrêté par les gendarmes sur la route, il n'a aucun papier d'identité et finit par donner son numéro de téléphone mobile pour pouvoir repartir. Vérification faite, celui-ci n'est pas à son nom, mais à celui d'un ami, ce qui l'incite à parler très librement à ses correspondants. Une erreur, car l'appareil a été placé sur écoutes. C'est ainsi que démarre le scandale des marchés publics truqués de Nice, qui met en cause, à titre principal, Pierre Besrest et Michel Vialatte, ancien numéro deux de la mairie de Nice. Ils se connaissent depuis longtemps puisque Michel Vialatte était, dans les années quatre-vingt-dix, directeur adjoint des services du département... de l'Essonne. Le nettoyage de graffitis, l'éclairage public, la reconstruction du grand stade... Rien n'échappait à la vigilance de ce duo, lié par une complicité maçonnique qu'ils minorent à l'audience, puisque Besrest, membre de la loge « Les saints épis », assure en avoir démissionné et Vialatte avoir été seulement « pressenti à la GLNF ». Le diagnostic du procureur Éric de Montgolfier est tout autre : « Liés par l'amitié et la franc-maçonnerie, ils avaient passé un véritable pacte de corruption et

111

dessiné un organigramme de fraude portant sur plusieurs marchés publics », déclare-t-il à l'époque.

Ah, l'amitié ! Durant l'été 2003, Yves Jégo, alors député UMP de Seine-et-Marne, rend visite à Michel Vialatte, en détention préventive à la maison d'arrêt de Nice, avec lequel il s'entretient pendant vingt minutes, en tête à tête, dans sa cellule. Il s'agit sans doute d'un geste de fraternité qui n'a rien d'illégal, puisque la loi Guigou de juin 2000 permet aux parlementaires de se rendre dans les prisons. D'ailleurs, Yves Jégo ne se limite pas à la cellule de Michel Vialatte et passe trois heures à la maison d'arrêt. Mais il se trouve que Michel Vialatte, son ami depuis la faculté de droit, était aussi son témoin de mariage. Et dans l'ambiance tendue qui prévaut alors à Nice, où la franc-maçonnerie mène une lutte acharnée contre lui, Éric de Montgolfier, prévenu du passage du député par un coup de téléphone anonyme, réagit vivement : « M. Vialatte a été placé en détention provisoire pour éviter tout contact avec l'extérieur. En outre, M. Jégo a utilisé des attributions dévolues par la loi à des fins personnelles. Enfin, on ne sait pas ce qui s'est dit dans la cellule de M. Vialatte[1]. » Ce qu'on sait en revanche, grâce à une écoute téléphonique, c'est ce que disait Bernard Orengo, ancien commissaire central de Nice reconverti dans la politique comme adjoint aux sports : « Il faut faire attention au téléphone, il y a un vrai fou au tribunal de Nice ! » Un « fou » nommé... Éric de Montgolfier.

Cette qualification psychiatrique, dans sa touchante spontanéité, décrit bien l'image que certains francs-maçons, qu'ils soient mis en cause par la justice ou qu'ils soient censés la représenter, se font des magistrats qui

---

1. *Le Monde*, 22 mars 2003. Yves Jégo, pour sa part, s'est étonné du retentissement donné à sa visite, alors qu'il s'apprêtait à se rendre, dans les semaines suivantes, dans d'autres prisons dans le cadre de son mandat parlementaire.

révèlent au grand jour certaines connivences, quand celles-ci sont un outil d'explication. Étrange vision, car, sur le papier, le statut des magistrats est très bien défini par le serment qu'ils prononcent lors de leur admission dans le corps : « Je jure de bien et fidèlement remplir mes fonctions, de garder religieusement le secret des délibérations et de me conduire en tout comme un bon et loyal magistrat. » On ne saurait faire plus clair et plus concis.

Tout irait bien, donc, si au moment de leur initiation, les maçons ne se soumettaient pas, eux aussi, à un serment solennel, qui a pour piliers le respect du secret et la solidarité entre frères.

Face à cette situation asymétrique, dans laquelle les frères peuvent se reconnaître entre eux tandis que les autres en sont réduits à des suppositions, les magistrats profanes ont appris à décrypter certains signaux indiquant une agitation maçonnique. L'attention inexplicable portée à un détenu, les visites inopinées de certains collègues curieux sur une procédure, mais aussi les menaces à peine voilées en sont des manifestations classiques.

La façon dont fonctionne cet État maçonnique niché au cœur de la République officielle est illustrée par nombre de péripéties – au départ des combines assez médiocres – qui, au fil des interventions, deviennent de véritables affaires d'État.

En février 2003, le premier substitut au parquet de Bobigny – c'est-à-dire l'adjoint du procureur –, Jean-Louis Voirain, est ainsi incarcéré pour « blanchiment ». Une incrimination gravissime, particulièrement pour un magistrat. Sa faute ? Il a rendu des services dans l'affaire dite du « Sentier 2 », qui met en scène d'importants trafics d'argent sale entre la France et Israël. Et il a reçu en l'espace de cinq ans deux montres, deux stylos de marque, deux bagues, un appareil photo, des repas au restaurant et a bénéficié, pour sa femme et sa fille, de deux séjours à l'étranger. Plus 200 000 francs en liquide.

Ce qui est contrariant, c'est qu'un an plus tôt, ce magistrat a été fait chevalier de la Légion d'honneur. Qui l'a proposé ? L'Élysée ! Et dans les mois qui précèdent, le ministre de la Justice Dominique Perben l'a pressenti pour le poste prestigieux d'avocat général à la cour d'appel de Paris. Proposition qui n'a pas débouché, à la suite d'un avis négatif du Conseil supérieur de la magistrature. Jean-Louis Voirain, il est vrai, s'était déjà fait remarquer : interrogé comme témoin dans l'affaire de la Mnef, véritable pépinière de maçons, puis dans celle de l'Angolagate, qui en comptait aussi quelques-uns, il avait participé à une « mission d'observation » au Gabon en 1999 afin de cautionner la réélection d'Omar Bongo. Une mission à très forte connotation maçonnique, puisque les deux autres Français de marque, garants de la démocratie, étaient l'avocat Francis Spziner et son « confrère » Robert Bourgi, orfèvre de la Françafrique qui appelle tendrement Bongo « Papa ».

Lors de l'incarcération du substitut, ordonnée par Isabelle Prévost-Desprez, en charge du dossier du Sentier, les réactions des loges sont imperceptibles. Un an plus tard, en revanche, c'est la révolution lorsque la juge d'instruction et sa collègue Xavière Siméoni veulent entendre trois hauts magistrats afin de comprendre pourquoi ils n'ont diligenté aucune poursuite disciplinaire contre Jean-Louis Voirain, en dépit de ses écarts répertoriés depuis plus de dix ans. La curiosité des deux juges est encore aiguillonnée par le fait que le dossier disciplinaire de ce turbulent confrère a disparu. Oui, disparu des archives ! C'est l'audition de Jean-Louis Nadal, procureur général de Paris en exercice, et à ce titre supérieur hiérarchique de Jean-Louis Voirain, qui gâche vraiment l'ambiance. Celui-ci semble avoir du mal à concevoir que deux modestes juges d'instruction puissent avoir l'outrecuidance de lui demander des comptes. À la même époque, Isabelle Prévost-Desprez reçoit la visite d'un substitut qui lui dit : « Méfie-toi, on va te monter un chantier[1]. » Cette sympathique expression typiquement policière désigne... un piège. La juge s'en ouvre à certains enquêteurs dans lesquels elle a confiance, et qui s'indignent de ces méthodes d'intimidation. Et, coïncidence, la veille même de l'audition du procureur général, Isabelle Prévost-Desprez se voit demander par son collègue Philippe Courroye, alors à la galerie financière comme elle : « Tu as eu une perquisition à ton domicile récemment ? »

« Il apparaissait depuis un moment que l'on baignait dans une ambiance maçonnique, raconte un policier mis dans la confidence. Tout le monde s'est demandé pourquoi il demandait cela. Car il est l'un des rares à ne pas avoir besoin de la franc-maçonnerie pour faire carrière. » En tout cas, devenu procureur de la République au tribunal de Nanterre, poste très sensible, Philippe Courroye prend les devants, en niant toute appartenance devant des collègues qui ne lui demandaient rien ! Avait-il été approché par le même substitut que sa collègue ?

Isabelle Prévost-Desprez a, depuis, rejoint elle aussi la juridiction des Hauts-de-Seine où elle préside désormais la 15e chambre correctionnelle. En audience, elle continue d'évoquer sans tabou le sujet, demandant par exemple à un prévenu : « Il est dit dans le dossier que vous êtes franc-maçon. Oui ou non ? et si oui, quelle loge ? » Un langage direct peu usité dans les prétoires.

---

1. Dans le langage des juges et des policiers, un « chantier » désigne une opération de manipulation destinée à détruire la réputation d'une cible.

Un concubinage notoire

Toute curiosité dans ce domaine est périlleuse tant les frères ont de solides positions à la chancellerie aussi bien que dans les tribunaux. C'est souvent à l'occasion d'une affaire que l'on découvre ces liaisons dangereuses. L'affaire Benoît Wargniez en est l'illustration. Ex-doyen des juges d'instruction de Lille, il retrouvait au sein du club 50 réunissant le gratin de la maçonnerie locale, des flics et des truands, dont l'inoubliable Roger la Banane, qui lui avait fait plusieurs chèques, comme s'il n'y avait nul besoin de se cacher pour réaliser ces transactions entre frères. Dans le Nord, lorsqu'on était magistrat dans les années quatre-vingt-dix, il fallait des nerfs d'acier pour continuer à rendre la justice dans la sérénité. Des écoutes téléphoniques ont révélé que le fameux Roger et ses amis étaient prévenus des perquisitions à venir. Après l'éviction d'une jeune commissaire de police, mutée sans préavis à Limoges, Alain Lallement, le procureur adjoint chargé des affaires financières s'est un jour lâché en audience, évoquant « les truands qui passent à table au commissariat tandis que d'autres se mettent à table avec des policiers dans les meilleurs restaurants de la ville ». Alain Lallement a, après cette sortie, été muté aux affaires civiles avant de rejoindre une nouvelle affectation. À l'issue de ce regrettable feuilleton, son supérieur hiérarchique ultime, le procureur général de Douai, Roger Tachaud, a estimé utile de réunir ses troupes pour leur signifier… qu'il n'était pas lui-même franc-maçon. C'est à cette époque que le GO a diffusé, pour la première et la dernière fois à ce jour, un communiqué pour indiquer que Roger la Banane ne figurait pas parmi ses membres. De fait, il était à la GLNF !

Benoît Wargniez, pour sa part, a été mis à la retraite d'office en 2000 par le Conseil supérieur de la magistrature, et sa requête en annulation devant le Conseil d'État a été rejetée en novembre 2002. Il a donc fini, comme Jean-Paul Renard à Nice, par être rattrapé par son destin.

Chaque tribunal ou presque a ses histoires de frères. Jean de Maillard, engagé dans la lutte contre la corruption et l'émergence de circuits financiers incontrôlables, faisait de son expérience de juge d'instruction dans le Sud-Ouest, à Agen, une description édifiante : « Le procureur général était franc-maçon, il entravait nos instructions de manière presque ouverte, se souvient-il. Nous étions alors deux juges d'instruction, au tribunal, travaillant sur des affaires financières qui impliquaient la franc-maçonnerie. Nous n'avons jamais pu en sortir une seule. Le parquet m'empêchait de remonter jusqu'aux donneurs d'ordres, dans des dossiers impliquant des mutuelles d'assurances, des organisations patronales ou syndicales. »

De l'affaire Agnès Le Roux aux péripéties de Marcel la Salade – ce modeste maraîcher, par ailleurs « facilitateur » de la GLNF –, en passant par le dossier Renard, qui en contient plusieurs à lui tout seul, Nice était devenue une sorte de laboratoire des intrigues de loges. Le procureur Montgolfier, qui a voulu y mettre fin, résume l'équation d'une manière très simple : « La justice est un exercice assez fragile, remarquait-il deux ans après son installation. Il suffit que soient maçon et le juge et une des parties ou son avocat pour que la partie adverse se sente flouée. Ce qui pose problème, ce n'est pas l'appartenance, mais le secret. »

Le secret... et les supputations sans fin qui en découlent. Début mai 2007, quelques jours avant de quitter l'Élysée, Jacques Chirac remet une dernière brassée de médailles. Parmi les récipiendaires de la Légion d'honneur, Laurent Le Mesle, son ancien conseiller justice devenu procureur général de Paris, poste très prestigieux. Deux très hauts magistrats comme lui arrivent un peu en retard à la cérémonie. Et là, stupéfaction : « Il n'y avait que des maçons, depuis l'avocat Paul Lombard jusqu'à l'ancien président du tribunal de commerce Jean-Pierre Mattei en passant par des parlementaires, raconte l'un d'entre eux. Nous nous sommes regardés d'un air perplexe : était-ce un hasard ou bien notre cher vieux collègue avait-il rejoint la confrérie ? Évidemment, nous n'avons jamais osé lui poser la question. Nous sommes d'ailleurs repartis très vite... »

Comme ces deux visiteurs de marque, les magistrats profanes dans leur ensemble en sont réduits aux supputations. Tout le monde, dans le petit milieu parisien de la magistrature, tient pour acquis que l'ancien et l'actuel présidents de la cour d'appel de Paris, Jean-Marie Coulon et Jean-Claude Magendie, de même que l'ancien président de la Cour de cassation, Guy Canivet, sont familiers des loges. Pourquoi ? Parce que plusieurs membres du Conseil supérieur de la magistrature ont, pour ces hautes nominations et pour d'autres, éprouvé le besoin d'en parler. Le CSM est divisé en deux formations distinctes, l'une compétente pour les magistrats du parquet, soumis à la hiérarchie de la chancellerie, l'autre pour ceux du siège, réputés indépendants et inamovibles. « Selon moi, les maçons sont majoritaires dans la formation chargée du parquet, et moins nombreux dans celle du siège », évalue l'un de ses membres auquel il est arrivé une curieuse expérience. « L'un de mes amis, qui était franc-maçon, m'assure un jour qu'un collègue de la même obédience, dont le dossier devait passer bientôt devant nous, serait nommé à tel poste dans telle ville. Je me montre sceptique, car chaque candidat a fait plusieurs demandes. Le jour venu, je fais exprès d'insis-

118

ter pour explorer d'autres possibilités que le poste et la ville choisis d'avance, d'après mon ami. En pure perte : le passage devant le CSM était en fait une formalité. Tout était écrit d'avance. »

Dans cet univers feutré où les loges ont acquis tant d'influence qu'elles ont fini par excéder ceux qui n'en sont pas, un homme prend le risque, en 2002, de faire campagne en affichant sa distance. Il s'appelle Vincent Lamanda et est alors premier président de la cour d'appel de Versailles, l'une des plus importantes de France. Comme chaque année, il assiste à la réunion des premiers présidents qui doit désigner son représentant au CSM. Cette assemblée est composée des plus haut gradés du corps, puisqu'ils ne sont que 35 en France et règnent sur toute une région juridictionnelle. Devant ses collègues, Vincent Lamanda déclare donc : « Je me présente car je ne suis pas franc-maçon. » Et l'argument porte : il est élu. « Personne n'a voulu aller contre, de peur que cela soit interprété comme un aveu d'appartenance », s'amuse un des participants.

Les excuses – relatives – d'un premier président

Quelques années plus tard, Vincent Lamanda est nommé premier président de la Cour de cassation, le plus haut poste de la magistrature française. Une petite révolution dans l'État maçonnique miniature que représente cette juridiction suprême, où siégèrent quelquefois un premier président – pour le siège – et un procureur général – pour le parquet – appartenant tous les deux à la confrérie. Mais il n'est pas arrivé depuis de longues années qu'aucun des deux ne soit un initié.

119

À l'occasion de sa promotion, Vincent Lamanda est gratifié d'un long portrait dans *Le Monde*[1], où l'épisode de la candidature au Conseil supérieur de la magistrature est relaté en raccourci : « Quand il s'était présenté à ses pairs du CSM, il avait ainsi prévenu : "Je ne suis pas franc-maçon." Il les déteste. C'est ainsi que, en un singulier combat, il a instruit le dossier disciplinaire d'un membre de la Grande Loge Nationale de France, le juge niçois Jean-Paul Renard, considéré comme proche de plusieurs figures du banditisme. » La riposte ne se fait pas attendre. Le grand maître du Grand Orient de France, Jean-Michel Quillardet, publie le jour même un communiqué indigné, qui démarre très fort : « Il était un temps, certains pouvaient dire qu'ils détestaient les juifs. Aujourd'hui il s'agit des francs-maçons. » Vient ensuite le traditionnel couplet sur la dignité maçonnique blessée : « Comment peut-on tenir de telles allégations qui portent atteinte à l'honneur des 150 000 francs-maçons et francs-maçonnes français ? Ceux-ci sont des femmes et des hommes honnêtes, qui se réunissent régulièrement dans leurs loges pour vivre leur engagement maçonnique, c'est-à-dire une démarche personnelle tendant à s'améliorer, à se dépasser autour d'un certain nombre de valeurs que sont la laïcité, l'humanisme, les grands principes de la République. Ils essaient de penser la complexité du monde et de participer à la construction d'une société plus juste et plus fraternelle. » C'est tout ? Pas tout à fait. Jean-Michel Quillardet veut à l'évidence apporter une nuance à son propos : « Certes, dans toute communauté humaine il peut exister des déviances et ceux d'entre nous qui utilisent la franc-maçonnerie à des fins personnelles, affairistes ou délictueuses sont poursuivis et chassés de nos

---

1. *Le Monde*, 30 mai 2007.

rangs. » Le grand maître se perd ensuite dans une étrange comparaison : « Il n'y a pas plus de francs-maçons qui se comportent ainsi qu'il n'y en a dans d'autres groupes sociaux ou professionnels et il est proprement scandaleux de faire accroire le contraire. La proportion est la même chez les francs-maçons qu'elle ne l'est chez les prêtres, les médecins, les journalistes, les avocats. » Dans son esprit, donc, franc-maçon serait un métier à part entière, au même titre que prêtre, médecin, journaliste, avocat... S'agit-il, comme aurait dit le bon docteur Freud, de l'inconscient qui parle ? Mais la défaillance est de courte durée : « Prétendre le contraire, sans savoir très exactement ce qu'est la réalité de la vie maçonnique, est une insulte. »

Vincent Lamanda présente ses excuses – relatives – par retour du courrier : « Vous vous êtes légitimement ému que, dans un article publié à mon sujet dans le journal *Le Monde* daté du 30 mai 2007, il ait été écrit : "Il a déclaré son hostilité à la franc-maçonnerie [...]. Quand il s'était présenté à ses pairs du CSM, il avait ainsi prévenu : 'Je ne suis pas franc-maçon.' Il les déteste." Je démens avec la plus grande fermeté cette information, dénuée de tout fondement. » Le premier président est sûrement un homme malicieux. Que dément-il au juste ? Détester les francs-maçons ? On le croit volontiers. Mais il ne remet nullement en question l'épisode du CSM. Et pour cause. Poursuivant sur le même ton, il ajoute : « En toute hypothèse, la réserve et la délicatesse auxquelles sont tenus, par leur statut, les magistrats leur interdisent de faire état de quelque prise de position politique, philosophique ou religieuse que ce soit. » Les propos sont d'une exquise courtoisie, mais n'en représentent pas moins une ferme fin de non-recevoir pour les F∴.

9

Place Beauvau :
une maison de maçons

L'imposant hôtel particulier qui se cache derrière les grilles en fer forgé, presque face à l'Élysée, n'est pas orné de compas, d'équerres, d'étoiles à cinq branches. Il conserve sa facture classique ébauchée au XVIIIe siècle, et beaucoup remaniée depuis. Pourtant, l'hôtel de Beauvau, siège du ministère de l'Intérieur depuis 1945, est peut-être le cœur de cet État dans l'État qu'incarne parfois la maçonnerie.

Certes, l'appartenance à une obédience n'est plus, comme sous la IIIe République, un avantage décisif pour devenir ministre. Le temps des Aristide Briand, Émile Combes, Eugène Frot, Roger Salengro, Camille Chautemps et Charles Floquet, tous deux parvenus au 33e degré, sommet de la hiérarchie des hauts grades, est révolu. D'ailleurs, la plupart des ministres de l'Intérieur de la Ve ne sont pas des initiés, même si l'un des plus emblématiques, Pierre Joxe, a adhéré au Grand Orient (et non à la Grande Loge comme on le dit souvent). Aucun, en revanche, n'a commis l'étourderie de ne pas compter au moins un frère dans son cabinet. « C'est une question de survie pour le ministre, note un ancien collaborateur de Daniel Vaillant, membre du Grand Orient. Être initié, c'est avoir des antennes un peu partout dans le ministère, pouvoir prendre le pouls à tous les étages avant même que l'information ne remonte. Il n'est pas envisageable qu'un cabinet, à l'Intérieur, fonctionne sans au moins un franc-maçon. D'ailleurs, à ma connaissance, il y en a toujours eu plusieurs, dont parfois le directeur de cabinet lui-même. »

Lorsqu'il régnait sur la place Beauvau, à l'occasion du 275e anniversaire de la naissance de la franc-maçonnerie, le 24 juin 2003, Nicolas Sarkozy recevait à dîner les représentants des obédiences auxquels il s'adressait en ces termes : « La franc-maçonnerie est ici chez elle au ministère de l'Intérieur... » Puis il précisait que peu de familles de pensée, en effet, s'identifient si bien à la République. Aucune malice, donc, dans cette petite phrase ? Prise au premier degré, elle reflète pourtant une réalité d'hier et d'aujourd'hui.

Chalandon contre les RG

Durant l'été 2008, un homme alerte par écrit la ministre Michèle Alliot-Marie de ce qu'il considère non comme un simple dysfonctionnement policier et judiciaire mais bien comme un scandale d'État. Cet homme n'est pas tout à fait un inconnu de la ministre. C'est Albin Chalandon, l'ancien garde des Sceaux. Il est indigné par ce qui arrive à un entrepreneur nantais, Olivier Sigoignet : ce petit patron avait mis au point une borne Internet installée dans quelque 350 cafés. Pour attirer un public pas toujours rompu aux nouvelles technologies, l'appareil, appelé Visionex, proposait pour tout achat de temps de connexion une loterie sans obligation d'achat. Précautionneux, le chef d'entreprise avait demandé à la direction de la Concurrence, à la direction des Douanes, à celle des Libertés publiques et à la sous-direction des Courses et

Jeux qui dépendait des Renseignements généraux (RG), au ministère de l'Intérieur, si ce jeu-concours respectait la très complexe réglementation. Toutes ces administrations lui ont répondu par l'affirmative, à l'exception des RG qui ont botté en touche : « La sous-direction des courses et jeux ne saurait, par principe, délivrer un avis préalable aux mises sur le marché des nombreux projets qui voient le jour en matière de jeux de hasard, sans courir le risque de se voir transformer en bureau d'études, ce qui n'entre pas dans le périmètre de nos missions », lui écrivait, dans son extravagante réponse, le sous-directeur des Courses et Jeux.

Rien ne semblait donc s'opposer à l'entreprise, qui commençait à prospérer, jusqu'à ce matin de février 2008 où quatre policiers – des RG justement ! – débarquent dans l'usine d'Avranches où sont fabriquées les bornes. Un petit cauchemar de cinquante-quatre heures commence pour Olivier Sigoignet. Garde à vue, perquisitions, blocage des serveurs Visionex, de ses comptes bancaires, transfert à Créteil, et enfin mise en examen pour non-respect de la loi de 1983 relative aux jeux de hasard.

À l'issue de cette épreuve, les bornes ne peuvent plus fonctionner puisque les serveurs sont bloqués. Les jours de l'entreprise sont comptés. C'est alors que le chef d'entreprise, grâce à une connaissance commune, appelle Albin Chalandon au secours. Celui-ci, après quelques coups de téléphone, se fait assez vite une idée. Ces bornes déplaisent fortement à la Française des Jeux et au PMU, qui vendent leurs produits dans les mêmes établissements et se montrent très sourcilleux sur l'exercice de leur monopole. Ces deux entreprises d'État sont d'autre part répertoriées, dans le microcosme politico-administratif, comme des bantoustans maçonniques. Or, de l'aveu même d'un ancien sous-directeur qui, lui, n'en est pas, le service des Courses et Jeux est également très sensible aux vibrations fraternelles. « Il y a évidemment des liens de proximité entre les uns et les autres, ajoute-t-il. Disons qu'il y a trois ou quatre rencontres formelles par an, et que d'autres contacts ont lieu à des niveaux subalternes. Le travail des policiers des Courses et Jeux consiste à faire respecter la législation, compliquée dans ce secteur. Cela converge souvent avec les intérêts de la Française des Jeux, qui peut signaler telle ou telle anomalie. Ce ne serait pas la première fois[1]. » Les policiers des RG, bien entendu, affirment avoir agi sur « dénonciation anonyme », ce qui est bien commode, mais un peu insuffisant lorsqu'on sait par ailleurs que 30 000 machines à sous illégales fonctionnent sans tracasserie majeure un peu partout en France.

C'est lorsque Albin Chalandon prend sa plume pour écrire à la ministre de l'Intérieur que l'histoire prend vraiment tout son sel. Il ne reçoit aucune réponse et s'en agace fortement : n'a-t-il pas toujours entretenu les meilleurs rapports avec Michèle Alliot-Marie, à laquelle il porte de l'estime ? Ce qu'il ignore, c'est que la ministre n'a tout simplement pas reçu sa missive, interceptée par une main secourable.

À force d'insister, l'ancien garde des Sceaux, épaulé par son fils Fabien, un banquier d'affaires aussi pugnace que perspicace, parvient à faire recevoir Olivier Sigoignet et son avocat par le préfet Michel Delpuech, directeur de cabinet de la ministre, qui leur assure partager leur indignation. Il promet même une enquête interne afin de faire toute la lumière sur ce comportement des Courses et Jeux qu'il estime, en substance, indigne de la République.

---

1. Entretien avec l'auteur, le 1er juillet 2008.

Mais ces belles paroles ne sont suivies d'aucun acte. Aussi, quand, au bout d'un mois et demi, Albin Chalandon reçoit une lettre, signée Michel Delpuech, qui évite de prendre parti, l'ancien garde des Sceaux s'agace. Et découvre que la bagarre s'installe au sein même du cabinet de la ministre, entre ceux qui veulent couvrir les RG et ceux qui souhaitent déclencher une enquête sans complaisance sur les policiers des Courses et Jeux. Un membre du cabinet, pourtant chevronné, confie même à Fabien Chalandon qu'il n'aurait jamais cru que les réseaux francs-maçons soient aussi puissants. Il découvre qu'ils s'étendent, au-delà des RG, au cœur du cabinet de la ministre.

Ce fonctionnaire avait réussi à obtenir qu'une lettre de Michèle Alliot-Martie soit envoyée à Rachida Dati, garde des Sceaux, pour l'informer de la faute des RG. Mais le club des étouffeurs s'est mis en branle au sein du cabinet : « Le courrier à Rachida vient de me revenir avec une note de MD au ministre disant que la Directrice de la PJ dont dépendent désormais les courses et jeux est persuadée de la culpabilité de Monsieur Sigoignet, écrit le conseiller technique surpris par la force des réseaux dans un mail adressé à Fabien Chalandon et daté du 17 juillet. Il a biffé toute la fin de la lettre et me demande de procéder aux corrections en ce sens. Il en est hors de question, bien entendu. J'en reparle au ministre. Mais j'en conclus qu'aucune initiative ne sera prise en l'état ici, contrairement à ce que je souhaitais. J'en suis sincèrement navré, mais les RG sont décidément plus forts que nous tous. » La directrice de la Police judiciaire est alors Martine Monteil, une « grande flic » réputée proche des maçons. Elle a depuis été nommée préfète, secrétaire générale de la zone de défense de Paris.

Fabien Chalandon ne se laisse pas démonter. Le 28 juillet 2008, il porte lui-même au ministère une lettre destinée au directeur de cabinet Michel Delpuech, dans laquelle il rappelle toute l'insistance qu'il a fallu pour attirer son attention. Puis il entre dans le vif du sujet : les diverses fautes commises par les policiers et fonctionnaires du ministère dans cette affaire, dont certaines peuvent, selon lui, recevoir des qualifications pénales. « Je me permets de préciser, conclut-il cruellement, que l'article 40 du code de procédure pénale impose, sans possibilité d'appréciation en opportunité, à toute autorité constituée, tout officier public ou fonctionnaire d'informer le procureur de la République des faits criminels ou délictuels dont ils ont connaissance dans l'exercice de leurs fonctions. Étant comme vous attaché au respect de l'État de droit, je me permets, comme mon père qui se joint à moi, de vous réitérer la demande d'enquête approfondie de l'IGPN sur ces faits consternants. »

Et après ? Rien. Même l'intervention véhémente d'un baron du gaullisme, qui connaît personnellement la ministre de l'Intérieur et qui n'est pas étranger à l'ascension de la ministre de la Justice, ne semble pas suffisante pour faire plier les réseaux maison. D'ailleurs, lors d'une conversation sur l'affaire Sigoignet, la garde des Sceaux Rachida Dati a confié à un protagoniste que les interférences maçonniques posent plus de problèmes dans la police que dans la justice, parce qu'elles sont plus transversales.

Forteresses

Quelles directions, quels services du ministère de l'Intérieur ne sont pas des citadelles maçonniques ? La préfectorale ? Elle en est truffée. « Je me souviens de mon arrivée dans l'Aisne, raconte cet énarque qui

127

était alors sous-préfet. Au bout de quelques jours, je suis présenté à Antoine Pagni, un conseiller général haut en couleur qui se disait proche de « Charles » [Pasqua]. Il m'a grattouillé le poignet tout naturellement. Je n'ai pas passé ce test, mais je pense que mes prédécesseurs, eux, avaient eu plus de répondant. » Depuis le début de sa carrière ministérielle, Jacques Chirac a eu des préfets à ses côtés. Héritage, sûrement, de son passage éphémère et très précoce au ministère de l'Intérieur, en 1974, alors qu'il avait 41 ans. De l'avis de Jean-François Probst, qui l'a suivi et conseillé depuis 1974 jusqu'à son exclusion du RPR, en 2001, la plupart étaient initiés : « C'était l'école du préfet Maurice Paraf, qui était directeur des collectivités locales au ministère quand Chirac y a passé quelques mois. Un poste d'observation stratégique pour un animal politique en devenir comme le futur président ! Cet homme avait une prestance remarquable et il a entraîné beaucoup de ses cadets dans son sillage. » La plupart de ces fonctionnaires, qui ont ensuite essaimé dans ses cabinets à Matignon, puis dans ceux de ses Premiers ministres, notamment Alain Juppé, lequel avait bien besoin d'un peu de liant fraternel, nient leur appartenance, pourtant bien réelle. Pour quelles raisons ?

Dans la catégorie préfets, le plus en vue aujourd'hui est certainement Claude Guéant, hier directeur de cabinet de Nicolas Sarkozy place Beauvau, aujourd'hui secrétaire général de l'Élysée, le cœur du pouvoir. Des frères de la GLNF assurent l'avoir déjà rencontré dans les murs. Alors, maçon ou pas maçon ? « Encore faudrait-il le prouver ! » : c'est la réponse d'un haut syndicaliste policier, lui-même maçon. Elle laisse l'hypothèse ouverte, que suggère son double passage dans les Hauts-de-Seine, d'abord comme préfet puis comme directeur de cabinet du président du conseil général, un certain Nicolas Sarkozy, sans apporter de preuve absolue.

La préfecture du département le plus riche de France se montre en effet ouverte à l'esprit fraternel. Pierre de Bousquet de Florian, l'ancien directeur de la DST remercié par Nicolas Sarkozy pour cause d'affaire Clearstream et nommé préfet des Hauts-de-Seine en 2007 avant d'être muté en janvier 2009 à la préfecture du Pas-de-Calais, ce qui n'est pas vraiment une promotion, confiait peu de temps après son arrivée à Nanterre son étonnement à des proches : sur cinq de ses directeurs ou directrices, quatre étaient initiés. Une proportion record !

Le maçon le plus célèbre de la préfectorale, qui a fait et défait bien des carrières et des réputations, est un homme affable au profil de saurien. Membre de la Grande Loge de France, il est connu dans le petit milieu des grands initiés pour avoir atteint le plus haut grade du Rite Écossais Ancien et Accepté, celui de Grand Inspecteur Général du Suprême Conseil, dit 33ᵉ degré, en 1997. Il s'appelle Philippe Massoni et a été longtemps préfet de police de Paris. La préfecture, située entre Notre-Dame et le Palais de justice, sur l'île de la Cité, compte elle aussi parmi les hauts lieux de ce véritable contre-pouvoir. Ses fonctionnaires y sont très jaloux de leurs prérogatives, et chaque nouvelle nomination fait l'objet d'une sorte de cooptation. « Il n'est pas impératif d'en être pour y parvenir, mais c'est un coup de pouce non négligeable », explique une femme commissaire qui n'avait pas, de ce point de vue, le sauf-conduit nécessaire mais qui a trouvé, ailleurs, un très beau poste et ne manifeste donc aucune amertume.

Philippe Massoni aura donc servi deux maîtres durant sa longue carrière : le Grand Architecte de l'Univers et... Jacques Chirac. En 1976, ce policier est chargé de mission auprès du jeune Premier ministre de Valéry Giscard d'Estaing. Il y restera avec Raymond Barre. Il part ensuite vivre sa vie comme directeur des services techniques à la préfecture de police – déjà ! – puis aux Renseignements généraux. Un long séjour de huit ans où il apprend à mieux connaître ses contemporains et leurs petits secrets. En 1986, Chirac revient à Matignon, et Massoni reprend du service. Il est, cette fois, directeur de cabinet de Robert Pandraud – qui s'obstine à démentir son appartenance, ce qui suscite une joyeuse incrédulité –, le sous-ministre de l'Intérieur que le Premier ministre de la cohabitation a placé là, dit-on, pour surveiller le patron en titre, Charles Pasqua. Mais c'est surtout comme chargé de mission à l'Élysée, à partir de 2001, après qu'il a quitté la préfecture de police, que Philippe Massoni fait parler de lui, soupçonné par les sarkozistes d'être un des animateurs du « cabinet noir » devenu fameux depuis la publication des carnets de l'ancien patron des RG Yves Bertrand. Il a aussi été nommé, pour la petite histoire, représentant personnel du co-prince français à Andorre (Jacques Chirac !), ce qui n'est pas une mince sinécure.

De cette carrière sans accroc qui doit beaucoup à l'ancien Président, il faut surtout retenir une capacité admirable à résister à toutes les alternances. 1981, l'arrivée de la gauche au pouvoir ? Bien qu'ancien conseiller à Matignon, Philippe Massoni conserve son poste à la préfecture. On peut toujours objecter que cette direction des services techniques se situe en dessous de la ligne de radar de l'épuration, mais tout de même... on en a vu éconduits à des postes plus subalternes. 1988, réélection de François Mitterrand ? Massoni tient les Renseignements généraux, le poste le plus sensible de la République, la tour de contrôle qui centralise tous les informations, rumeurs et chuchotements du royaume, la source qui peut intoxiquer à l'envi les journalistes en leur faisant miroiter la gloire liée à un scoop. Et il y reste. Il est vrai que le ministre de l'Intérieur est alors Pierre Joxe, dont le cabinet est à lui seul une sorte de groupement fraternel de la haute fonction publique. Cela n'a pas pu nuire. À 71 ans, en 2007, Philippe Massoni a été poussé vers la sortie par le nouveau Président, auquel il n'a pas toujours voulu du bien. Mais n'était-ce pas l'heure de prendre un repos bien mérité ?

Signes de reconnaissance

Tout le monde, dans cet univers à part qu'est la police, n'est pas aussi visible que Philippe Massoni. Beaucoup, pourtant, se font reconnaître par les profanes au regard exercé. Il y a, tout d'abord, les postes réservés. Ceux dont on sait qu'ils ne peuvent échoir qu'à un frère. « Il est acquis pour tous, par exemple, que le patron du service de sécurité du ministère de l'Intérieur, ou à défaut son adjoint, appartient à une loge, explique un haut fonctionnaire de la place Beauvau. Pourquoi ? Aucune idée, mais cela relève de l'évidence pour tous les habitués. »

Certains jasent aussi sur les grands flics qui se donnent l'accolade entre eux. Si la bise entre hommes est devenue presque banale dans le milieu du show business, elle n'est pas très courante dans les cénacles de la police où le comportement viril demeure de mise. Or il se trouve que le directeur général de la police nationale, Frédéric Péchenard, ami de jeunesse de Nicolas Sarkozy, et son directeur de cabinet, Frédéric Perrin, s'embrassent comme du bon pain. Un signe d'affection fraternelle ? « On n'est jamais sûr de rien

131

mais je ne crois pas, rigole un haut fonctionnaire qui les connaît depuis longtemps. J'étais dans la même promotion qu'eux à l'école des commissaires de Saint-Cyr-au-Mont-d'Or. Ils étaient déjà très copains, très brillants, et tout le monde les appelait "les deux Frédéric". »

Les signes extérieurs de magnificence, enfin, sont interprétés. Le directeur central de la sécurité publique est considéré par tout le ministère comme un maçon « haut gradé ». Début 2008, il a obtenu comme véhicule de fonction une 607 dernier modèle peu conforme à l'ambiance de frugalité budgétaire qui est de mise. On raconte que le directeur général de la police, Frédéric Péchenard justement, y aurait trouvé à redire. En vain : le directeur voulait sa voiture et il l'a eue. Tous les profanes y ont vu – à tort ? – un signe.

Un moment très symbolique a aussi marqué les esprits profanes. Lorsque le père du président de la fraternelle du ministère, qui regroupe tous les maçons qui prennent le risque de se signaler ainsi, est décédé, le secrétaire général de la place Beauvau a demandé au personnel d'observer une minute de silence. Rien de moins. L'histoire fait encore jaser aujourd'hui sur cette fameuse « hiérarchie parallèle » qui imprimerait parfois sa marque.

Le président de cette fraternelle, également appelée club La Reynie en hommage au premier lieutenant général de police de Paris sous Louis XIV, lointain prédécesseur du moderne préfet de police, se nomme Ramiro Riera. Il est inspecteur général de l'administration et assure que son appartenance n'a jamais interféré avec sa carrière. Il n'empêche. Le président de la fraternelle du ministère de l'Intérieur, quel qu'il soit, est un personnage important. Il représente plus de 200 cotisants et beaucoup plus de monde encore, si l'on considère tous les frères qui ne veulent pas commettre l'imprudence – très relative ! – de se dévoiler. Dans un document à vocation pédagogique, ses responsables expliquent que l'association entend exercer une présence active dans les services, directions, directions générales pour être toujours au cœur de la vie du ministère mais aussi pratiquer l'ouverture à l'égard des autres groupements fraternels de la fonction publique. Beaucoup de frères – et sœurs – commissaires, contrôleurs et inspecteurs généraux, soucieux de ne pas frayer avec le tout-venant de la police en tenue, préfèrent en effet se retrouver au sein de la fraternelle des hauts fonctionnaires. Mais le club La Reynie se revendique aussi comme un groupement de défense des francs-maçons du ministère, afin de leur éviter d'être inquiétés pour délit d'opinion. Cette préoccupation semble superflue, tant l'appartenance à la franc-maçonnerie n'a jamais, de mémoire de flic, nui à l'avancement ! La préfecture de police de Paris a aussi sa fraternelle, dont les membres peuvent également adhérer à La Reynie.

Promotion tabliers

La police demeure l'un des métiers, en France, où le taux de syndicalisation, toutes catégories confondues, est le plus important : autour de 70 %. Or, pour un responsable syndical, au ministère de l'Intérieur, l'originalité consiste justement... à ne pas être franc-maçon. « Depuis que je suis à la tête de Synergie, je reçois beaucoup de lettres marquées des trois points ou qui se terminent par "fraternellement" et certains me serrent bizarrement la main lorsqu'ils me disent bonjour », s'amuse le jeune patron de ce syndicat qui représente les officiers de la police nationale[1]. Presque tous ses homologues, en effet, en sont.

Un peu d'histoire. Pendant des années, la FASP, Fédération autonome des syndicats de police, qui regroupait plutôt des organisations représentant la base, même si un famélique syndicat des commissaires en faisait partie, a été dirigée par des maçons du GO comme l'exige son orientation de gauche. Parmi ces patrons, citons Gérard Monate, qui deviendra ensuite célèbre comme responsable d'Urba, le bureau d'études du Parti socialiste qui défrayera la chronique dans les années quatre-vingt-dix, Bernard Deleplace et Jean-Louis Arajol, tous membres du Grand Orient comme la quasi-totalité des syndicalistes de la place Beauvau. À l'époque où Pierre Joxe est ministre, la cogestion entre cette fédération de gauche et les maçons du cabinet atteint son paroxysme et aboutit à la rédaction commune du code de déontologie de la police nationale, en 1986. Preuve que la franc-maçonnerie, n'en déplaise aux théoriciens du complot, ne sert pas seulement de marchepied aux affairistes : elle peut aussi exercer une influence positive, en incitant les policiers à observer une attitude respectant la dignité de tous même dans l'enceinte des commissariats.

Une fois la FASP dissoute pour des motifs de rivalité syndicale, le grand projet de création d'un vaste pôle de défense des intérêts policiers, nourri par ses derniers dirigeants, capote. La plupart des organisations que la FASP regroupait se retrouvent au sein de l'UNSA Police, affiliée à l'Union nationale des syndicats autonomes. Ce qui perdure, en revanche, c'est la

---

1. Cité par Olivia Recasens, Jean-Michel Decugis et Christophe Labbé dans *Place Beauvau*, Robert Laffont, 2006.

fibre maçonnique. Joaquin Mazanet a longtemps été l'animateur de l'UNSA Police. Il a toujours refusé d'admettre qu'il était membre du Grand Orient de France, où il est pourtant connu et reconnu. Aujourd'hui encore, son frère – au sens biologique du terme –, Francis Mazanet, participe à la direction de l'UNSA, qui est redevenue majoritaire aux élections professionnelles de 2008. Son principal concurrent, le syndicat Alliance, marqué à droite, est dirigé par un jeune et sympathique Marseillais, Jean-Claude Delage, qui défend sans trop de coquetterie les secrets d'appartenance.

Or les décisions, concernant l'avancement notamment, sont toutes prises en commission paritaire : une moitié de fonctionnaires d'autorité, une moitié de syndicalistes. Les réunions se déroulent rarement dans une ambiance conflictuelle. « Le fait qu'il y ait, de part et d'autre de la table, des maçons est une bonne chose, explique l'un d'entre eux. Au-delà de la barrière hiérarchique, ils sont d'accord sur un certain nombre de valeurs et défendent les principes républicains. » Est-ce une telle surprise ? La République serait-elle en danger ? En vérité, ces liaisons fraternelles peuvent être aussi l'occasion de s'arranger, avant la réunion, sur les noms des heureux promus. Et que dire de la commission spéciale de sélection des commandants de police qui peuvent passer commissaires « au choix » ? Cela concerne une nouvelle nomination sur dix et représente, pour l'élu, un bond de carrière appréciable.

Les commissaires eux-mêmes ne sont pas en reste. Depuis longtemps, il y a le « Schtroumpf », de son vrai nom le Syndicat des commissaires et hauts fonctionnaires de la police, majoritaire parmi les haut gradés, où il est assez difficile d'émettre des critiques, comme a pu le constater l'un de ses membres[1]. Rien de plus logique puisque, selon les estimations, un commissaire sur quatre – l'estimation est basse ! – est franc-maçon. D'ailleurs, depuis quelque temps, cette organisation se fait tailler des croupières par un concurrent de fraîche date, le SICP : le Syndicat indépendant des commissaires de police, créé en mars 2006, a remporté deux sièges sur cinq aux élections professionnelles qui ont suivi. Le SICP se veut plus populiste que le « Schtroumpf », mais tout aussi fraternel. D'ailleurs, presque tous les commissaires sont affiliés soit à l'un, soit à l'autre. Là encore, la cotisation annuelle s'apparente à une police d'« assurance trois points ».

Illustration : l'un d'entre eux, qui a été suspendu par son ministère à cause de sa mise en examen dans un dossier judiciaire, au début des années quatre-vingt, raconte comment, une fois un non-lieu obtenu, il a pu rétablir au plus vite sa situation : « Les liens maçonniques m'ont permis d'obtenir une audience au tribunal administratif en six mois au lieu de deux ou trois ans, et un rendez-vous en trois jours au bureau du ministre de l'Intérieur grâce à un frère gardien de la paix. » Un autre, syndiqué et membre du Grand Orient lui aussi, s'est piégé lui-même dans une pénible affaire d'adultère et a fait un faux témoignage pour préserver ses relations conjugales. Pour conforter sa version des faits – il n'aurait pas reçu un coup de couteau de sa maîtresse mais aurait été la cible d'une attaque de gitans –, il est allé jusqu'à vandaliser sa propre voiture de fonction. Certains policiers du SRPJ de Versailles ont su prêter une oreille fraternelle à ses déboires et faire disparaître les traces de ce faux témoignage, qui aurait fait tache dans le dossier. Cela s'appelle, dans le code pénal... de

---

1. Voir le chapitre 7, « Conflits d'intérêts ».

la destruction de preuves. Mais si l'on prend au sérieux la loi, on n'en sort plus !

L'émergence de la parité atténuera-t-elle, à terme, l'influence du réseau sur les carrières ? « Le corps des commissaires s'est féminisé, mais cela n'a pas changé la proportion d'initiés, explique cette femme commissaire qui s'est vu conseiller d'entrer en maçonnerie pour obtenir un haut poste en sécurité publique. Puisque au nom de la parité il fallait promouvoir des femmes, certaines commissaires ont choisi d'entrer en maçonnerie pour se donner des chances supplémentaires. Ce n'est pas une mauvaise stratégie pour la suite. »

Le rêve de tout commissaire est en effet de « passer contrôleur général », un grade indispensable pour occuper des fonctions de directeur d'administration centrale ou de sous-directeur. Ils ne sont même pas une centaine pour toute la France et les places sont donc très chères. Tout avantage comparatif est par conséquent bon à prendre. « Tout le monde parle de la proportion de maçons chez les commissaires, plaisante l'un d'entre eux. Mais personne ne s'est jamais interrogé sur ce ratio chez les contrôleurs généraux, le grade supérieur. Là, je pense qu'on tourne à plus de 50 %. » Statistique empirique et invérifiable, qui reflète néanmoins le sentiment général.

Infiltration réciproque

« On dit souvent que la police est infiltrée par la maçonnerie. Mais est-ce que ce ne serait pas plutôt le contraire ? s'amuse un frère du Grand Orient. J'ai été membre de trois loges successives et très différentes : l'une très à gauche et archi-républicaine, une autre plus classique et une troisième où la qualité des débats est un peu plus élevée. Elles ont toutes un point commun : il y a plusieurs flics qui en sont membres, dont au moins un des RG. Alors, je finis par me demander qui infiltre qui... » Marcel Laurent, grand maître de la Grande Loge des Cultures et des Spiritualités (GLCS), considère que la cooptation d'un policier dans une loge n'est pas une simple option, si l'on veut éviter les ennuis : « Si on refuse, il faut savoir que les fiches sur la loge archivées par les services de police seront défavorables. » Très taquin, il n'hésite pas, lors du dîner annuel de son obédience, en octobre 2008 au golf de Saint-Cloud, à saluer dans son discours de bienvenue « les frères policiers qui pourront faire leur rapport dès demain matin ». Vieille histoire, puisque, si l'on en croit les *Mémoires* du préfet Jean-Émile Vié[1], l'ancien grand maître du Grand Orient Michel Baroin, intronisé en 1977, aujourd'hui décédé, était entré au Grand Orient en service commandé des années plus tôt, alors qu'il était jeune inspecteur aux RG. Une thèse discutable, toutefois, puisque la demande d'adhésion de Baroin au GO, en 1959, est tout de même antérieure à son entrée aux Renseignements généraux, en 1960.

La présence policière au GO est telle, en tout cas, qu'un ancien vénérable d'une loge où la concentration était particulièrement forte se revoit passant des coups de téléphone à des responsables d'autres ateliers pour leur demander d'accueillir des candidats issus de la police : chez lui, le quota était déjà dépassé.

GO, GLDF ou GLNF ? Tout en haut du podium, le Grand Orient apparaît en position de force. Malgré le haut patronage de Philippe Massoni, la Grande Loge de France semble, une fois encore, distancée par la GLNF

---

1. Jean-Émile Vié, *Mémoires d'un directeur des Renseignements généraux*, Albin Michel, 1988.

qui a beaucoup recruté parmi les proches de Charles Pasqua. Deux fois ministre de l'Intérieur, entre 1986 et 1988 puis de 1993 à 1995, ce Corse non maçon a laissé place Beauvau une empreinte sans commune mesure avec le temps qu'il y a passé. Il était entouré de nombreux initiés, dont son lieutenant de toujours Jean-Jacques Guillet, aujourd'hui député-maire de Ville-d'Avray, dans les Hauts-de-Seine, qui occupe un poste éminent parmi les représentants des hauts grades de la Grande Loge de France.

Un lieu résume la puissance du réseau : la fraternelle de la police. Une fraternelle regroupe des frères non par loge, mais par métier ou par branche profession-nelle. C'est l'un des aspects les plus critiquables de la maçonnerie puisque c'est là que se rencontrent les conflits d'intérêts les plus graves. Que peuvent se dire un avocat, un juge et un inspecteur de la fameuse Bri-gade financière concernés par la même affaire ? Cette fraternelle de la police a donc vécu des heures mou-vementées au plus fort de la bataille d'influence entre pasquaïens, affiliés à la GLNF, et proches de l'ancien ministre socialiste Pierre Joxe, membres du Grand Orient, durant les années quatre-vingt-dix : qui allait l'emporter, place Beauvau, des deux obédiences enne-mies ? Laquelle aurait le plus de poids sur les nomina-tions ? Qui serait protégé en cas de coup dur, de bavure, d'affaire médiatisée ? La supériorité numérique du Grand Orient a fait la différence.

Vendettas fraternelles

L'effet de nombre produit aussi des effets indésira-bles. Philippe Vénère est commissaire divisionnaire à la retraite. Au début des années quatre-vingt-dix, ce frère de la GLNF constate un flagrant délit de corruption : un intermédiaire se fait remettre une enveloppe de 70 000 francs pour l'obtention d'une HLM de la Ville de Paris. La transaction se passe dans un haut lieu maçonnique, le restaurant parisien La Tour de Montlhéry, au centre de la capitale, où beaucoup de frères ont leur rond de serviette. « C'était un vendredi soir, raconte Philippe Vénère. J'ai suivi l'enveloppe. Et, en ce qui concerne ma hiérarchie, disons que j'ai prévenu sans prévenir, sinon, on m'aurait stoppé net[1]. »

Le commissaire ignore qu'il s'attaque à un réseau redoutable. Il le découvre très vite. « Le procureur qui s'est saisi de l'affaire était maçon, le préfet de police aussi, poursuit l'ancien divisionnaire. Ils me sont tombés dessus. Ils ont monté un chantier[2] contre moi et je me suis retrouvé accusé de complicité de vol à main armée sur la base de faux témoignages et de faux documents couverts par un membre de la hiérarchie de la préfecture de police. J'ai été suspendu pendant trois ans sans traitement. Je ne pouvais plus payer les traites de ma maison, alors j'ai fait un peu tous les métiers : chauffeur, jardinier... C'était une descente aux enfers car je redoutais de ne jamais être réhabilité. »

Ce maçon de longue date trouve-t-il, lorsque les ennuis commencent, quelque réconfort dans sa loge de la GLNF ? Pas vraiment. « Ma haute hiérarchie avait, je l'ai appris par la suite, téléphoné directement au grand maître de l'époque, Claude Charbonniaud, pour organiser autour de moi un cordon sanitaire maçonnique, se souvient cet homme affable qui aurait parfaitement le physique de l'emploi pour jouer le flic dur à cuire mais

---

1. Entretien avec l'auteur, le 28 décembre 2007.
2. Un « chantier », terme déjà employé dans ce livre, est un piège tendu à l'aide de fausses preuves.

le cœur sur la main dans une série télévisée. Mon vénérable, un sous-préfet, a tenté de résister. Mais on lui a fait valoir qu'il était jeune, qu'il avait une carrière à faire et que celle-ci serait brisée s'il n'obtempérait pas. Je me suis retiré sur la pointe des pieds pour ne pas lui nuire. C'était un type bien qui avait su résister à des injonctions indignes. »

Rien n'avance dans son dossier tant que la droite est au pouvoir. Quand la gauche revient, il réussit à être reçu dix minutes par le ministre de l'Intérieur, Jean-Pierre Chevènement, grâce à des membres de son cabinet. Philippe Vénère a eu le sang-froid de dissimuler certaines pièces accablantes sur l'affaire des HLM, qui lui permettent de démontrer assez facilement son innocence, pourvu qu'on veuille bien l'écouter. Il est blanchi, réintégré et reçoit les trois ans de traitement qu'il n'avait pas perçus.

Est-il retourné dans sa loge après cette réhabilitation ? « Non, cela, vraiment, je ne pouvais pas. Mais au bout de quelque temps, je suis revenu, à la Grande Loge de France, cette fois. Il se trouve qu'un de ceux qui m'ont beaucoup nui y est aussi, et à un poste éminent, mais je m'arrange pour ne pas le rencontrer. Pour le reste, j'y suis très heureux. Je suis vénérable de ma loge et mes dernières recrues, si j'ose dire, sont deux professeurs de droit et un professeur de cardiologie de 65 ans. Des personnes de grande qualité. C'est comme cela que je conçois la franc-maçonnerie. »

La discrétion légendaire de la Grande Loge de France rejaillit sur l'attitude de ses initiés. Place Beauvau comme ailleurs, ceux-ci n'aiment guère mettre en avant leur appartenance. Elle se passerait bien, quelquefois, de publicité. Au début de l'année 2008, le chef de la brigade des fraudes aux moyens de paiement, le commissaire Patrick Moigne, était interpellé et incarcéré à titre provisoire, accusé d'avoir monnayé des informations

141

recueillies dans les fichiers de police à un cabinet d'intelligence économique. Brillant élément à ses débuts, ce membre de la Brigade financière s'était déjà fait remarquer pour quelques excès plus véniels qui lui avaient néanmoins valu un exil en banlieue. Et beaucoup de ses collègues sont sûrs qu'il s'est fait initier à la Grande Loge pendant cette traversée du désert. Pour essayer de rattraper le temps perdu ? Ce cas emblématique, et moins isolé qu'on ne le croit, montre une fois encore combien le secret dessert ceux qui en sont les gardiens les plus farouches. Maçon, pas maçon, Moigne ? Secret maçonnique.

10

Agents secrets

Pour quelqu'un que personne ne semblait connaître, Antoine Pagni ne quitte pas ce monde par la petite porte. Ils sont nombreux à s'être déplacés pour lui rendre un dernier hommage en l'église Saint-Augustin, l'une des plus majestueuses de la capitale, en 2003. Parmi les personnalités les plus remarquées, dans l'assistance, se recueille Charles Pasqua, dont le défunt ne manquait jamais de rappeler qu'il était son ami. On voit aussi Bernard Tomasini, l'ancien chef de cabinet de Charles, qui fait une belle carrière dans la préfectorale. Déjà, lorsque le défunt, quelques années auparavant, avait été fait officier de la Légion d'honneur en grande pompe à l'École militaire, Charles Pasqua avait entonné *L'Ajaccienne*, reprise en chœur par les nombreux insulaires présents.

Fait peu commun, l'église est remplie de maçons. Antoine Pagni était l'un d'eux depuis si longtemps ! C'est lui qui a créé la fameuse loge La Lyre de Salomon à la GLNF. Un cénacle qui s'est toujours réuni dans la journée pour ne pas croiser trop de monde dans les couloirs. La Lyre, comme on l'appelle entre initiés, a compté jusqu'à 100 adhérents. Parmi eux, de nombreux membres des « services », comme le général Imbot, qui prit la tête de la DGSE à la suite de l'affaire Greenpeace, en 1985. Lorsque son fils Thierry, qui avait

143

aussi été formé à la DGSE et avait précédé son père en maçonnerie, est mort dans des circonstances étranges, puisqu'il est « tombé » de la fenêtre de l'appartement parisien où il venait pour installer sa famille, au plus fort de la très sulfureuse affaire des frégates de Taiwan, à laquelle il était mêlé, ce sont les frères de La Lyre de Salomon qui font rempart de leur corps pour préserver l'intimité familiale. « À l'institut médico-légal, le jour des obsèques, il y avait plusieurs types qui rôdaient et qui ne faisaient pas partie de la famille du défunt, raconte l'un des piliers de La Lyre de Salomon. Avec quelques frères, nous avons fait une sorte de cordon sanitaire qui les a empêchés de s'approcher et de se joindre au cortège des proches. C'est cela aussi, la fraternité. »

Antoine Pagni n'appartient pas, au sens strict, à la grande famille des espions. Encore que ! Fait prisonnier pendant la Seconde Guerre mondiale, ce Corse est rapatrié sanitaire en 1942, avant de gagner l'Indochine où il s'illustre dans la Résistance au point de devenir un protégé du général Catroux, le gradé le plus étoilé à avoir rejoint de Gaulle à Londres et qui sera, entre autres postes prestigieux, ambassadeur de France en Union soviétique de 1945 à 1948. Cette haute protection joue-t-elle un rôle dans la carrière très atypique que ce Corse mène après-guerre ? Bien que dénué de toute compétence technique, il entre à EDF, où il atteindra, au grand dam des X-Ponts qui peuplent la maison, le grade envié de contrôleur général, distribué avec une grande parcimonie puisqu'il compte généralement moins de dix titulaires en exercice.

EDF, nid d'espions ?

Tous les anciens de la maison se souviennent d'Antoine, mais son évocation suscite à la fois des sourires entendus, une certaine gêne et des réflexes de défense. Un des hauts responsables d'EDF, qui avait accepté de parler de cet homme de l'ombre, arrive au rendez-vous sur la défensive : « Pourquoi voulez-vous parler de lui dans un livre ? D'ailleurs, je ne sais pas pour qui vous travaillez... Et croyez-moi, cela n'a aucun intérêt. On a tout dit sur lui. Il faisait beaucoup de cinéma mais n'était qu'un simple chargé de mission. »

Pourquoi une telle méfiance ? Et une telle incitation à passer à autre chose ? Est-ce parce qu'à ses heures perdues, Antoine Pagni a fait de la politique à la manière d'autrefois, sous le haut patronage de Charles Pasqua ? D'abord élu en Corse, il est obligé de quitter l'île de Beauté où il est accusé d'avoir bourré les urnes. « Je n'ai fait qu'exprimer les dernières volontés des morts », a-t-il coutume de dire sur le ton de la plaisanterie à toutes ses connaissances, que ce soit à la GLNF ou à EDF. C'est ainsi qu'il se retrouve dans l'Aisne, comme maire de Vaux-Andigny et conseiller général du canton méconnu de Wassigny. Du temps de *L'Événement du Jeudi*, Jean-François Kahn s'était intéressé à lui et l'avait même surnommé « Tony la betterave », en référence au clientélisme sans chichis qu'il pratiquait sur ses terres de culture sucrière, où il a laissé un souvenir impérissable pour avoir invité la Légion étrangère à sauter en parachute. Personne n'avait jamais rien vu de tel. C'est lui encore qui fera entrer Renaud Dutreil, et bien d'autres, en maçonnerie[1]. Mais ce n'est pas cette face du personnage qui provoque un embarras certain, lorsque l'on évoque ce nom chez les pionniers du nucléaire civil.

Ce n'est pas non plus son appartenance à la GLNF qui provoque des pincements de nez. À EDF, les frères sont

---

1. Voir le chapitre 2, « Ceux qui disent non ».

légion et l'ancien d'Indochine était implicitement considéré comme leur chef de file, toutes obédiences confondues. Le sujet tabou, c'est la cellule de sécurité qu'il met
en place. Il a un bureau situé à un pâté de maisons du
siège, où il reçoit beaucoup. Il recrute d'anciens para-
chutistes qu'il transforme en chauffeurs pour dirigeants,
et qui viennent lui rapporter mille et une histoires gla-
nées dans les berlines. Des policiers, des membres des
services, DGSE ou DST, tous frères, sont également détachés à EDF. « La montée en puissance du nucléaire, surtout après l'adoption du graphite-gaz, qui utilisait du
plutonium et se rapprochait donc de la filière militaire,
a accru les besoins de sécurité des sites, explique un
ancien cadre dirigeant. Antoine Pagni était "Monsieur
messages". Il y avait des francs-maçons dans chaque syndicat, y compris à la CGT. Il s'assurait que personne,
même parmi les plus revendicatifs, n'allait s'en prendre
aux installations. Et puis surtout, il adorait jouer les mes-
sieurs bons offices entre les uns et les autres, entre le
ministère de l'Intérieur et la direction. »

Voilà pour la version minimaliste. Mais ses amis lui
prêtent un rôle bien plus important. « Qui peut pénétrer n'importe où, de tout temps, sans susciter trop de
méfiance ? Un employé d'EDF, bien sûr, explique l'un
d'eux. Antoine avait donc formé une équipe qui pouvait se rendre dans n'importe quelle ambassade et remplir des missions pour les services. Évidemment, même
au sein d'EDF, c'était très secret. Le ciment de tout ce
système était la franc-maçonnerie, qui créait à la fois
les conditions de la solidarité et du secret. » Ils étaient
une équipe d'une dizaine qui remplissait des tâches
très discrètes… et pas toujours avouables. Quand José
Bové agace un élu de sa région, ancien ministre et
franc-maçon, bien entendu, ce dernier demande à la
petite cellule de monter un dossier sur lui, démontrant
que le syndicaliste paysan serait lié à des intérêts améri-

cains. L'équipe de choc est aussi sollicitée pour apporter son appui, en matière de renseignement, dans diverses opérations aux Comores qui ne pouvaient être menées par des services officiels de l'État.

La sécurité nécessite que l'on surveille du monde, beaucoup de monde. Des syndicalistes, mais aussi des journalistes. C'est là un des aspects les moins sympathiques de la mission que d'autres, après Antoine Pagni, ont conduite au sein d'EDF, qui peut tout se permettre au nom du nucléaire et de l'impératif de sécurité qu'il suppose. Pourquoi, dès lors, ne pas espionner tout le monde ? Des journalistes s'en souviennent encore, plus de dix ans après. Ils ont réalisé pour l'émission *La marche du siècle*, en 1997, une enquête sur les « O.S. de l'atome », ces intermittents qui servent de variable d'ajustement et sont assignés aux tâches les plus dangereuses. « Lorsque nous tournions dans les centrales, nous nous sommes aperçus qu'EDF avait mis sur notre chemin des policiers des Renseignements généraux et de la DST détachés auprès de l'entreprise publique, raconte Christophe Labbé. Ceux-ci ont fait pression sur nos témoins pour qu'ils se rétractent et ont présenté au producteur et au réalisateur de l'émission un "dossier" sur nous qui devait contenir des éléments assez désobligeants, expliquant par exemple que nous avions acheté les témoignages. Nous avons fini par récupérer la liste de cette fine équipe, une poignée de personnes avec leurs numéros de téléphone directs et ceux de leurs portables. » Jean-Marie Cavada, qui dirigeait et présentait *La marche du siècle*, avait d'ailleurs déclaré, à l'époque, qu'il n'avait jamais subi autant de pressions que pour cette émission, qu'il aurait été plus simple d'en réaliser une sur la DGSE et que personne, à l'exception de la scientologie, n'avait essayé d'entraver à ce point l'enquête.

La direction de la sécurité existe toujours. Elle est, du temps d'Antoine Pagni comme aujourd'hui, directement rattachée au président d'EDF. Et l'un de ses anciens patrons assure qu'avec la collaboration de toutes les gendarmeries de France, il pouvait tout savoir sur n'importe qui en l'espace d'une journée. Bien sûr, personne ne se souvient de rien. Alors, qu'EDF ait pu abriter pendant des années un nid d'espions ! Les frères qui sont toujours dans la maison, eux, sont sûrs qu'ils n'ont pas rêvé. Mais l'histoire officielle ne retiendra rien de cette épopée peu banale.

La matrice commune du secret

Dans les services secrets, l'appartenance à la franc-maçonnerie est non seulement fréquente mais directement utile. Les deux univers comportent des ressemblances. « Les services comme les loges sont des systèmes fortement hiérarchisés et cloisonnés, dans lesquels règne un culte du secret, dont la transgression est reconnue comme la faute la plus grave que l'on puisse commettre, explique un membre de la DGSE qui assure ne pas appartenir à une obédience. Il y a, dans les deux cas, une initiation progressive, dont le but est d'accéder à une connaissance cachée, et destinée à demeurer à l'abri des regards. » Un autre fait remarquer que l'un des symboles de la franc-maçonnerie est un œil inscrit dans un triangle. Traditionnellement, il figure le regard omniscient de Dieu veillant sur l'humanité et rappelle à chaque frère qu'il est en permanence sous l'observation du Grand Architecte de l'Univers. Cet œil est aussi celui des services secrets mandatés pour tout voir et tout savoir. « Il existe également une certaine convergence dans la vie quotidienne », assure, avec une certaine franchise, Roger Bensadoun, membre du Grand Orient de France, où il a atteint le grade le plus élevé, le 33ᵉ degré du Rite Écossais Ancien et Accepté, et bon connaisseur des milieux de la Défense, puisqu'il a fait partie du cabinet de Charles Hernu et a fondé le cercle Joffre, sorte de fraternelle des anciens de l'IHEDN[1] qui compte plusieurs personnalités du renseignement dans ses rangs et n'accueille que des conférenciers francs-maçons pour des raisons de confidentialité. « C'est, poursuit-il, une appartenance qui, dans les deux cas, conduit à une vie un peu schizophrène : il est impossible de raconter à sa famille ce que l'on vit en loge ou dans son métier d'agent de renseignement. »

Aux ressemblances, il convient d'ajouter une certaine complémentarité. L'appartenance maçonnique ouvre des portes dans de nombreux pays, et permet d'être reçu dans un cadre plus confiant. Raison de plus pour adhérer à la grande famille. D'ailleurs, c'est de loin la GLNF qui fait le plus recette dans le monde du renseignement. Hasard ? C'est elle aussi qui, grâce à la reconnaissance de Londres, offre la meilleure carte de visite dans les pays anglo-saxons, mais aussi en Afrique. Un accès planétaire à près de sept millions de personnes sur tous les continents !

Enfin, cela n'a jamais nui à la carrière, aussi loin que remonte la mémoire des anciens des ministères de la Défense ou de l'Intérieur. Ainsi que le note un bon connaisseur de ce microcosme, « le frère amène le frère, dans une sorte de phénomène circulaire ; cela ressemble à un gala organisé en l'honneur des organisateurs de galas »...

Service public ?

Les doubles appartenances, de l'avis des intéressés, contribueraient au respect des règles républicaines, y

---

1. Institut des Hautes Études de Défense nationale.

compris dans un secteur où le premier principe, justement, est de ne pas en avoir. Tout comme certains frères, dans la police, assurent que c'est grâce à leur présence, à leur travail de réflexion en loge qu'il y a moins de bavures dans les commissariats, d'autres, qui évoluent dans l'univers du renseignement, se disent convaincus que les valeurs enseignées dans leurs cénacles permettent de ne pas franchir la ligne jaune dans des activités qui, par nature, comportent des risques de dérapage.

Il arrive pourtant que ce petit monde se perde dans les manipulations et les contre-manipulations. Ainsi, l'affaire Otor a-t-elle donné lieu, de la part de certains de ses acteurs, à des suspicions qui ont pu tourner au fantasme autour de la franc-maçonnerie. En 2000, les dirigeants de ce groupe cartonnier se trouvent dans une situation de trésorerie critique à la suite du rachat de la papeterie Chapelle-Darblay. Le fonds d'investissement Carlyle injecte 45 millions d'euros dans Otor et acquiert en contrepartie 20 % du capital, tout en se garantissant la possibilité d'en prendre le contrôle si la rentabilité n'est pas au rendez-vous. Dès 2001, les représentants de Carlyle, arguant des mauvais résultats financiers, entendent devenir seuls maîtres à bord. Une guerre sans merci commence entre les deux dirigeants d'Otor, d'une part, et le fonds américain, d'autre part. Batailles médiatiques, judiciaires, politiques se succèdent, dans un contexte où l'opinion générale est plutôt favorable à Otor, le gentil Français devenu la proie du méchant Américain à la réputation sulfureuse, qui plus est, pour ses connexions avec l'administration de Washington et les services secrets. Chacun engage des cabinets de lobbying, des orfèvres en stratégie médiatique dans un combat où tous les coups sont permis.

Dans l'équipe qui gravite autour d'Otor, on souhaite que le haut responsable à l'intelligence économique, Alain Juillet, prenne parti pour le groupe français, ce que celui-ci se refuse à faire, considérant qu'il s'agit d'une affaire de droit privé qui n'a rien à voir avec la régulation de l'intelligence économique. Or Alain Juillet est franc-maçon, membre non pas de la GLNF, comme on le dit parfois, mais du Grand Orient. Les partisans d'Otor sont convaincus que le patron de Carlyle Europe, Jean-Pierre Millet, fait partie lui aussi de la confrérie. Ils voient des réseaux maçonniques qui lieraient certains protagonistes de l'affaire, dont Alain Juillet – qui s'en défend –, et s'arrangent pour les faire parvenir à l'Élysée. Ils organisent même des filatures afin de prouver ces appartenances communes. Une stratégie qui n'aboutira pas. Carlyle, avec le soutien de la justice, et notamment de la cour d'appel de Paris, réussira finalement à prendre le contrôle de l'entreprise française.

11

La surprise de Raffarin

« Jamais je n'aurais pensé que les francs-maçons étaient aussi puissants ! » C'est Jean-Pierre Raffarin qui lance cette réflexion dans un soupir à son ancien ministre de l'Économie et des Finances, Francis Mer. En 2004, le Premier ministre passe un été studieux à Matignon. Après le résultat calamiteux des régionales, il a été confirmé à son poste. Mais cette apparente victoire masque un affaiblissement politique. Nicolas Sarkozy est entré à Bercy avec le titre de ministre d'État et le deuxième rang dans le protocole gouvernemental. Les Finances échappent donc en grande partie au Premier ministre, qui pouvait jusqu'alors compter sur la loyauté sans faille de Francis Mer, un grand patron un peu cassant, pas politique pour deux sous mais droit comme un *i*.

La formule sur les loges, inattendue chez un homme aussi pondéré que l'ancien Premier ministre, laisse Francis Mer pensif. Cet X-Mines qui pourrait à lui seul incarner le sens de l'adjectif « bourru » n'a jamais raisonné en termes de réseau. C'est même un sujet qui le hérisse, un truc de tordu à ses yeux. Il a toujours évolué dans un univers organisé au cordeau comme un compte de résultat et ne veut pas regarder sur les bas-côtés. Certains[1] ont cru pouvoir le compter parmi les frères, ce qui est invraisemblable lorsqu'on connaît le personnage. Mais cet été-là, Francis Mer est rattrapé par la réalité. Les maçons existent, Raffarin les a rencontrés. Et ils viennent se mettre en travers de son chemin. Débarqué du gouvernement à l'occasion du remaniement ministériel opéré quelques mois plus tôt, et qui a ressemblé à un peloton d'exécution des « représentants de la société civile », comme le philosophe Luc Ferry ou lui-même, il avait été pressenti pour remplacer François Roussely à la tête d'EDF. Mais la mobilisation fraternelle a fait pencher le sort en sa défaveur. Elle a aussi laissé à tous ceux qui travaillaient à Matignon cet été-là un souvenir effaré.

Le téléphone sonne

Puissants, les frères ? Ce sentiment est confirmé par l'entourage de Jean-Pierre Raffarin, puisqu'un de ses proches garde le souvenir de deux mois où le téléphone ne cessait de sonner : « Il a fallu au Premier ministre une détermination incroyable pour résister aux pressions. Il y avait tous les jours un coup de téléphone de Proglio et un autre de Bauer. » Henri Proglio, P-DG de Veolia, a toujours démenti – très mollement – son appartenance à la franc-maçonnerie. Quant à Alain Bauer, on ne présente plus, à ce stade, l'ancien grand maître du Grand Orient de France. Qu'est-ce que ces deux personnages ont à voir, à première vue, avec le très chaud mais assez rébarbatif dossier EDF ?

---

1. Notamment, Ghislaine Ottenheimer et Renaud Lecadre dans *Les frères invisibles, op. cit.*

Officiellement, les enjeux semblent clairs. L'ouverture du marché de l'électricité doit entraîner un changement de statut de l'entreprise publique, vouée à devenir une société – presque – comme une autre, même si l'État en demeure l'actionnaire majoritaire.

Mais le nerf de la guerre se situe ailleurs. Comme souvent, il s'agit avant tout d'une question d'hommes. Depuis 1998, EDF est présidée par François Roussely, profil modèle du haut fonctionnaire sorti du rang. D'origine modeste, il a passé les concours administratifs, suivi Sciences Po en cours du soir, a été admis à l'ENA par concours interne et a terminé sur le podium des grands corps, à la Cour des comptes. Conseiller technique au cabinet de Gaston Defferre quatre ans plus tard, il a vraiment pris son envol place Beauvau sous le magistère de Pierre Joxe, dont il devient le directeur de cabinet. Est-ce cet austère huguenot qui l'a orienté vers la franc-maçonnerie ? Impossible de l'assurer, puisque François Roussely évoque cette appartenance à contre-cœur. « J'ai beaucoup travaillé avec des francs-maçons, notamment sur le statut de la Nouvelle-Calédonie ou pour lutter contre le terrorisme corse, et il y en avait beaucoup dans la police, j'ai donc souvent croisé ces réflexions-là, mais je suis assez résistant aux appartenances », dit ce socialiste affirmé dans un portrait que lui a consacré *Le Monde*, avant de se refuser à confirmer qu'il fait partie de cette grande famille : « On ne peut pas dire ça comme ça[1]. »

Au début de l'été 2004, François Roussely est sur un siège éjectable. Son mandat arrive à expiration le 11 juillet. Il a réussi depuis deux ans à sauver sa tête, face à Francis Mer, un ministre des Finances qui lui réclamait régulièrement des comptes sur un ton peu

---

1. *Le Monde*, 1ᵉʳ septembre 2004.

amène. Il croit pouvoir bénéficier de la faveur de Nicolas Sarkozy, au moins pour obtenir un renouvellement jusqu'au changement de statut. Après, on verra bien. Il n'a d'ailleurs pas dissimulé son enthousiasme quand Bercy a changé de titulaire : « Avec Nicolas Sarkozy, le dossier EDF est enfin porté politiquement. » Et pan ! pour Mer, qu'il déteste. Mais Jean-Pierre Raffarin prend le compliment pour lui. De plus, le Premier ministre n'est pas convaincu que l'ancien collaborateur de Joxe ait le bon profil. Pour ne rien arranger, le président d'EDF a refusé de coopter son directeur adjoint de cabinet, Jean-François Cirelli, comme directeur général. Dans ce contexte tendu, le Premier ministre est effaré par le forcing opéré par tous les « amis » qui se mobilisent en rangs serrés : si tant de voix se manifestent, avec une telle insistance, c'est donc qu'il existe un enjeu invisible et substantiel... La ligne directe fonctionne d'autant plus mal entre Matignon et la présidence d'EDF que le préfet Pierre Steinmetz, directeur de cabinet de Jean-Pierre Raffarin, qui a lui aussi beaucoup travaillé avec les francs-maçons en Nouvelle-Calédonie et qui connaît bien François Roussely, a été nommé au tour extérieur au Conseil d'État.

Très vite, le cabinet du Premier ministre se pose des questions sur cette avalanche de coups de fil quotidiens – et quelquefois davantage – que Jean-Pierre Raffarin reçoit. Il commence à comprendre. Et cela ne le rassure pas. Les appétits qui convergent vers EDF sont multiples : le groupe en lui-même présente de grands intérêts stratégiques. Il pèse beaucoup dans l'économie nationale et a des antennes dans tous les milieux, du Parlement aux principaux médias. En plus, c'est un client en or, qui paie généreusement des conseillers et consultants en tous genres, sans parler des budgets de publi-

155

cité et de communication, parmi les plus élevés de France.

Henri Proglio, patron de Veolia et administrateur d'EDF, a quelques arrière-pensées que l'on a fini par deviner dans les cabinets ministériels. En fait, il a en tête un projet de fusion, à terme, des deux groupes pour constituer un poids lourd, à l'échelle mondiale, de ce qu'on appelle pompeusement, dans les milieux d'affaires, les *utilities*. Pour atteindre cet objectif, François Roussely présente plusieurs avantages : il serait un président à durée déterminée auquel il serait facile de succéder ; il partage avec le patron de Veolia des convictions fortes. D'ailleurs, ces grands projets semblent s'être évanouis après le départ de Roussely. Un an après la grande bagarre, en juin 2005, *Le Point* pose la question assez abruptement à Henri Proglio : « Vous étiez assez proche de l'ex-président d'EDF. Vous l'aviez fait entrer dans votre capital. On vous prêtait un grand projet de rapprochement. Qu'en est-il aujourd'hui, après son remplacement par Pierre Gadonneix ? » Réponse du patron de Veolia : « La démarche n'a rien perdu de son acuité. Aujourd'hui, on constate que ce qui a été fait reste pertinent. Il n'y a aucune raison de le remettre en question. Nous avons créé des groupes de travail pour voir sur quelles autres applications ce partenariat pourrait déboucher[1]. » Des années plus tard, on n'a toujours rien vu venir.

L'entrée d'EDF au capital de Veolia, à l'époque, devait davantage s'interpréter comme un signe de solidarité de la part de François Roussely que comme une faveur d'Henri Proglio. Le président d'EDF avait aidé ce dernier à combattre Jean-Marie Messier lorsque celui-ci,

---

1. *Le Point*, 2 juin 2005.

patron de Vivendi Universal, s'en était pris à Veolia[1]. Une bataille homérique ! Jean-Marie Messier, tout inspecteur des Finances qu'il était, avait commencé à s'affoler devant la puissance de feu de l'adversaire. Il avait même convié pour un petit déjeuner, avenue Hoche, Alain Bauer. Celui-ci était alors grand maître du Grand Orient de France et déjà homme-orchestre de son cabinet de conseil, AB Associates, spécialisé dans la sécurité mais qui a de solides connexions aussi dans le domaine de l'influence et de ce qu'on appelle gentiment « l'intelligence économique ». Alain Bauer avait bien aimé ce petit déjeuner, où J6M, le maître du monde, lui avait demandé : « Suis-je victime d'un complot maçonnique ? » Quand Messier lui avait demandé de travailler pour lui, et qu'il avait décliné, quel délice ! Il avait une bonne raison : il ne pouvait pas, il était le conseiller de Proglio, le meilleur ennemi de son hôte, Proglio qui avait une ligne directe avec l'Élysée, que Chirac adorait. Les années ont passé, et Alain Bauer assure aujourd'hui qu'il n'était pas le conseil d'Henri Proglio en 2004[2].

Il n'est pas sûr, d'ailleurs, que cet été-là, Bauer ait été mandaté par Proglio. Le patron de Veolia, en effet, s'est montré tout au long de l'aventure très loyal et très correct à l'égard du Premier ministre, l'informant même de ses entretiens avec le président de la République, ce qui ne fut pas le cas de tous. Certains se demandent si l'insistance de Bauer ne s'explique pas aussi par ses liens d'amitié très forts avec Stéphane Fouks, le patron de l'agence Euro-RSCG, qui gagne beaucoup d'argent grâce à EDF. C'est Fouks en personne qui fait la campagne pour le renouvellement de Roussely auprès des

---

1. Qui s'appelait alors Vivendi Environnement.
2. Entretien avec l'auteur, le 10 décembre 2008.

médias. Or il connaît Bauer depuis l'université, à l'époque où ils jouaient un rôle d'apprenti-Machiavel dans les rangs du syndicat étudiant Unef-Id, avant de créer, avec le futur député-maire d'Évry Manuel Valls, lui aussi membre du Grand Orient, les Jeunes rocardiens. Leurs parcours respectifs prouvent que le toupet ne nuit pas à la carrière, à Paris. Alain Bauer assure d'ailleurs qu'il a fait le siège de Matignon « moins pour défendre le président d'EDF que pour défendre un ami, François Roussely, qui n'a jamais été franc-maçon ». La dernière partie de la phrase provoque une certaine hilarité dans les loges...

Alors ? Complot maçonnique ? Évidemment non. Mais cette histoire illustre jusque dans le détail l'usage qui peut être fait des liens fraternels. EDF a toujours été un bastion franc-maçon. Le groupe, en 2004, va voir l'État céder une partie de son capital au marché. Ce n'est donc pas le moment de perdre ce lieu d'influence, qui est aussi l'un des coffres-forts de la République, irriguant grâce à sa puissance de nombreux canaux économiques et financiers. Les différents frères qui sont intervenus l'ont-ils fait pour défendre des intérêts ? Certainement. Plusieurs d'entre eux touchaient de jolies rémunérations pour leurs interventions. Mais ils ont aussi œuvré avec l'objectif parfois sincère de préserver EDF de certains appétits – pour le dire simplement : d'une privatisation en douceur –, considérant les leurs plus légitimes et plus nobles. L'importance, symbolique et financière, de l'enjeu en valait la peine, à leurs yeux. À ceux de Jean-Pierre Raffarin aussi.

Une démission dans la balance

Pourquoi, alors qu'Henri Proglio figure parmi les patrons bien vus du président Chirac, les supporters de

François Roussely s'échinent-ils à téléphoner au Premier ministre, que le Tout-Paris couvre de quolibets pour son absence d'autonomie face à l'Élysée ? Tout simplement parce qu'ils ont compris que l'Élysée ne pouvait pas, ne pouvait plus, trancher seul. Jean-Pierre Raffarin a mis sa démission dans la balance. « J'ai expliqué au président de la République que reconduire François Roussely dans ces conditions s'apparenterait pour moi à un désaveu personnel, qui provoquerait ma démission, raconte Jean-Pierre Raffarin. Je n'ai agi que trois fois ainsi pendant les trois ans que j'ai passés à Matignon. C'était une de ces trois fois. Et je ne le regrette pas[1]. »

L'Élysée renvoie donc les quémandeurs chez Raffarin. Les démarches, plus ou moins insistantes, se multiplient. Gérard Longuet, un vieux copain de l'épopée giscardienne, fait juste savoir que la solution Roussely lui paraît la bonne. Il se verrait bien lui aussi occuper le poste de ce dernier dans quelques années : la continuité lui convient. Jean-Louis Borloo, ministre des Affaires sociales, soutient Roussely sans excès. Peut-être assure-t-il une sorte de minimum syndical comme président du Parti radical, vivier historique de la franc-maçonnerie. Dans le même temps, les prises de position publiques en faveur du président d'EDF en exercice se font plus visibles, comme celle de Thierry Breton, alors président de France Telecom et futur ministre des Finances. Ce déploiement ignore une règle pourtant simple : il ne faut pas humilier l'adversaire. Jean-Pierre Raffarin, qui a vu Jacques Chirac et lui a fait part de son inquiétude, en est plus que jamais convaincu : cette insistance collective est suspecte. D'ailleurs, il a commencé à étayer ses soupçons. Le successeur auquel il a pensé pour le poste tant convoité, l'ancien ministre Francis Mer, connaît bien

---

1. Entretien avec l'auteur, le 5 juillet 2008.

EDF pour en avoir été le plus gros client lorsqu'il dirigeait la sidérurgie française. Et Francis Mer a épluché les comptes. Il en est ressorti perplexe : les rémunérations de certains prestataires lui semblent peu raisonnables... L'allongement, d'un trait de plume d'EDF, de la durée de vie des centrales nucléaires de vingt-cinq ans à près de quarante pour éviter de nouveaux investissements hors de prix a aussi surpris dans certains ministères. La confiance s'est érodée.

Le dénouement du feuilleton ? Francis Mer est mis hors jeu, officiellement à cause de son âge. Les présidents d'entreprises publiques, c'est la loi, doivent avoir moins de 65 ans. C'est absurde mais c'est ainsi. Or, pas de chance, Mer vient de fêter son soixante-cinquième anniversaire ! L'équipe Raffarin fait donc ajouter, en plein juillet, un amendement aux projets de loi sur le changement de statut d'EDF et de GDF pour faire disparaître cette clause d'âge. Mais le 6 août, le Conseil constitutionnel rejette l'amendement voté. Catastrophe !

Matignon, pour ne pas perdre la face, doit trouver rapidement un candidat de rechange. C'est là qu'intervient une figure influente du Tout-Paris des affaires, Anne Méaux, qui chuchote à l'oreille droite des patrons et des politiques, comme Stéphane Fouks le fait à l'oreille gauche. L'ancienne attachée de presse de Giscard est embarrassée, car elle compte Henri Proglio et Veolia parmi les gros clients de son cabinet, Image Sept. Mais elle a aussi en portefeuille le président de GDF, Pierre Gadonneix, un X-Mines discret qui se verrait bien à la place de Roussely. La guerre que vont se livrer Fouks et Méaux est terrible. Mais Fouks commet une erreur : se répandre dans tous les médias pour raconter que Roussely a le soutien de Chirac. C'est vrai, d'autant plus que le président sortant d'EDF échange avec le chef de l'État sur un sujet qui est cher à celui-ci : les arts premiers. Mais tous ces moulinets sont inutiles, puisque

Chirac n'a pas envie de changer de Premier ministre : comme fusible, Raffarin peut encore servir.

Pierre Gadonneix succédera donc à François Roussely à la présidence d'EDF. Et il gardera, avec le sourire, Stéphane Fouks comme conseiller en communication. Match nul.

Troisième partie

FABRIQUES D'INFLUENCE

12

Cachez ces fraternelles...

Une loge, d'une certaine façon, est une petite famille. On se réunit deux fois par mois et on travaille honorablement. Du moins on essaie. Il en existe des centaines en France, que leurs membres ont plaisir à fréquenter, travaillant avec plus ou moins d'assiduité. Dans les bons moments, l'esprit y souffle. On y trouve un professeur de lycée, un artisan, un publicitaire, le patron d'une agence de voyages, une poignée de cadres d'entreprises, un avocat, un médecin, un journaliste, un restaurateur, un assureur, un entrepreneur du bâtiment, deux ou trois fonctionnaires sans oublier l'indispensable représentant du ministère de l'Intérieur.

Solidarité oblige, ils se rendent certains services. Le policier fait sauter quelques contraventions, mais avec la répression routière, même ces petits gestes deviennent difficiles à accomplir. Le médecin aiguille un frère à la santé chancelante vers le meilleur spécialiste qu'il connaisse et lui fait une lettre de recommandation. Un modeste délit d'initié médical qui ne lèse personne.

C'est l'éparpillement des professions, des sensibilités, des centres d'intérêt qui fait la richesse des réunions et c'est très bien ainsi. Car cette dispersion est la barrière la plus efficace contre les dérives éventuelles.

Et puis sont nées les fraternelles. L'idée est simple. Il s'agit de jeter des ponts par-dessus les frontières des différentes obédiences pour se retrouver entre soi. L'idée initiale n'est pas forcément mauvaise. Ainsi, les membres de la GLNF n'ont pas le droit de visiter, en loges, leurs frères d'autres paroisses. Les fraternelles leur donnent l'occasion de les fréquenter sans enfreindre le règlement. Fort bien. Mais pimentées par le secret de l'appartenance, ces associations, qui constituent une spécialité typiquement française que les francs-maçons de l'étranger regardent avec une curiosité teintée de scepticisme, sont autant de réseaux qu'aucune règle n'encadre et dont personne n'est capable de cerner précisément les contours. Elles se comptent par centaines et, en ce sens, sont sans doute la colonne vertébrale de cet État dans l'État qu'est devenue la haute maçonnerie, illustrée, dans les années quatre-vingt, par la fabrication d'un extraordinaire document, un annuaire des fraternelles intitulé « Les Chantiers ».

Chasseurs et gastronomes

Que les frères – et sœurs – chasseurs, naturistes, amoureux de la mer, homosexuels, ou habitants du XXe arrondissement de Paris se retrouvent au sein d'une fraternelle semble relativement inoffensif. Tout au plus s'agit-il de cumuler les réseaux.

Que certaines professions assurent leur promotion à travers un annuaire n'est pas non plus très problématique. Ainsi en est-il, de longue date, des hôteliers restaurateurs. Certains des plus grands, comme Joël Robuchon, membre de la GLNF, ne font pas mystère de leur appartenance. D'autres, comme Alain Senderens, de Lucas Carton, ou Éric Trompier, de La Marée, se montrent plus discrets.

Mais aucun de ces grands chefs ne figure dans l'annuaire du GITE (Groupement interprofessionnel du tourisme européen). Peut-être ont-ils peur de voir des hordes de frères se précipiter à leurs prestigieuses tables en demandant une faveur ? Les autres, plusieurs centaines de professionnels dont les coordonnées figurent dans le guide du GITE réactualisé chaque année et qui se présente comme un petit calepin sans titre, assurent qu'il n'y a là aucune malice. Pourtant, la mise en garde imprimée pourrait laisser penser le contraire : « Cet annuaire est un document confidentiel et personnel. Il est absolument recommandé de ne jamais s'en dessaisir ni le transmettre, et de le détruire chaque année. » Le culte du secret n'a pas de limites. Les antiquaires, les chauffeurs de taxi, les dentistes (au travers de l'amicale Charles-Godon), les kinésithérapeutes (avec le cercle Benelus), les opticiens (sous l'égide du cercle Benjamin-Franklin), ont aussi leurs cénacles, tout comme les forains, les experts-comptables et les VRP.

Les colonnes... du Parlement

La fraternelle parlementaire excite davantage la curiosité. Elle regroupe députés et sénateurs, mais aussi les fonctionnaires des deux Assemblées, et a particulièrement compté durant les IIIe et IVe Républiques. Elle a, en fait, perdu beaucoup de son faste et de son influence, même si un peu plus d'un parlementaire sur dix appartient à la confrérie. En 2008, pour la première fois depuis de nombreuses années, c'est un élu de droite, le sénateur UMP Bernard Saugey, qui en a pris la présidence. Car, à droite plus encore qu'à gauche, certains parlementaires préfèrent ne pas adhérer afin de ne pas être reconnus. Et même ceux qui y cotisent font profil bas, au point de se faire sermonner à chaque visite d'un grand maître, qui les rappelle, en vain, à leurs devoirs. Maurice Leroy, député Nouveau Centre du Loir-et-Cher, raconte comment, il y a quelques années, il a été convié par erreur à l'une de ces réunions fraternelles : « C'est Alain Marsaud qui m'avait invité. Je ne suis pas resté mais je les ai vus furtivement, ils étaient tous là[1]. » Mais, même s'il assure ne pas avoir prononcé de serment maçonnique, Maurice Leroy n'en dira pas plus sur la composition de l'assistance, où l'on pouvait retrouver Roland Dumas, Henri Emmanuelli, le président de l'Assemblée nationale aujourd'hui décédé Raymond Forni, mais aussi, à droite, le très chiraquien député des Yvelines Henri Cuq, qui fut ministre délégué des Relations avec le Parlement de 2004 à 2007, ou encore le député de l'Oise Olivier Dassault.

Plus encore que la fraternelle parlementaire, le cercle Ramadier, enraciné au palais du Luxembourg, n'est plus que l'ombre de lui-même. Créée en 1963 par deux sénateurs socialistes, Gérard Jaquet et Roger Fajardie, cette association regroupe les parlementaires francs-maçons de gauche.

Autre démembrement fraternel qui prend souche au Sénat : le GFEQA – traduction : Groupe fraternel d'étude des questions africaines – qui compte parmi ses présidents d'honneur la sœur Michèle André, vice-présidente socialiste du Sénat et ancienne secrétaire d'État aux Droits des femmes, ainsi que Guy Penne, ancien patron de la cellule africaine de François Mitterrand à l'Élysée et le sénateur représentant les Français de l'étranger Richard Yung. Les réunions mensuelles de cette association sont hébergées au siège de la Grande Loge de France, rue de Puteaux à Paris, mais le bulletin de liaison *Fraternité Europe Afrique* est en revanche envoyé

---

1. Entretien avec l'auteur, le 22 décembre 2006.

sous enveloppe officielle du Sénat. Ce fut longtemps le bureau de Richard Yung qui s'en chargea. Celui de Michèle André lui a succédé. Si bien que les heureux destinataires reçoivent un pli aux allures gratifiantes, griffé « Sénat, la vice-présidente », ce qui fait à la fois neutre et chic. Cette option a-t-elle été choisie par mesure d'économie, puisque l'affranchissement est financé par le budget du Sénat, ou pour garantir un plus grand anonymat ? Le bulletin d'abonnement incline à choisir la seconde hypothèse, puisqu'il est possible de choisir un envoi anonyme. Pourquoi tant de précautions ? La lecture du contenu n'apporte guère de réponse ; on trouve par exemple dans le numéro 78 daté de 2007 une « planche » de Jean-Luc Le Bras, président de la fraternelle des Affaires étrangères, sur Félix Éboué. Pas de quoi faire sauter la République !

À l'automne 2007, avec l'épisode de l'amendement sur les tests ADN, quelques députés maçons ont saisi l'occasion de mesurer leur influence au sein de l'hémicycle. Ils ont été déçus. Tandis que le Grand Orient prend publiquement position contre l'amendement et le principe qu'il défend, le président de la fraternelle parlementaire, le député socialiste Pierre Bourguignon, peine à mobiliser les troupes : « Les francs-maçons se sont dispersés au moment du vote, car la discipline de groupe l'emporte toujours, note avec regret Jean-Michel Quillardet, qui était alors grand maître du GO. Je crois que la solidarité était d'autant plus difficile à tenir que Thierry Mariani, l'auteur de l'amendement contesté, est lui-même très proche de la GLNF. » Et puis, il y a cette petite vérité bien embarrassante : la plupart des membres de la fraternelle ne sont ni députés ni sénateurs, mais fonctionnaires ou membres du Conseil économique et social. Un bastion maçonnique qui peut sans peine fournir de nouvelles troupes. Mais ce sont les institutions de la Ve République qui ont sonné le glas de ce lieu d'influence, où il n'est plus possible, comme sous la

IIIe ou la IVe, d'exercer un contrôle étroit sur les gouvernements.

Accélérateurs de carrières

Il existe, a contrario, des fraternelles par dizaines dont l'action est plus problématique. Ce sont les regroupements professionnels. Que les médecins, les dentistes aient leur petit club de rencontre maçonnique n'est pas bien méchant. C'est moins vrai de la fraternelle de l'immobilier ou des experts judiciaires.

Les administrations et les entreprises publiques sont des viviers de fraternelles on ne peut plus efficaces pour la carrière. Sous le règne de Jacques Chirac, celle de l'Hôtel de Ville se montrait très active et ses rangs très fournis, puisqu'elle a compté plus de 500 adhérents. Du garage aux étages nobles, les initiés étaient légion. Côté intendance, le chauffeur du maire, l'ineffable Jean-Claude Lhomond, aimait à faire savoir qu'il progressait à grands pas dans les hauts grades au Grand Orient, parvenant jusqu'au 30e degré. Côté lambris, Bernard Bled, le secrétaire général reconnaissable à sa barbichette calquée sur celle de Richelieu, ce qui lui a valu le surnom de cardinal, a gravi tous les échelons, passant d'agent de bureau à secrétaire général de la Ville sous le mandat de Jean Tiberi. Insubmersible malgré les affaires politico-judiciaires dans lesquelles son nom avait été cité, il avait été repêché, en 2001, après l'élection de Bertrand Delanoë, par Charles Pasqua comme directeur général des services du département des Hauts-de-Seine, autre périmètre riche en initiés. Devenu directeur général de l'EPAD (Établissement public d'aménagement de La Défense), il a été remercié en septembre 2008, à quelques mois de la retraite, par Patrick Devedjian – une brouille entre frères ? – pour n'avoir pas fait remonter certaines informations de nature financière. À l'annonce de cette nouvelle, il déclarait au *Monde* : « On m'appelle le cardinal, mais je suis plutôt le culbuto de la vie politique parisienne, ce petit jouet qui se redresse toujours, même quand on tente de le faire tomber. » Avec l'arrivée de Bertrand Delanoë – que son passage au Grand Orient n'a pas convaincu de s'y éterniser –, l'empreinte maçonnique sur la Mairie de Paris apparaît moins forte, même si Bernard Bled a été remplacé à son poste par un autre frère. Les maires passent, l'esprit demeure.

Au ministère de l'Intérieur, c'est clair : l'avancement vient plus facilement et plus vite pour ceux qui portent le tablier. Rien d'étonnant puisque la plupart des syndicalistes policiers font partie de la famille, ainsi que plusieurs directeurs, qui préfèrent souvent se retrouver avec d'autres hiérarques au sein de cette discrète mais influente fraternelle des hauts fonctionnaires, qui se réunit une fois par mois pour le « Dîner amical » (c'est son appellation). Ils y côtoient notamment des collègues de l'Éducation nationale, qui abrite la fraternelle la plus importante numériquement. Là encore, la cogestion qui a longtemps prévalu et dont il demeure quelques séquelles a permis de favoriser nombre de destins. Le ministère de l'Économie et des Finances a aussi la sienne, moins fréquentée. Elle a longtemps veillé à ce que certains postes d'autorité, comme la gestion du personnel, ne lui échappent pas. Le ministère de la Défense en compte plusieurs, dont certains membres ont aussi plaisir à dialoguer au sein du cercle Joffre, qui réunit des professionnels du renseignement, de la police et du monde militaire, ainsi que quelques frères journalistes qui couvrent ce secteur. Il faut, pour y être admis, avoir fréquenté l'Institut des Hautes Études de Défense nationale, qui doit insuffler, en un an, l'esprit de la Nation à des journalistes, syndicalistes, chefs d'entreprise, hauts fonctionnaires... Créé par Roger Bensadoun, ancien conseiller au cabinet de Charles Hernu, ce club tient tellement à la confidentialité qu'il ne reçoit comme conférenciers que des initiés, tels que l'ancien patron de la Datar[1] Jean-Louis Guigou ou le haut responsable de l'intelligence économique, Alain Juillet, ancien du renseignement à la DGSE. Pas question, en effet, qu'un intervenant indiscret puisse reconnaître quelques visages connus dont il pourrait révéler l'appartenance dans un dîner en ville.

Mais le nec plus ultra, c'est évidemment le cumul, qui n'est nullement interdit, bien au contraire. Ramiro Riera, inspecteur général de l'administration au ministère de l'Intérieur et président de La Reynie, appartient à dix fraternelles ! Recension non exclusive : celles du ministère de la Santé, des hauts fonctionnaires, de la Défense dite aussi cercle Ader Augereau, ainsi que la fraternelle des fraternelles de la fonction publique, sorte de comité interministériel de la franc-maçonnerie. Ce frère a le mérite d'apparaître à visage découvert et de reconnaître, à demi-mot, la présence de nombreux maçons dans les rouages syndicaux et mutualistes. Mais est-ce le syndicat, la mutuelle ou l'obédience qui permet à certains d'obtenir de l'avancement ? Impossible, selon lui, de répondre à cette épineuse question.

Quelle entreprise publique n'a pas, elle aussi, sa fraternelle ? C'est le cas de La Poste, où la gestion paritaire des carrières continue de prévaloir : une promotion sur trois est en principe réservée aux initiés. A Air France, le club continue de fonctionner après la privatisation. Il a donné, il n'y a pas si longtemps, un président au puissant syndicat national des pilotes de ligne (SNPL). La SNCF n'est pas en reste avec l'Ami-

---

1. Délégation à l'aménagement du territoire et à l'action régionale.

cale du rail, créée dans les années vingt, pas plus que la RATP.

Ces regroupements par entreprise ou par ministère n'ont rien d'innocent puisqu'ils posent le problème d'une hiérarchie parallèle difficile à décrypter pour le profane. Alors même que le terme de gouvernance est sur toutes les bouches, ce genre de structure semble non seulement anachronique, mais contre-productif. Bien sûr, la réponse à la question de la préférence est toujours la même : « À compétences égales, je choisis un maçon. » Mais cette égalité de compétences est-elle jugée en toute objectivité ? Et que doit penser le non-maçon qui, « à compétences égales », reste sur le bord de la route ?

Qui veut dîner au Palais ?

Le comble du raffinement consiste à se regrouper au niveau de l'ensemble d'un secteur d'activité. C'est dans un tel cadre que sont nées les dérives les plus spectaculaires ces dernières années. Certaines fraternelles ont ainsi fait parler d'elles à l'occasion de plusieurs affaires politico-financières, que ce soit celles des HLM ou du bâtiment et des travaux publics. Le schéma est toujours plus ou moins le même : des fournisseurs croisent fortuitement des clients potentiels, et des discussions amicales s'engagent entre la poire et le fromage. Et, quelques mois plus tard, des marchés sont attribués. Corruption ? C'est peut-être un bien grand mot, mais il reste que les règles des marchés publics, notamment, sont transgressées dans ces circonstances. D'ailleurs, des maires et leurs adjoints se retrouvent au sein du cercle Gamma, tandis que les secrétaires généraux de mairies ont leur propre association.

Il y a quelques années, Airy Routier avait raconté dans *Le Nouvel Observateur* les aventures de la fraternelle Cash.

Cash ? Quel drôle de nom. Il s'agit en fait des initiales du Cercle amical d'études universitaires et hospitalières. Son animateur, Alain Manville, a été à deux reprises chef de cabinet de Bernard Kouchner au ministère de la Santé. Rien de répréhensible à ce sympathique rassemblement, si ce n'est que l'on peut y parler des grands enjeux sanitaires de demain, mais aussi de détails plus matériels. Ce n'est pas le cas, assure son responsable. Sûrement. Mais pourquoi, alors, fermer ce cénacle aux profanes ?

Un échelon de plus est franchi avec le Dîner du Palais, fraternelle qui regroupe depuis longtemps les professions judiciaires à Paris, mais est ouverte aux frères provinciaux s'ils sont parrainés avec distinction. On y trouve des avocats, des magistrats, des experts judiciaires. « Et alors ? Il existe plus d'une centaine d'associations liées au Palais de justice de Paris », s'indigne un avocat franc-maçon.

C'est vrai. Les candidats au poste de bâtonnier de Paris, élection qui mobilise tous les deux ans, à l'orée de l'hiver, le tout-Palais, savent bien que leur parcours de campagne comporte de nombreuses stations auprès de ces cercles. Les musts sont le Palais du Sud-Ouest et le Palais bourguignon, deux influents groupements à caractère régional, qui accueillent eux aussi des magistrats. Mais il faut aussi compter avec « La voix de son maître » qui fédère les juristes musiciens, les tintinophiles du Palais, dont Me Christian Charrière-Bournazel, le bâtonnier en exercice, est un fondateur.

Mais à côté de ces passages folkloriques obligés, un candidat au bâtonnat ne peut ignorer les frères. Me Jean Castelain, élu en décembre 2008, a tenu compte de cette variable. Il est devenu l'avocat du Parti radical pour jouer, par ricochet, la proximité. « Dans les jours qui ont suivi l'annonce de ma candidature, j'ai reçu cinq ou six appels bizarres, s'amuse ce fin juriste tout en rondeur. J'ai fini par comprendre que ces confrères

174

essayaient de me suggérer finement que les francs-maçons n'étaient pas opposés à l'idée de me soutenir. » Mais certains de ses concurrents se sont tout de même agités. L'un d'eux, Me Jean-Yves Dupeux, avait sollicité « le boulevard Bineau », autrement dit la GLNF, pour obtenir son soutien. Mais cela n'a pas suffi. Quant à Me Castelain, il a innové en s'adjoignant un vice-bâtonnier, Jean-Yves Le Borgne, proche des loges. Lorsqu'on interroge ce pénaliste élégant sur son appartenance, il répond en souriant : « Si je l'étais, vous le dirais-je[1] ? »

Est-il nécessaire de disposer d'un soutien maçonnique pour régner sur le barreau de Paris ? Sur environ dix mille votants, on ne compte pas plus de cinq cents frères. Et contrairement au Sénat, la qualité de maçon n'est pas forcément un avantage décisif sur le plan électoral. Au cours des dernières années, deux francs-maçons ont échoué : Jean-Paul Lévy, avocat, notamment, de *Libération,* en 2004 et, en 2006, Francis Szpiner, ancien défenseur de Jacques Chirac, de Didier Schuller et du président de Djibouti.

Le Dîner du Palais n'est pas forcément un faiseur de rois, mais il joue un rôle plus que discutable en mettant directement en relation des avocats, des magistrats, des experts judiciaires. Les personnages les plus en vue n'en font pas partie ? Peu importe. Il suffit d'un noyau dur, constitué par cette fraternelle, pour élargir ensuite le réseau. Afin de justifier son appartenance à cette confrérie, un magistrat essaie un autre argument : « Il n'y a pas de fraternelle au ministère de la Justice... » Alors ? « Pour se retrouver, il reste la fraternelle des hauts fonctionnaires ou le Dîner du Palais. » Ces deux instances vont jusqu'à éditer un annuaire – contrairement au club La Reynie – distribué avec parcimonie et assorti de

---

1. Entretien avec l'auteur, le 17 septembre 2008.

175

recommandations bien plus pressantes encore que celles formulées par le GITE. L'annuaire est évidemment la cerise sur le gâteau fraternel.

Une affaire toujours à l'instruction permet de mesurer le pouvoir que peut prendre un réseau dans un dossier où d'importants intérêts financiers sont en cause.

Les experts judiciaires sont choisis par les cours d'appel ou par la Cour de cassation, selon que leur compétence est régionale ou nationale, sur une liste d'aptitude. Ils mettent leur expérience professionnelle au service de la justice. Pour une rémunération scandaleusement modique, d'ailleurs. Pourquoi, alors, certains d'entre eux pratiquent-ils une sorte de forcing afin d'intégrer certains dossiers judiciaires sensibles ?

Un expert en aéronautique très éloigné des milieux maçonniques a vécu une drôle d'expérience. En 2003, il est appelé pour examiner un hélicoptère de la sécurité civile qui s'est écrasé en montagne, laissant plusieurs morts et blessés très graves. Il procède aux premières constatations puis est appelé par un officier de gendarmerie, qui lui indique qu'il est dessaisi au profit d'un autre. Une décision si inhabituelle qu'il contacte le juge d'instruction. « C'est un malentendu, explique en substance ce dernier. Le lieutenant de gendarmerie a l'habitude de travailler avec cet autre expert, que j'ai accepté de codésigner. Mais vous restez en charge, bien entendu. »

Ces paroles apaisantes ne seront suivies d'aucun effet. L'expert numéro deux examine le circuit hydraulique sans prévenir, et neutralise ainsi des preuves puisqu'une telle expérience n'est pas reproductible. Placé devant l'évidence de sa mise à l'écart, à laquelle le hiérarque de la gendarmerie a largement contribué, l'expert numéro un se retire et rend en guise d'expertise une copie blanche.

Puis il oublie cette histoire, jusqu'au moment où, quatre ans plus tard, un nouveau juge d'instruction, saisi du même dossier qui n'a pas avancé d'un pouce, et pour cause, fait appel à lui : les expertises précédentes sont inexploitables. Il reprend le travail et s'ouvre de cette curieuse affaire à quelques collègues qui lui éclatent de rire au nez : l'expert numéro deux ainsi que le lieutenant de gendarmerie, depuis monté en grade, sont maçons, tout comme plusieurs dirigeants du constructeur d'hélicoptères qui, au moment du crash, négociait un important contrat avec un gouvernement étranger. Il n'était pas question de le faire capoter à cause d'une expertise mettant en cause les qualités de l'appareil... Le gros contrat, pour un montant d'un demi-milliard d'euros, s'est finalement concrétisé. Le dossier du crash, lui, n'est toujours pas clos. Il est couvert par le secret de l'instruction et repose en silence dans les archives du Palais de justice d'une ville du Sud-Ouest. Parmi les quelques personnes qui en ont connaissance, peu acceptent d'en parler, même sous couvert d'anonymat. Secret des affaires ? Secret Défense ? Pas le moins du monde : solidarité inconvenante qui évoque certaines scènes du *Parrain.*

Du Carrefour aux clubs des 50

Au commencement était Eugène Chambon, industriel corrézien et franc-maçon sincère. Ce personnage issu de la vieille France en costume trois pièces avait choisi de fédérer des frères de toutes obédiences, et qu'il considérait comme appartenant à l'élite, au sein du Carrefour de l'amitié. Les réunions, où presque toute l'assistance arborait à la fois « la rouge » – la Légion d'honneur – et « la bleue » – le Mérite –, se sont tenues pendant longtemps dans les salons de L'Européen, près de la gare de Lyon. Les notables qui en faisaient partie se contentaient de recevoir, pour des dîners-conférences, les hommes politiques en vue, qu'ils soient maçons ou non. Eugène Chambon jouait les placiers pour ses frères, en faisant recruter l'un par la Banque Rothschild, poussant l'autre dans la préfectorale. Puis est venu le temps des affaires. Le Carrefour de l'amitié a donné naissance aux clubs des 50, dont le premier est né à Paris, avec l'idée de regrouper non pas des frères quinquagénaires mais cinquante maçons de toutes obédiences appartenant à l'« élite ». Le règlement intérieur précise que « chaque membre est tenu au secret le plus strict concernant l'identité des frères » et qu'« un annuaire est publié portant les noms et adresses des membres du Club des 50 ». « Tous les membres, y est-il indiqué, doivent obligatoirement figurer dans cet annuaire, strictement personnel et confidentiel, dont la communication à toute personne n'adhérant pas au Club des 50 pourra être sanctionnée par une radiation. »

Très vite, le club parisien a fait des émules : chaque grande ville de province a créé le sien, à Nice, à Montpellier, à Bordeaux, à Nantes, à Lille ou à Dijon. On imagine sans peine les dérives qu'une telle formule porte en elle. D'ailleurs, de Lille à Marseille en passant par Montpellier, ces associations ont trouvé certains de leurs membres mêlés aux affaires politico-financières des années quatre-vingt-dix. Au point que le Grand Orient a publié une circulaire enjoignant aux siens de ne pas participer à ces fraternelles géographiques. En pure perte : aucune sanction n'a jamais été prise. Les clubs des 50, en revanche, se sont organisés en une fédération, dont les statuts sont déposés à la préfecture de Paris. Celle-ci édite, elle aussi, un annuaire dans lequel il est obligatoire de figurer, dont l'usage est réservé aux présidents et secrétaires de ces discrets comités et dont l'usage est – la mention est soulignée dans les statuts – strictement confidentiel. Ainsi, il est possible de démultiplier l'effet de réseau dans toutes les régions de France.

Beaucoup de francs-maçons protestent contre ces drôles de manières et s'insurgent, aussi, lorsqu'on en fait

mention : ces clubs ne regroupent, après tout, que quelques centaines d'entre eux, soit moins de 1 % des effectifs des obédiences. Malgré son exactitude arithmétique,
l'argument est difficilement recevable : ce n'est pas le
nombre qui fait la puissance d'un réseau, bien au
contraire ! Et ce ne sont pas non plus les intentions
honorables de la majorité qui compensent les desseins
intéressés et parfois dévastateurs de quelques-uns.

Les fraternelles au Karcher ?

La multitude d'affaires, parfois scandaleuses, a pourtant provoqué, c'est indéniable, une réaction dans certains cercles. Ainsi, ce n'est pas à Nicolas Sarkozy mais à
Alain Bauer que l'on doit l'introduction du Karcher
dans le vocabulaire politique courant, puisque, grand
maître du Grand Orient, il se déclarait en 2001 partisan
de la « karcherisation » des frères qui ont failli[1]. Sa dia-
tribe concernait notamment les fameuses fraternelles,
ainsi qu'il s'en est expliqué dans l'un de ses livres[2]. « De
quel sujet philosophique peut-on bien débattre au sein
de la fraternelle du bâtiment et des travaux publics ? La
fraternelle des policiers est-elle un endroit de débat sur le
rôle de la police républicaine ou un lieu de connivence et
d'intervention sur la carrière des uns et des autres ? »
s'interrogeait-il avant de poursuivre : « Enfin, il y a les fraternelles géographiques. C'est la concurrence même de la
loge, qui vit également sur son espace géographique. Avec
cette démarche totalement invraisemblable, on se
retrouve en face de "superloges" d'élite, dont l'activité
reste souvent indéterminée, tant les différences sont

---

1. *L'Express*, 4 octobre 2001
2. Alain Bauer, *Grand O, op. cit.*

importantes sous une dénomination identique. » C'est donc un maçon éminent qui s'alarmait en 2001 du mélange des genres qu'implique ce genre d'organisations. Il allait plus loin encore : « Nous avons donc un vrai problème, dans le fatras général de ces fraternelles, pour identifier celles qui sont conformes aux règles de la maçonnerie et celles qui ne sont plus que des réseaux affairistes où l'on discute trucage des marchés, petites affaires et promotions individuelles. La diversité des comportements et des pratiques interdit que l'on mette tout le monde dans le même sac. » Il en appelait à un travail de régulation et de contrôle des fraternelles. Mais qu'a-t-il fait ? Qu'a-t-il obtenu ? « Une circulaire a été publiée en 2002 par le conseil de l'ordre du Grand Orient, indique-t-il. Elle déclarait l'existence de fraternelles incompatible avec la franc-maçonnerie en général et le Grand Orient en particulier. Mais il faudrait avoir des listes pour aller plus loin. Et nous n'avons encouragé personne à la délation[1]. »

Résultat ? Aucun ou presque. Mais il fallait être, au choix, ou bien naïf ou bien très hypocrite pour penser que ces mises en garde déboucheraient sur des changements concrets. Car Alain Bauer, lorsqu'il laisse entendre que sa propre obédience ne fait que subir les agissements des fraternelles, feint d'ignorer que le Grand Orient lui-même, au plus haut niveau, a encouragé leur renaissance.

En 1965, certes, il avait tout juste l'âge de fréquenter la maternelle. Mais ignore-t-il vraiment que cette année-là, la loge L'Émancipation, située à Bourg-la-Reine, réactivait à tour de bras les fraternelles ? Ses responsables envoyaient des courriers à tous leurs homologues, déclarant vouloir redonner « force et vigueur » à la fraternelle de l'automobile, à celle de l'immobilier, et même des arts graphiques !

---

1. Entretien avec l'auteur, le 10 décembre 2008.

Le vénérable maître de la loge L'Émancipation s'appelait Michel Reyt, un socialiste tendance Rocard, un homme d'affaires tendance fausses factures. Il saura par la suite rentabiliser son travail de prospection, en utilisant ses fichiers pour faire prospérer son « bureau d'études », une démarche qui le conduira devant la justice dans les années quatre-vingt-dix, en marge de l'affaire Urba. Mais Michel Reyt n'a pas eu tout seul l'idée de redonner des couleurs aux fraternelles. Les doléances venaient d'en haut, notamment de l'entourage de Fred Zeller, un ami de Reyt qui deviendra... grand maître[1].

Dans les années quatre-vingt, Michel Reyt devient le président du comité de rédaction d'une étrange publication intitulée « Les Chantiers ». Il s'agit, ni plus ni moins, d'un annuaire des fraternelles classées par rubriques : fonction publique et organismes parapublics (Agriculture, Air France, Équipement et Transports, SNCF...) ; professionnelles (les plus nombreuses, de A comme Ameublement à V comme Voyages et loisirs) ; géographiques (avec un intérêt poussé pour l'Île-de-France, puisque chaque arrondissement de Paris est représenté, de même qu'Asnières, Courbevoie ou Puteaux) ; associatives (chasseurs, élus locaux, polytechniciens...) ; grandes entreprises (Caisse d'épargne, Caisse des dépôts, Crédit agricole, EDF, Renault, Thomson...). Ce document de synthèse permet de réaliser toutes les connexions possibles entre les frères du ministère des Finances et la Fraternelle amicale de Rungis ou celle de la distribution par exemple, ou encore entre le Groupement national du Bâtiment et des Travaux publics (GNBT) avec Gamma, cénacle des élus locaux.

Dans sa présentation, le comité de rédaction en vient vite à l'essentiel : « Ce bulletin constitue un document

---

1. Voir le chapitre 14, « Les bienfaits du cumul ».

confidentiel, réservé aux membres réguliers de nos Associations ; c'est un outil strictement personnel. »

Pour ceux qui n'auraient pas compris, la consigne est répétée : « La Règle de base s'appelle : DISCRÉTION. L'emploi rationnel de ce précieux outils suppose une maîtrise confirmée dans la pratique de l'Art et du Métier :

– Ce document ne doit pas être manipulé par des mains profanes en la matière ;

– Il doit être soustrait aux regards indiscrets ;

– Lorsqu'il sera périmé, il devra être détruit. »

Le destin des « Chantiers » sera abrégé par les ennuis judiciaires de son initiateur, Michel Reyt. Afin de limiter les répercussions négatives de cette affaire politico-financière sur l'image de la franc-maçonnerie, ordre sera donné de passer tous les exemplaires du fascicule au pilon. Mais un seul dirigeant maçonnique a-t-il eu une fois dans sa vie le désir sincère de supprimer les fraternelles ? Leur existence, finalement, arrange bien le Grand Orient. Elle lui permet d'externaliser, au moins en partie, le problème de l'influence occulte et de l'affairisme.

Les fraternelles comme miroir aux alouettes ? L'hypothèse est séduisante. Pendant qu'elles sont dénoncées à la vindicte populaire, continuent de prospérer, à l'intérieur même des obédiences, certaines loges parfaitement régulières fondées sur un recrutement soit élitiste, soit concentré sur un seul secteur d'activité professionnelle. Ces fraternelles internes présentent un inconvénient : elles se limitent à une seule obédience. Mais elles bénéficient aussi d'avantages décisifs : pouvoir opérer à l'abri des curiosités et des questions inquisitrices, avec toutes les apparences de l'honorabilité et tout le confort de l'entre-soi.

13

Premières loges

« Sous son air bonhomme et ses allures conviviales, Jean Besson cache une redoutable efficacité dans la gestion de ses relations, une grande perspicacité dans l'appréciation des rapports de force et une sagesse prudente qui n'a rien de l'indécision. » C'est ainsi qu'est désigné le sénateur socialiste de la Drôme dans la notice biographique assez pittoresque de son site Internet. Dans son CV électronique, présenté sous la forme d'un livre dont on peut feuilleter virtuellement les pages, cet élu ne nous épargne aucune de ses appartenances : membre du groupe interparlementaire France-Chine, du Conseil supérieur de l'électricité et du gaz, de l'Observatoire national du service public de l'électricité et du gaz, du comité directeur de l'Association française du conseil des communes et des régions d'Europe, vice-président du conseil régional Rhône-Alpes et du Syndicat mixte des Baronnies provençales, président du groupe d'études oléicoles au Sénat, administrateur d'ERAI (Entreprises Rhône-Alpes International) et même chevalier de l'ordre national du Mérite...

L'œcuménisme d'Intersection

Il manque juste une information : membre du Grand Orient de France. Pourquoi l'omettre, et n'omettre que cela ? Membre du Grand Orient, et plus précisément de la loge Intersection. Cette information ne renseignerait guère le commun des profanes – ni plus ni moins d'ailleurs que celle concernant les Baronnies provençales. Elle a pourtant son importance. Car la loge Intersection est l'une des plus chic de toute l'obédience. Elle réunit plusieurs anciens grands maîtres, et pas des moins voyants : Alain Bauer, mais aussi l'ancien officier Philippe Guglielmi, l'avocat Jean-Michel Quillardet, l'enseignant Bernard Brandmeyer, dont les trois premiers sont des fondateurs de cet atelier. Rue Cadet, une plaisanterie en forme de rosserie assure qu'il faut passer par Intersection pour atteindre la grande maîtrise. Peut-être est-ce pour la démentir que tous ces anciens puissants ont soutenu en septembre 2008 la candidature de Pierre Lambicchi, un chirurgien cardiologue affilié à une loge marseillaise.

À ces grands maîtres s'ajoutent de nombreux « canaris », ainsi que les frères eux-mêmes désignent les trente-cinq membres du conseil de l'ordre, en raison du sautoir de tissu jaune moiré qu'ils arborent sur la poitrine : Gérard Cambuzat, ex-grand maître adjoint et, à la ville, beau-frère de Philippe Guglielmi, Olivier Diederichs, ancien grand orateur par ailleurs inspecteur de l'administration, et bien d'autres... Cette concentration de dignitaires a provoqué quelques remous lors d'une de ces querelles internes auxquelles on adore d'adonner à intervalles réguliers rue Cadet. Au convent de septembre 2005 – l'équivalent dans les loges d'un congrès –, Jean-Michel Quillardet succédait à Bernard Brandmeyer dans une ambiance surréaliste où les injures ont volé bas pendant trois jours. Quelques délégués plus taquins que les autres ont même émaillé le discours du héros du jour de quelques « P2, P2, P2 » lancés à la cantonade, dans une volonté de rapprochement malveillante entre Intersection et la loge « couverte » italienne dirigée par Licio Gelli qui regroupait banquiers, hauts fonctionnaires, élus et magistrats et qui complotait en secret, dans les années quatre-vingt, pour prendre le pouvoir dans leur pays.

Quelques mois plus tard, le grand maître nouvellement élu, Jean-Michel Quillardet, avait autant de mal que son prédécesseur à faire régner un début d'ordre au sein de cette assemblée de quelque mille cent loges. Et l'un des « canaris », un expert judiciaire de l'est de la France nommé Michel Delanoë, démissionnait de la haute instance avec tambours et trompettes, dénonçant dans un courrier très commenté les agissements d'« un clan qui s'appuie sur les réseaux constitués à partir de la loge Intersection et de la section socialiste de Romainville ».

Si la référence à la concentration de dignitaires appartenant à cet atelier est claire, pourquoi cette allusion à une paisible ville de Seine-Saint-Denis ? Romainville est la base opérationnelle de Philippe Guglielmi. Il est premier adjoint au maire, tandis que le quatrième adjoint, Jean-Claude Lotti, siège également à Intersection. Très implanté en Seine-Saint-Denis, où il est premier secrétaire de la fédération socialiste départementale, Philippe Guglielmi est aussi le suppléant d'Élisabeth Guigou à l'Assemblée nationale. C'est bien la moindre des choses, selon ses amis, car il n'a pas ménagé sa peine lorsque l'ancienne conseillère de François Mitterrand a voulu s'implanter électoralement dans l'ancienne banlieue rouge à la fin des années quatre-vingt-dix.

Après ce parachutage réussi – Élisabeth Guigou a été réélue à deux reprises dans son fauteuil parlementaire –, son mari Jean-Louis, ancien patron de la Datar aujourd'hui président de l'Ipremed[1], a expliqué à l'un de ses amis, vénérable de loge, qu'il ne pouvait pas le rejoindre, préférant adhérer à Intersection par reconnaissance envers Philippe Guglielmi. Il y retrouve d'ailleurs un ancien conseiller ministériel de son épouse. Le polytechnicien Vincent Champain, recruté dans l'équipe de la garde des Sceaux de 2000 à 2002, a ensuite été recruté par EDF, puis à la mairie de Lille avant de devenir, en 2007, le directeur de cabinet du secrétaire d'État chargé de la prospective et de l'évaluation des politiques publiques, l'ancien socialiste Éric Besson, qui a succédé, en janvier 2009, à Brice Hortefeux au ministère de l'Intégration.

Pourvue de quelques autres élus, des maires socialistes ou radicaux de gauche, cette influente loge se montre très œcuménique sur le plan politique. Un bon point pour l'idéal maçonnique. On y trouve quelques communistes, preuve que l'union de la gauche n'est pas morte pour tout le monde, mais aussi des hommes du centre ou de la droite.

Son Altesse impériale le prince Charles Napoléon figure ainsi parmi les rares soutiens de François Bayrou qui soient restés fidèles au patron du MoDem après l'élection de Nicolas Sarkozy. L'héritier de la dynastie, aîné de la branche issue de Jérôme, frère de l'Empereur, est aussi président de la Fédération européenne des cités d'histoire napoléoniennes. Comme vénérable de sa loge, il a invité le ministre du Travail Xavier Bertrand, autre frère, à une tenue blanche en avril 2008. Il y a quelques années, alors que je lui avais demandé, dans le cadre d'une enquête pour *Le Point*, s'il était franc-maçon, Charles Napoléon avait eu cette réponse délicieuse : « Je ne sais pas si l'on peut dire cela ainsi. » Et face à mon insistance, il ne s'était pas départi de sa

---

1. Institut de prospective économique du monde méditerranéen.

courtoisie : « Je ne pense pas pouvoir répondre à cette question par l'affirmative. » Il reconnaissait toutefois avoir « des amis qui le sont ». En effet.

En naviguant sur la carte électorale, voici Henri-Jules Antona, maire UMP d'un petit village corse, Coti-Chiavari. Antona vient, il est vrai, de la gauche, puisqu'il a connu l'ancien sénateur-maire de Puteaux Charles Ceccaldi-Raynaud lorsqu'ils étaient à la fédération des Hauts-de-Seine de la... SFIO, l'un comme trésorier, l'autre comme président. Tous deux, depuis ces temps immémoriaux, ont fait du chemin à droite. Henri-Jules Antona a pris de l'envergure, aussi, comme patron de Techni, une filiale de la Générale des Eaux (devenue Vivendi, puis Veolia) spécialisée dans le chauffage, le gardiennage et le nettoyage. Le nom d'Antona a fait son apparition dans l'actualité au moment de l'affaire des HLM de la Ville de Paris et des Hauts-de-Seine. Ses liens avec Didier Schuller, alors vénérable de la loge Silence de la GLNF, avaient laissé croire à beaucoup qu'il était affilié à cette obédience. Erreur : l'ami Antona, proche également de Charles Pasqua, est au Grand Orient, fidèle en cela à ses premières amours en politique.

Alain Noqué, autre maître maçon de la loge Intersection, n'est pas un grand ancien, puisqu'il n'était encore que compagnon en 2005. Peu connu du grand public, l'ancien directeur des relations extérieures de l'UIMM – la désormais célèbre fédération patronale de la métallurgie – a été mis en examen en avril 2008 par le juge Roger Le Loire, à la suite, entre autres, de l'ancien délégué général Denis Gautier-Sauvagnac et de l'ancien président Daniel Dewavrin dans le dossier des « millions cachés ». Il est bien entendu présumé innocent.

Pour compléter le tableau, Intersection accueille plusieurs avocats et un médecin urologue domiciliés dans le XVIe arrondissement ainsi que l'ancien défenseur d'Alain Ferrandi, condamné en 2003 à perpétuité pour l'assassinat du préfet Érignac.

On ne trouve en revanche pas trace d'un seul représentant des classes moyennes, et pas l'ombre d'un ouvrier ou d'un employé, dans les rangs d'Intersection. Le Grand Orient est pourtant prompt à faire l'éloge de la mixité sociale et expliquer que ses loges ne sont rien d'autre que le rassemblement d'hommes soucieux de se perfectionner, bien loin de ce qu'il considère comme des fantasmes de profanes. Rappelons-le, toutes les obédiences ont l'ambition, pour employer le vocabulaire maison, de « rassembler ce qui est épars ». Pourquoi alors recréer au sein de certaines loges une double atmosphère d'élitisme et de spécialisation par profession qui rappelle tout ce que l'on reproche aux fraternelles ?

Une tentation vieille comme la maçonnerie

Dans ses premières années d'existence, en un siècle où l'alphabétisation n'était pas l'apanage du plus grand nombre, la franc-maçonnerie a fédéré une élite. Élément incontournable de sa fondation, cette caractéristique a été niée au fil des ans. D'une part, confirmer ce recrutement élitiste reviendrait à reconnaître l'existence d'un réseau d'influence. D'autre part, de nombreux frères et sœurs qui occupent les fonctions de vénérables, notamment au Grand Orient, à la Grande Loge de France, à la Grande Loge Féminine de France ou au Droit Humain, ont sincèrement à cœur de diversifier leur recrutement. « Une polytechnicienne qui souhaitait entrer chez nous a dû répondre, parmi les enquêtrices venues l'interroger en vue de son admission, à une de nos sœurs, caissière chez Carrefour, raconte Yvette Nicolas, grande maîtresse de la GLFF[1]. Cela n'a pas posé de problème, et le rapport qui nous a été rendu était remarquable. » Roger Bensadoun, le créateur du cercle Joffre, qui a ouvert plusieurs loges du Grand Orient au cours de sa vie maçonnique, nuance toutefois cette perception : « Je me souviens d'un garagiste que nous avions fait rentrer, et qui n'a jamais été à l'aise. Il ne parvenait pas à s'exprimer comme les autres lorsqu'il présentait des travaux et a fini par partir. Heureusement, ce n'est pas vrai pour tout le monde, et certains parviennent à progresser et à surmonter leurs complexes. Mais ce n'est pas toujours le cas[2]. »

À l'autolimitation sociale s'ajoute la contrainte financière. La capitation varie selon les obédiences et mêmes les loges, mais il faut compter environ 300 euros par an, et parfois plus. Ceux qui ne peuvent pas payer ? Ils sont normalement aidés par le tronc de bienfaisance, comme le veut la solidarité fraternelle de base. Mais il y a beaucoup de nécessiteux ! Les instances de la GLNF ont suscité l'indignation, il y a quelques années, en souhaitant rassembler dans une même loge tous les indigents. « Un atelier "lumpen proletariat" où l'on parque les pauvres, avec cotisation réduite et considération minimum, il fallait y penser ! » tonne un ancien haut gradé, parvenu au 33ᵉ degré, qui a claqué la porte voici quelques années.

Au sommet de la pyramide – pour reprendre une image chère à l'imaginaire maçon –, c'est encore plus vrai : l'entre-soi se pratique depuis longtemps. Au début des années quatre-vingt, Michel Reyt, entreprenant ingénieur commercial et intermédiaire en tout, fonde la

---

1. Entretien avec l'auteur, le 2 juillet 2008.
2. Entretien avec l'auteur, le 4 décembre 2007.

loge Victor-Schoelcher avec quelques amis. Ils sont 120 environ qui se réunissent le jeudi matin à L'Haÿ-les-Roses, en bordure des Halles de Rungis. Cet horaire et cette domiciliation ont été mûrement réfléchis : à dix heures du matin, en semaine, le salarié lambda ou l'enseignant de base serait bien en peine de quitter son atelier, son bureau ou sa salle de classe pour rejoindre ses frères ; dans cette banlieue, les chances que l'obédience adresse des candidats à la loge sont bien minces. La plupart des ateliers de prestige toujours en activité pratiquent encore ainsi en matière d'horaires, mais préfèrent se réunir en centre-ville. Question de commodité !

La loge Schoelcher, elle, a disparu après les ennuis judiciaires de son fondateur et de plusieurs de ses recrues. Michel Reyt a été inquiété dans le dossier des fausses factures de la Sages, sa société, une sorte de petit « Urba » artisanal. Max Théret, cofondateur et ancien dirigeant de la Fnac, a lui aussi fréquenté les cabinets d'instruction dans l'affaire de délit d'initiés liée à Pechiney, dans les années quatre-vingt-dix. Le contrôleur général Jacques Delebois avait quelque temps plus tôt fourni à son frère de loge Yves Chalier, ancien chef de cabinet du ministre de la Coopération Christian Nucci, un vrai-faux passeport devenu célèbre dans l'affaire Carrefour du développement. Le maire de Nancy André Rossinot, le dignitaire socialiste Jean Poperen ou l'ancien P-DG d'Air Inter Pierre Eelsen ont préféré aller poursuivre ailleurs leur perfectionnement humaniste.

Après Schoelcher, il y eut, toujours au Grand Orient, Demain. L'ancien grand maître Roger Leray, mitterrandolâtre chaleureux et avide de reconnaissance, s'était fait un petit nom en 1988, lorsqu'il avait participé à la mission de pacification en Nouvelle-Calédonie en compagnie d'un pasteur, d'un curé et de quelques frères, sous la houlette de Christian Blanc, dépêché par le Premier ministre Michel Rocard. Soucieux de capitaliser sur cette notoriété nouvelle, il décide de créer un nouvel atelier, dont il a la franchise de ne cacher à personne la vocation élitiste. Les quelques dizaines de nomenklaturistes qu'il convainc se réunissent eux aussi aux heures de bureau, dans les locaux de la rue Cadet. Il réussit un beau casting : l'ancien grand maître Gilbert Abergel pour le chic et prestigieux, au moins côté loges. Pour les ors de la République, les ministres Roger Bambuck, ancien champion olympique et chargé des Sports dans l'écurie Mitterrand, Jean-Pierre Soisson, qui sera par la suite chassé du Grand Orient pour ses fricotages avec le Front national au conseil régional de Bourgogne, Jean-Michel Baylet, secrétaire d'État au Tourisme des gouvernements Rocard, Cresson et Bérégovoy, aujourd'hui sénateur, patron de *La Dépêche du Midi* et président du Parti radical de gauche. Ce dernier retrouvait dans le cénacle Demain son prédécesseur Olivier Stirn, victime de surnoms méchants liés à la spécialité gastronomique de sa ville d'origine, Vire, et qui fit bien rire quelques hiérarques du Grand Orient lors de son entrée en maçonnerie. Son parrain racontait en effet comment, dans la voiture, ce grand naïf lui avait demandé, un peu angoissé, si le rituel d'initiation prévoyait que l'on enlève son... pantalon.

Très portée sur l'ouverture transpolitique avant l'heure, la loge Demain accueillait aussi Philippe Dechartre et Alain Devaquet. Le premier, un résistant qui fut secrétaire d'État de De Gaulle et de Pompidou, s'était illustré en 1981 lorsqu'il rédigea un appel à voter pour François Mitterrand sur un papier à en-tête... du RPR. Le second fut le malheureux ministre de la Recherche et de l'Enseignement supérieur du gouvernement Chirac, qui a démissionné à la suite de la mort de Malik Oussekine, lors des manifestations étudiantes

191

de l'hiver 1986. Il ne restera d'ailleurs que peu de temps à Demain, préférant rejoindre la Grande Loge de France pour continuer un parcours maçonnique moins tapageur.

Il est vrai que cette loge sélecte ne comptait pas que des premiers prix de vertu en ce début des années quatre-vingt-dix. Max Théret l'avait rejointe après les ennuis de la loge Victor-Schoelcher, en compagnie de Jean-Louis Pétriat, ancien patron de la Garantie mutuelle des fonctionnaires, condamné en 2007, près de vingt ans après les faits, à quinze mois de prison avec sursis et 200 000 euros d'amende pour présentation de comptes inexacts par la cour d'appel de Paris[1]. Mais on y rencontrait des journalistes lancés, comme Jean Lanzi, des artistes sur le retour, tel Armand Mestral, et une proportion importante d'espoirs de la politique et de l'influence. Christian Forestier, qui a démarré sa vie professionnelle comme professeur d'un lycée technique, puis en IUT, est aujourd'hui l'une des personnalités dont l'avis est le plus écouté en France sur les questions d'éducation. Homme de gauche assumé, il a été nommé recteur dans la vague rose décidée par François Mitterrand en 1981. Directeur de cabinet de Jack Lang à l'Éducation nationale, après l'éviction de Claude Allègre en 2000, il n'a pas pâti du retour de la droite aux affaires. Dès 2003, il devient président du haut conseil d'évaluation de l'école. Il siège également au comité directeur de l'institut Montaigne, le *think tank* créé par le fondateur d'Axa, Claude Bébéar. Henry Pradeaux, inspecteur général de l'administration et de l'éducation, est devenu chef de cabinet de Lionel Jospin à

---

1. Jean-Louis Pétriat a déposé un recours en cassation pour cette condamnation.

Matignon en 1997, tandis que Christian Gras, recteur d'académie et professeur d'histoire à la Sorbonne, intervient parfois dans des colloques du Grand Orient. Daniel Buna, lui, sera le chef de cabinet d'Émile Zuccarelli au ministère de la Fonction publique, et Jean-Martin Cohen-Solal, passé par le cabinet d'Edmond Hervé à la Santé, fera une très belle carrière à la Mutualité française, dont il sera chargé des relations extérieures avant d'être nommé directeur général. Un aréopage à dominante PS, mais où les couleurs radicales apparaissent assez fortement. Ainsi, outre Jean-Michel Baylet et quelques autres, trouve-t-on parmi ses premiers membres l'avocat lyonnais Thierry Braillard, maire adjoint de Lyon et vice-président du Parti radical de gauche, qui fut en 1994 le directeur de campagne de Bernard Tapie pour les élections européennes, où « Nanard » avait réalisé le score envié de 12 %. On pouvait également croiser sur les bancs de la loge Demain, à sa création, un magistrat à la Cour des comptes, plusieurs élus locaux, un médecin marseillais, un psychiatre lyonnais, un dermatologue parisien qui adore les médias, Jean-Paul Escande, et qui démissionnera quelques années plus tard, encouragé en cela par ses frères, disent les méchantes langues.

Depuis sa brillante ouverture, Demain a perdu un peu de son aura. Son créateur, Roger Leray, est mort. Certains de ses membres, tel Alain Devaquet, s'en sont éloignés. Mais beaucoup ont fait une belle carrière... À quelques personnalités près, en tout cas, la loge Demain aurait pu faire penser, sans mauvais jeu de mots, à l'intersection entre la fraternelle des hauts fonctionnaires – de gauche –, celle de l'Éducation nationale et celle, à inventer, des ministres « transcourants » de la Vᵉ République.

Fraternelles miniatures

Ces cénacles sélectifs fleurissent dans toutes les obédiences. Outre Intersection et Demain, le Grand Orient héberge depuis longtemps la loge République, connue pour ses militants laïques, ses personnalités très diverses, de l'ancien patron de Force ouvrière Marc Blondel à l'avocat médiatique d'Alain Juppé puis de Jacques Chirac, Francis Szpiner, en passant par l'ex-grand maître Patrick Kessel, ancien journaliste aujourd'hui reconverti dans la formation professionnelle. Ce dernier avait été suspecté de pratiquer l'entrisme trotskiste, parce que cette loge, dont il est fondateur, avait coopté d'anciens lambertistes comme Jean-Christophe Cambadélis et Marc Rozenblat, tous deux anciens présidents du syndicat étudiant Unef.

Spartacus, elle, est spécialisée depuis longtemps dans l'audiovisuel. Voilà une appellation trompeuse ! Cette loge a accueilli au fil des ans de nombreuses personnalités des médias dont l'une des plus importantes, Jean-Pierre Cottet, ex-directeur de l'antenne de France 3 puis France 2, directeur général de France 5 avant de devenir patron des activités multimédias du groupe Lagardère, assure d'ailleurs avoir pris beaucoup de distance.

La GLNF n'est pas en reste avec Atlas, créée par l'ancien présentateur de télévision Raymond Marcillac et Raymond Sassia, le commissaire qui fut responsable de la sécurité du général de Gaulle puis du roi du Maroc Hassan II. Ce tireur d'élite, président du club de tir de l'avenue Foch, a été l'un des mentors d'Alain Juillet, spécialiste du renseignement, ancien conseiller de Jacques Chirac, nommé en 2003 haut responsable chargé de l'intelligence économique au

SGDN[1]. Il est également très présent dans les fameux carnets à spirale d'Yves Bertrand, l'ancien directeur des Renseignements généraux avec lequel il avait régulièrement rendez-vous pour déjeuner. La GLNF compte aussi parmi ses loges Univers, dont l'ancien vice-président du Sénat Étienne Dailly, puis l'ex-président de TF1 Patrick Le Lay ont été les vénérables. La Lyre de Salomon, autre lieu de prestige et d'influence, où siégeaient notamment de nombreux généraux et hommes du renseignement, ainsi que des hauts responsables d'EDF et des députés, n'est plus ce qu'elle était depuis qu'en 2003, ses membres les plus éminents ont claqué la porte pour créer une nouvelle obédience, la GLCS (Grande Loge des Cultures et des Spiritualités).

Toutes les obédiences ont aussi des ateliers où sont surreprésentés les policiers, bien sûr, mais aussi les professionnels de l'immobilier, du bâtiment ou des concessions de services publics, où des cadres dirigeants de groupes tels que Veolia ou Suez cooptent des élus locaux qui peuvent avoir leur mot à dire dans l'attribution des marchés publics.

Il arrive qu'une liste de membres tombe, par hasard, sous les yeux de magistrats lors de perquisitions. Cela s'est produit, par exemple, il y a quelques années à Bordeaux, où la richesse sociologique de la loge Burdigala – qui signifie Bordeaux en latin – en a étonné plus d'un au Palais de justice. Ils y ont retrouvé le nom de quelques-uns de leurs collègues, celui du président du tribunal de commerce de Blaye, d'un expert judiciaire, d'un avocat pénaliste en vue, et l'inamovible député-maire de Mérignac, réélu sans interruption depuis 1973. Lorsqu'il a eu cette liste entre les mains, le journaliste spécialisé dans les affaires de justice au quotidien *Sud-Ouest* a eu

---

1. Secrétariat général de la défense nationale.

une idée aussi simple que décapante : il a appelé les personnes mentionnées pour leur demander si elles appartenaient à la franc-maçonnerie. « Succès garanti, raconte-t-il. À l'autre bout de la ligne, j'ai eu droit soit au silence, soit à des dénégations indignées, soit à des borborygmes inintelligibles. Et au bout d'une demi-heure, j'ai vu débouler successivement deux confrères qui me demandaient ce que je faisais exactement comme enquête[1]. » Voilà comment deux journalistes ont fait leur « coming out » involontaire. Une œuvre pas tout à fait inutile, car aucun article n'a été publié sur Burdigala.

Au fil des ans, certains magistrats spécialistes des affaires financières ont fini par se convaincre qu'il existait en France des loges « couvertes », dont la liste – « l'état/J », dit-on dans le jargon du Grand Orient – ne figurait pas dans le fichier des obédiences, afin que leurs membres trop célèbres ne puissent pas être importunés. Un soupçon balayé par les responsables de toutes les obédiences, qui considèrent cette hypothèse comme surréaliste et de surcroît infamante, tant elle rappelle les accommodements acceptés par le Grand Orient d'Italie avec la loge P2.

D'ailleurs, quel besoin de créer des loges couvertes ? Le secret maçonnique suffit. Il ne permet que très rarement d'établir l'appartenance d'un supposé initié. Savoir que tel ou tel est franc-maçon, considéré individuellement, ne revêt pas en soi un grand intérêt. C'est replacé dans le contexte d'une loge élitiste ou « ciblée », d'une fraternelle active qu'un tel éclairage prend toute sa dimension. Ce phénomène de réseau ne concerne évidemment pas tous les frères, dont bon nombre planchent tranquillement dans leur atelier. Mais il démontre, s'il en était encore besoin, que l'influence se fabrique aussi en loge.

---

1. Entretien avec l'auteur, le 19 mars 2008.

14

Les bienfaits du cumul

À 55 ans, Donald Potard a déjà trente-deux ans de maçonnerie derrière lui. Protestant, il ne trouvait pas dans la religion toutes les réponses à ses interrogations. Il a procédé à une étude comparative et a choisi la GLNF. À l'époque, il s'agissait encore d'une petite obédience, dans laquelle il a intégré la loge Liberté créée par des transfuges de la Grande Loge de France. Il en a été élu vénérable en 1983. Donald Potard n'a pourtant pas le profil type de l'adhérent à la GLNF. Après avoir présidé pendant des années aux destinées de la maison Jean-Paul Gaultier, il est devenu P-DG d'Ungaro Europe et de Castelbajac. À ce titre, il a organisé, dans les coulisses, plus de 400 défilés sur tous les continents. Et puis, Donald Potard est homosexuel et ne s'en cache pas. La juxtaposition de ces différents univers ne lui a jamais posé de problème. Certes, dans les années quatre-vingt, il avait peu apprécié la réflexion de certains frères de son atelier lorsqu'il avait proposé une « planche » sur le *Banquet* de Platon. « Tu ne vas pas nous présenter un travail de pédé ! » lui avaient-ils déclaré. « En dehors de cet incident, je constatais parfois une homophobie rampante, raconte-t-il. On ne parlait jamais de tout ce qui concerne les minorités sexuelles en loge. Les choses étaient en train de changer plus vite dans la société française que dans la franc-maçonnerie, qui demeure un milieu masculin donc assez macho. C'était un comble à mes yeux, car les valeurs de tolérance ne se divisent pas[1]. »

Hyperactif, ce manager à l'emploi du temps bien rempli appartient à trois loges « bleues[2] » à la fois, ce qui est très rare, ainsi qu'aux hauts grades. À une époque, il était également grand officier provincial, et faisait donc partie de la hiérarchie formelle de l'obédience. Cet engagement rend encore plus insupportable, pour lui, les signes discrets de l'homophobie. « Dans certaines provinces de la GLNF, explique-t-il, il n'y avait pas un seul gay parmi les grands officiers. Et certains grands maîtres s'arrangeaient pour les écarter lorsqu'ils prenaient connaissance de leur homosexualité. » Donald Potard entreprend un exercice de cooptation. Il approche certains frères de la GLNF, dont il pense qu'ils partagent son orientation sexuelle, et les invite à des dîners informels dans son appartement de la Bastille. Lui arrive-t-il de se tromper ? « Jamais, j'ai ce qu'on appelle un "gay dar", un radar qui me permet de reconnaître un homosexuel de manière presque infaillible », s'amuse-t-il.

Parmi les pionniers des dîners de la Bastille, on trouve un enseignant, un chef d'entreprise et deux ou trois professions libérales. Pas d'ouvrier agricole ou de plombier, ce n'est pas le genre de la GLNF. Pendant ces soirées partagées, le Pacs devient un sujet de conversation récurrent. Depuis le début des années quatre-vingt-dix, les projets législatifs de contrat

---

1. Entretien avec l'auteur, le 25 juin 2008.
2. Les loges « bleues » sont celles qui correspondent aux trois premiers grades d'apprenti, de compagnon et de maître. Au-delà existent les ateliers supérieurs, également appelés hauts grades, qui, dans le Rite Écossais Ancien et Accepté, vont du 4e au 33e degré.

d'union civile se succèdent en vain. Le 9 octobre 1998, le texte doit enfin être voté à l'Assemblée nationale. Las ! Profitant de la faiblesse numérique des députés de la majorité socialiste, leurs collègues de droite se rendent en masse dans l'hémicycle et, à l'exception de Roselyne Bachelot qui vote pour, et des amis d'Alain Madelin qui s'abstiennent, se prononcent contre le projet... qui ne passe pas. La gauche se vengera d'ailleurs, quelques années plus tard, en jouant le même tour au gouvernement de François Fillon à propos de la loi sur les OGM, au printemps 2008.

Tous pour le Pacs

Après cet échec législatif, l'ambiance est à l'abattement dans le salon de Donald Potard. Avec ses amis, celui-ci décide de voir plus grand, et de créer une véritable fraternelle qui permettrait de rallier des frères et sœurs gays appartenant à d'autres obédiences et qui ne peuvent être fréquentées dans le strict cadre de la GLNF. Une fraternelle homosexuelle ! Cela n'existe dans aucun pays du monde. Pourtant, les motifs ne manquent pas. Les dîneurs de la Bastille les énumèrent. Que va dire un pacsé lorsqu'il se soumet à l'enquête préalable à son initiation ? Et lors du passage sous le bandeau ? Jamais il n'a été question du Pacs à la Grande Loge Nationale Française. Rien de très illogique, puisqu'il n'est pas prévu d'évoquer, lors des tenues, des questions « profanes » d'ordre social ou politique. Mais parmi la dizaine de frères qui se réunit chez Donald Potard, certains se sont renseignés : au Grand Orient non plus, on n'en parle pas ! Pourquoi la maçonnerie serait-elle en retard sur la République alors que chaque frère prête serment sur la loi du pays qui est le sien ? D'ailleurs, ils ont tous entendu parler de quotas à l'intérieur de certaines loges, où il y a déjà trois ou quatre homos et où « on n'en veut pas davantage ».

Le temps qu'ils s'organisent, une année passe et le Pacs finit par être adopté le 13 octobre 1999. C'est cette date qu'ils retiennent comme premier nom de baptême de leur fraternelle. Dès lors, la machine à coopter se met en marche. Chacun connaît bien au moins un frère ou une sœur homo. En effet, les candidatures affluent, au point qu'il faut fixer des critères d'admission : être gay et maçon ; avoir un engagement associatif ou humanitaire. Ils sont désormais 120 et ont changé de nom pour devenir Les Enfants de Cambacérès. Un hommage au grand franc-maçon, rédacteur du code civil. Donald Potard se délecte des anecdotes – nombreuses – sur cet homosexuel qui ne se cachait pas. Sa préférée est peut-être celle qui relate comment Cambacérès exécute un ordre de l'Empereur, lequel souhaite le voir s'afficher avec une maîtresse. Grand amateur de théâtre, il choisit une actrice, Henriette Guizot, connue pour se produire sur les planches déguisée en jeune homme. Lorsqu'il apprend qu'elle est enceinte, Napoléon félicite son fidèle archichancelier. « Oh, Sire, ce n'est pas moi, aurait répliqué celui-ci. Je ne l'ai connue que postérieurement. » Joséphine de Beauharnais, qui assistait à l'entretien, aurait popularisé ce mot d'esprit un peu leste qui la faisait beaucoup rire.

Va donc pour Les Enfants de Cambacérès, parfaite icône de la convergence entre homosexualité et franc-maçonnerie. Il existe par ailleurs deux loges Cambacérès, l'une à la GLNF, l'autre au Grand Orient. Ont-elles été fondées malicieusement en hommage à l'homosexuel autant qu'au frère ? Mystère.

En tout cas, se mettre sous la protection du maçon le plus révéré de tous les temps a porté chance à la fraternelle gay, qui n'a reçu que des encouragements de la part des obédiences. Enfin, presque. L'ancien grand maître de la Grande Loge de France n'a pas trouvé le temps de se libérer pour honorer leur invitation. Il leur a écrit une lettre expliquant qu'il était occupé... tous les soirs de l'année. On ne peut pas plaire à tout le monde !

D'ailleurs, ont-ils vraiment envie de séduire à l'extérieur, ces chefs d'entreprise, ce médecin, cet avocat, ce journaliste spécialisé dans les affaires culturelles, ces hauts fonctionnaires, ce magistrat, ces artistes, ces élus municipaux, tous parisiens, qui se retrouvent une fois par mois et qui entendent passer de bons moments, certes, s'entraider, pourquoi pas, mais aussi réfléchir et faire du lobbying sur des thèmes bien précis ? Initialement, ils ne voulaient surtout pas faire parler d'eux, alors que Donald Potard est un as en matière de « buzz ». Ils souhaitaient juste obtenir une certaine reconnaissance au sein des obédiences. Leur premier geste a donc consisté à adhérer à la Fédération du cercle européen des fraternelles, l'organisme chargé de donner un label d'honorabilité à ces associations inter-obédiences qui ont suscité tant de critiques. En mai 2008, Donald Potard a été réélu pour six ans au bureau du conseil d'administration, ce qui n'est pas très compliqué : sur plusieurs centaines de fraternelles, elles ne sont qu'une trentaine à s'être affiliées à cette ligue de vertu.

Pour le reste, pas d'actions de communication. La présidente qui a succédé à Donald Potard, Dominique de Souza Pinto, consultante en relations publiques, est d'ailleurs peu encline aux risettes envers les médias qui, dit-elle, « donnent une image fausse et déplorable de la maçonnerie et pratiquent l'"outing" avec une violence inouïe ! ». Las ! Les intervenants qu'ils convient régulièrement peuvent être profanes et... hétérosexuels. Chaque année est en effet marquée par un thème, comme

201

l'image des gays dans les médias ou encore l'homo-sexualité et les religions. L'un de ces conférenciers a raconté à l'extérieur son voyage d'un soir au pays de Cambacérès. Une allusion dans *L'Express*, une autre dans *Marianne*, où, selon Donald Potard, « c'était carré-ment n'importe quoi ». Pour corriger le tir, la frater-nelle s'est dotée de statuts, a écrit un communiqué à l'AFP pour signaler son existence et a même ouvert un site Internet sur lequel elle a publié un « livre blanc ».

Car l'un de ses objectifs est et demeurera l'influence. En interne, Les Enfants de Cambacérès ont obtenu du Grand Orient et de la Grande Loge de France la recon-naissance conjugale du Pacs : les conjoints de même sexe peuvent donc assister, au même titre que les autres, à certaines cérémonies en marge des loges. Ils ont aussi voulu rencontrer tous les nouveaux députés élus en 2007 afin de les sensibiliser sur la question de l'homopa-rentalité.

Dans tous les domaines, leur force de conviction est multipliée par l'appartenance à deux réseaux parti-culièrement efficaces. À partir d'un noyau dur de 120 personnes, l'accès à tous les milieux, tous les cen-tres de décision devient possible.

Corse et maçon, un pléonasme ?

Avril 1983. Église Saint-Pierre de Neuilly-sur-Seine. La foule se presse pour rendre un dernier hommage au maire, Achille Peretti, emporté par une crise cardiaque lors d'une soirée au pavillon Gabriel, à deux pas de l'Élysée. Le décès de celui qui dirige la commune la plus riche de France depuis 1947 a pris tout le monde de court. À commencer par Charles Pasqua, nouvel élu neuilléen, qui a dû, pour l'occasion, sortir précipitamment de la clinique Hartmann, située à quelques pâtés de maisons, où il attendait d'être opéré d'une hernie. Les élections municipales se sont déroulées moins d'un mois auparavant. Elles ont permis à un petit jeune de 28 ans de devenir septième adjoint. C'est ce détail, alors très mineur, que retiendra l'histoire. Le petit jeune aux dents longues s'appelle Nicolas Sarkozy. L'événement a surtout marqué les esprits pour avoir permis au septième adjoint de devenir maire en roulant le vieux Pasqua dans la farine. On prête au futur président de la République française, pour commenter cet événement fondateur, une phrase lapidaire : « Je les ai tous niqués. »

Le fringant Achille fait, en vérité, un magnifique cadeau posthume à ce jeune héritier qui n'est ni corse ni franc-maçon. Mais devant sa dépouille, les frères de l'île de Beauté ont droit à un traitement de faveur. Ils sont trois, placés juste derrière la famille. Charles de Cuttoli et Paul d'Ornano sont tous les deux sénateurs des Français de l'étranger. René Tomasini, ancien résistant, a été secrétaire général de l'UDR, secrétaire d'État de Georges Pompidou et demeure sénateur-maire des Andelys, dans l'Eure. Il a créé dans les années soixante-dix l'Amicale des parlementaires francs-maçons, un club destiné à regrouper les élus de la Nation à la fois initiés et corses. Un cénacle transpolitique où l'on retrouve des élus de gauche, comme le maire d'Alfortville et proche de François Mitterrand Joseph Franceschi, de droite comme Jean-Paul de Rocca Serra, député-maire de Porto-Vecchio, et des radicaux comme le sénateur François Giacobbi, fils de Paul Giacobbi, ministre du général de Gaulle et père de Paul Giacobbi, député de Haute-Corse. En 1972, René Tomasini a dû quitter le poste de secrétaire général de l'UDR pour une histoire maçonnique. Il a, assurent ses accusateurs, convaincu la grande vedette télé de l'époque, Raymond Marcillac, membre comme lui de la GLNF à la loge Atlas, de lui fournir une copie du fichier de l'ORTF, afin de pouvoir envoyer des tracts de l'UDR à tout ce que l'on n'appelle pas encore le PAF. Scandale rue Cognacq-Jay, où la gauche est à l'affût de tout abus de pouvoir gaulliste. Marcillac est licencié, officiellement pour s'être adonné à la publicité clandestine, un motif qui ne tient pas debout.

Des témoins se souviennent de ces obsèques où Nicolas Sarkozy, jeune ambitieux, en fait un peu trop auprès des Corses en manteau de vigogne. Il joue les maîtres de cérémonie, place les gens, surveille les bancs d'église et veille à ce que le protocole secret des influences soit respecté.

Quelques jours plus tard, Charles Pasqua retourne à la clinique, toujours à cause de cette hernie. Cette fois, il a juste le temps de subir l'opération. Le téléphone sonne sur sa table de chevet. Il apprend ainsi la mort de René Tomasini. Un peu clopinant, il se fait conduire par son fidèle chauffeur Gérard jusqu'aux Andelys, la ville de l'Eure dont « Toto » était maire. Là, il va saluer la veuve qui lui glisse les dernières volontés du défunt : s'occuper du « petit », son fils Bernard, qui n'est plus tout à fait un bébé puisqu'il a 35 ans. Mais sa réussite professionnelle n'est pas éblouissante. La concession Volkswagen que lui a offerte son père, Vexin Automobiles, bat de l'aile à une époque où la Golf est la voiture la plus vendue en France. Pas sûr que « le petit », malgré son MBA de l'université de Houston, soit très doué pour les affaires.

L'entourage de Charles, en tout cas, prend bonne note de cette prière, d'autant que les frères de l'île y sont nombreux. Et en 1986, quand Pasqua est nommé ministre de l'Intérieur, Bernard Tomasini, qui connaît déjà bien les loges, devient son chef de cabinet adjoint. Preuve qu'il ne faut jamais rechigner à démarrer tout en bas de l'échelle, son mentor le nomme quelques années plus tard au tour extérieur dans le corps préfectoral. L'ancien concessionnaire est devenu, à l'automne 2008, préfet de la région Poitou-Charentes, celle de Ségolène Royal, après avoir géré le dossier des sans-papiers de Cachan comme représentant de l'État dans le Val-de-Marne. Une tardive mais très belle ascension professionnelle, propre à redonner espoir à tous ceux qui ne réussissent pas dans l'automobile.

Quelle est la part de la « corsitude » et de la « maçonnité » dans le coup de pouce dont il a bénéficié ? Difficile de trancher. Charles Pasqua s'est toujours entouré de nombreux francs-maçons mais ne l'est pas lui-même. « Je me souviens de l'avoir accompagné aux obsèques de Richard Dupuy, l'ancien grand maître de la Grande Loge de France et père de Christian Dupuy, devenu maire de Suresnes, raconte son ancien conseiller Jean-François Probst. Quand il est remonté dans la voiture, Charles ne s'est pas privé de s'amuser du décorum, de la chaîne de fraternité et autres éléments de folklore dont nous venions d'être les témoins[1]. »

Pasqua rit des petites manies des francs-maçons derrière les vitres teintées de sa voiture, mais ne plaisante pas avec l'influence qu'ils peuvent exercer. Il est vrai qu'elle se superpose très souvent avec celle des réseaux corses. La très sérieuse revue de géographie *Hérodote* a publié, il y a quelques années, un article intitulé « De l'île de Corse à l'île de France, les élus d'origine corse à Paris et dans les Hauts-de-Seine[2] ». Il y est question de l'Amicale des parlementaires et membres du Conseil économique et social d'origine corse, lointain avatar de l'association créée par René

---

1. Entretien avec l'auteur, le 15 octobre 2008.
2. Revue *Hérodote*, article d'Emmanuel Bernabéu-Casanova, 4e trimestre 1999.

Tomasini. « Autour d'un bon repas se retrouvèrent ainsi, au mois de décembre 1997, Émile Zuccarelli, alors ministre de la Fonction Publique et les sénateurs Charles Ceccaldi-Raynaud, Michel Charasse, Charles de Cuttoli, Jacques Dominati, Jean-Baptiste Motroni, Philippe Marini, Paul d'Ornano, Charles Pasqua, Louis-Ferdinand de Rocca Serra, Jacques Rocca Serra, Henri Torre, Maurice Ulrich. À cette même table on trouvait également les députés Pierre Albertini, Roland Blum, Laurent Dominati, Henri Emmanuelli, Roger Franzoni, Claude Goasguen, Jean-Antoine Leonetti, François Léotard, Thierry Mariani, Jean-François Mattei, Louise Moreau, Paul Patriarche, Jean-Paul de Rocca Serra, José Rossi, André Santini, Jean Tiberi. Enfin, appartenaient à l'association, à cette époque, dix membres du Conseil économique et social, ainsi que Jean Baggioni, en tant que député européen et enfin, et à titre exceptionnel, Philippe Massoni, le préfet de police de Paris », écrit Emmanuel Bernabéu-Casanova. À part Charles Pasqua, rares sont les non-initiés dans cette liste.

Une osmose entre les loges et les clans confirmée par l'un des plus hauts dignitaires de la GLNF, René Lola, membre du souverain grand comité, le « parlement » de l'obédience, dans une interview accordée, à l'été 2008, au magazine *Corsica*[1]. Ce docteur en droit assure que près d'un Corse sur cent – soit environ 2 000 personnes – est franc-maçon. Rapporté à l'ensemble de la population française, un tel ratio correspondrait à un effectif de 600 000 frères et sœurs ! René Lola explique ce succès des obédiences par le clanisme : « Les Corses sont par essence clanistes. Sans doute veulent-ils se retrouver dans un système claniste

---

1. *Corsica*, août 2008.

comme la franc-maçonnerie [qui] est structurée avec des chefs, des codes… » Selon lui, les hommes politiques corses sont très représentés dans la franc-maçonnerie, même s'il réfute l'idée selon laquelle des frères dirigeraient la Corse en sous-main. Mais, reconnaît-il, « tous les hommes qui se réunissent dans des sociétés discrètes ont une tendance naturelle à s'entraider. Les francs-maçons sont loin d'être les seuls : les membres du Rotary Club ou du Lion's s'entraident, l'association des anciens de l'ENA ou de Polytechnique aussi… » À deux points près : ces derniers ne se retranchent pas derrière le secret d'appartenance, et les Corses sont beaucoup moins représentés dans leurs cénacles que dans les loges.

Pas d'influence sur la politique ? La création de la loge Pasquale-Paoli du Grand Orient, en 1989, démontre le contraire. Son nom est un hommage au général qui fut le chef d'État d'une éphémère Corse indépendante au milieu du XVIIIe siècle, ce maçon qui est devenu la principale icône des passionnés de politique – et ils sont nombreux – sur l'île de Beauté. Cette loge est créée par Philippe Guglielmi, que son statut de chef de bataillon prive d'une prise de parole ouverte et directement politique dans le cadre de sa profession. Avec ses avocats, ses médecins, ses élus aussi, ce cénacle peu connu entend assurer l'élaboration – un exemple de démocratie participative avant l'heure – et la promotion du statut concocté par le ministre de l'Intérieur Pierre Joxe pour la Corse, lui reconnaissant un particularisme – on se souvient du tollé provoqué par l'expression « peuple corse » – et une certaine autonomie. Pour faire admettre un nouveau statut en Corse, il ne suffit pas, en effet, de disposer d'une majorité politique, il faut aussi créer un consensus, de la droite libérale aux nationalistes. José Rossi, alors député Démocratie libérale, qui sera quelques années plus tard ministre de l'Industrie du gouvernement Balladur et président de l'Assemblée de Corse, est en contact permanent avec ses frères de Pasquale-Paoli comme représentant de la GLNF tandis que Laurent Croce, aujourd'hui premier secrétaire de la fédération socialiste de Haute-Corse, est l'émissaire de la Grande Loge de France.

Une décennie plus tard, l'immixion des frères dans les affaires corses sera moins heureuse et plus tapageuse. Le grand maître du Grand Orient, en ce début d'année 2000, est justement un membre de Pasquale-Paoli. Simon Giovannaï, donc, accepte de recevoir rue Cadet des nationalistes corses exclus des négociations dites « processus de Matignon » enclenché par Lionel Jospin après l'assassinat du préfet Érignac et l'affaire des paillotes. Il s'agit, une fois encore, d'inventer un nouveau statut pour la Corse. Mais le Premier ministre a réservé ses invitations aux élus de l'Assemblée territoriale corse, ce qui exclut, de fait, les indépendantistes de Corsica Viva. Ce sont ces derniers qui sont reçus, le samedi 22 janvier, au siège du GO, afin de rencontrer des émissaires du PS. Ils arrivent accompagnés d'un capitaine des Renseignements généraux corse et se font aussitôt remarquer. « Il y avait ce samedi-là une réunion importante sur la laïcité, se souvient ce frère. Ça a tout de suite été un secret de polichinelle. Et tous les frères un peu éveillés ont compris sans peine qu'il s'agissait d'une sous-traitance réclamée par Matignon via le Parti socialiste. Une déduction d'autant plus facile que le conseiller de Jospin chargé du dossier était lui-même maçon. Bref, pour qui sait interpréter les faits, c'était transparent[1]. » Au point qu'en février, le quotidien *La Croix*[2] révèle l'existence de cette réunion. C'est un premier désagrément pour Simon Giovannaï. Certains frères n'apprécient

---

1. Entretien avec l'auteur, le 27 février 2008.
2. *La Croix*, 11 février 2000.

guère qu'au sein de leur obédience, on joue les supplétifs du gouvernement et le font savoir. La seconde déconvenue, pour le grand maître, survient quelques jours plus tard, lorsque Joseph Péraldi, l'un des visiteurs du samedi, est mis en examen pour deux attentats perpétrés à Ajaccio en novembre 1999 contre les bâtiments de la DDE et de l'Urssaf[1]. Ce n'est plus une contrariété, c'est une catastrophe qui coûtera d'ailleurs son siège de grand maître à Simon Giovannaï. Et, des années plus tard, on ne trouve personne au sein de la loge Pasquale-Paoli pour se targuer d'avoir tenté de contribuer au processus de Matignon.

Depuis, les frères corses de toutes obédiences ont donc choisi un mode de relation plus informel. À l'initiative de Philippe Guglielmi, les membres de toutes les obédiences se réunissent chaque année en août, pour passer la journée ensemble à l'auberge du col de Vergio, situé à 1 500 mètres d'altitude sur la ligne de partage entre Corse du nord et du sud. Sur ces hauteurs, ils n'étaient que quinze en 2002. En 2008, plus de cent. « Il n'y a plus seulement des maçons corses mais aussi des frères qui passent leurs vacances dans le coin, raconte un habitué. Cette année, j'ai compté vingt élus de haut niveau et sept représentants de l'Assemblée de Corse. » L'organisation de cette fraternelle des cimes est gérée par le poète Grégoire Grimaldi. On y trouve des membres d'une autre loge Paoli, appartenant à la GLNF et installée sur l'île, et de la Ruche d'Orient, affiliée à la Grande Loge de France, située à Paris et créée par des Corses originaires d'Indochine. Le rassemblement du col de Vergio charme ses participants par son cadre enchanteur et par son côté très informel. Dire qu'il fait la politique de la Corse serait exagéré. Mais,

---

1. Joseph Péraldi sera condamné à quinze ans de réclusion pour ces deux attentats. Il ne fera pas appel de sa condamnation.

comme le précise l'un de ses tout premiers fidèles, « il permet de mettre du liant ». Ce qui n'est pas anodin sur un terrain si chaotique.

Qui pouvait imaginer, parmi les frères du col de Vergio, que le meilleur de leurs poulains allait se retrouver en janvier 2008 interpellé et placé en garde à vue puis mis en examen pour « association de malfaiteurs et complicité de faux » par le juge marseillais Charles Duchaine ? Jean-Christophe Angelini est, à 32 ans, un nationaliste modéré. Conseiller municipal de Porto-Vecchio, il avait pris ses distances quelques mois plus tôt avec son parti, Corsica Nazione, et son leader, Jean-Guy Talamoni, pour prôner le dialogue avec l'État français. On apprenait donc avec consternation, à Paris, que ce nationaliste bien propre sur lui aurait pu participer à la récupération d'un vrai-faux passeport pour un de ses amis, Antoine Nivaggioni. Directeur général de la Société méditerranéenne de sécurité (SMS), ce dernier était en fuite depuis quelques semaines. Bénéficiaire de nombreux contrats, la SMS lui aurait servi de distributeur de billets. L'enquête visait initialement la chambre de commerce et d'industrie d'Ajaccio pour des marchés douteux passés avec la SMS. Son président, Raymond Ceccaldi, également proche des loges, a passé les fêtes de fin d'année 2007 derrière les barreaux avant d'être relâché en février 2008. Le rapport entre Angelini et Ceccaldi ? Il n'y en a pas dans le dossier qui, rappelons-le, est en cours, tous les protagonistes étant présumés innocents. Mais les enquêteurs reprochent au jeune premier de la politique d'avoir entretenu des relations avec deux associés du patron de la SMS, par le biais d'une société tierce. Auparavant, ces deux personnes occupaient des postes de responsabilité chez Veolia et la Lyonnaise des Eaux, deux entreprises où, à défaut de se promener en tablier dans les couloirs, de nombreux cadres se font la bise en arrivant en réunion. Ils auraient, selon des écou-

210

tes téléphoniques, échangé des propos troublants sur la fabrication et la livraison d'un vrai-faux passeport pour leur ami commun. La vie insulaire n'est donc pas toujours simple, pas plus à la loge Pasquale-Paoli qu'à l'auberge du col de Vergio.

Professionnels de l'entrisme

Les trotskistes, a priori, ont tout pour mépriser la franc-maçonnerie, cette assemblée bourgeoise qui croit en l'amélioration de chaque individu plus qu'au soulèvement des masses laborieuses. En France, ils se sont pourtant intéressés de très près au Grand Orient de France, au point d'y pratiquer ce qui ressemble fort à de l'entrisme.

Fred Zeller, l'un des plus anciens et des plus célèbres d'entre eux, puisqu'il servit de secrétaire à Léon Trotski en personne, raconte dans son livre de souvenirs, *Trois points c'est tout*[1], comment il a été initié à la loge L'Avant-garde du Grand Orient de France, au hasard d'une rencontre, en 1953. À cette époque, l'aile gauche de l'obédience est plutôt tenue par des sympathisants communistes comme Jacques Mitterrand, un ancien radical qui exercera des responsabilités à la CGT avant de devenir grand maître à deux reprises, dans les années soixante.

Mais Fred Zeller découvre vite qu'il n'est pas seul de son espèce. Au fil du temps, il retrouve dans différentes loges des frères d'armes comme Michel Reyt, qui s'illustrera dans la fausse facture avec les collectivités locales socialistes, le journaliste Marc Paillet ou les cofondateurs de la Fnac, Max Théret et André Essel. Avec eux, il crée même une fraternelle trotskiste baptisée Cercle

---

1. Fred Zeller, *Trois points c'est tout*, Robert Laffont, 1976.

fraternel d'étude et d'action socialiste. Et il devient grand maître de 1971 à 1973.

Mais en 1995, il donne une tout autre version de son passage sous le bandeau au journaliste Frédéric Charpier, qui le raconte dans son livre *Histoire de l'extrême gauche trotskiste de 1929 à nos jours* : « J'avais dit aux copains : dans le parti de Guy Mollet, zéro, chez les cocos, zéro, alors où peut-on faire du travail de réflexion ? J'ai pensé à l'Ordre[1] parce que mon père me disait que c'était un endroit où on avait des idées nouvelles ; je dis : on ne risque rien, on peut toujours essayer. Nous y sommes allés et nous nous y sommes intéressés, mes amis et moi. Des trotskistes. Je leur ai dit : les gars, ça peut être intéressant si on en prend la direction. Alors, donnons-nous dix ans. D'accord pour donner dix ans à cette maison, pour en prendre la direction ? Sinon, ce n'est pas la peine de commencer. Alors, on a mis la main sur les commissions d'extériorisation, j'ai transformé le bulletin d'information et de documentation en *Humanisme*. C'est moi qui lui ai donné ce titre. J'ai trouvé des copains pour y défendre nos idées, d'autres pour s'occuper des conférences publiques, devant des étudiants et ainsi de suite. J'ai surveillé les élections. J'ai fait des petites réunions particulières regroupant quatre ou cinq loges, quatre ou cinq autres, où il y avait quinze, vingt personnes, où j'expliquais, patiemment, en quoi la maçonnerie pouvait être utile et le rôle que nous pouvions jouer. Ça a duré des années. J'avais donné dix ans aux copains et j'ai finalement été grand maître[2]... »

Fred Zeller demande aussi à Michel Reyt de redonner du souffle aux fraternelles, afin de pouvoir élargir le

---

1. C'est-à-dire la franc-maçonnerie.
2. Frédéric Charpier, *Histoire de l'extrême gauche trotskiste de 1929 à nos jours*, Éditions n° 1, 2002.

champ d'action à plusieurs loges, voire à d'autres obé-diences, et à pouvoir travailler des terrains particuliers, métier par métier, pôle d'intérêts par pôle d'intérêts. Son lieutenant s'acquittera de sa mission au-delà de toute espérance, utilisant ces réseaux clés en main pour faire prospérer ses petites affaires.

Cette glorieuse époque est révolue, mais l'ombre du grand méchant loup trotskiste continue de planer sur l'obédience. En 1995, Patrick Kessel quitte le poste de grand maître après avoir dénoncé des pratiques finan-cières pour le moins opaques. Cette volonté de grand ménage a-t-elle suffi pour mettre en minorité cet ancien journaliste, aujourd'hui patron de Centre-Inffo[1], un organisme d'information gouvernemental sur la forma-tion professionnelle ? À vrai dire, beaucoup d'oligarques de la rue Cadet le regardent depuis longtemps d'un drôle d'œil. Ils l'accusent d'être un crypto-lambertiste, du nom de Pierre Lambert qui régna pendant des années sur les destinées du Parti des travailleurs auquel ont appartenu dans leur jeunesse de nombreux socialis-tes, de Lionel Jospin à Jean-Christophe Cambadélis. Pire, ils le soupçonnaient de rouler en sous-main pour Chirac, en vertu de la règle qui veut qu'un bon révolu-tionnaire préfère voir la droite plutôt que la gauche molle au pouvoir. Ils croient même savoir qu'un petit noyau s'est créé au sein de la loge République, à laquelle appartient alors Marc Blondel, patron de Force ouvrière, syndicat qui a toujours hébergé une minorité trotskiste remuante. Des années plus tard, Philippe Guglielmi, l'ancien grand maître qui a fondé la loge Pasquale-Paoli et continue de s'activer au PS derrière Élisabeth Guigou, continue de voir des trotskistes par-

---

1. Centre pour le développement de l'information sur la forma-tion professionnelle, association créée par un décret de 2003.

tout dès qu'un vent de contestation menace le bon déroulement d'un convent.

Il n'a pas tout à fait tort, dans la mesure où dans les loges qui ont initié des femmes au printemps 2008, mettant tout le conseil de l'Ordre en émoi et semant la panique dans la haute hiérarchie[1], on trouve une proportion élevée d'anciens disciples de Trotski. Mais ceux-ci se sont aussi reconvertis dans la défense de la laïcité, créant des associations et des manifestations pour s'opposer à la venue du pape Jean-Paul II à Reims en 1996. Ils tiennent ainsi plusieurs des associations pseudopodes du Grand Orient consacrées à cette cause, tandis que Marc Blondel est, lui, devenu président de La Libre-Pensée.

« À la différence des homosexuels ou des Corses, les trotskistes sont tournés vers l'intérieur, vers les batailles pour le contrôle de l'appareil, analyse un frère du Grand Orient en observant avec un brin de lassitude ces batailles de Machiavel aux petits pieds qui agitent régulièrement les sommets de l'obédience. Ils considèrent, à tort ou à raison, que c'est un premier pas obligatoire avant d'essaimer vers l'extérieur. » Nombre d'entre eux, aussi, ont vieilli et n'envisagent plus la lutte révolutionnaire avec la même fougue qu'il y a vingt ans. À preuve, le cercle Républicain, haut lieu maçonnique qui a connu quelques problèmes judiciaires avant de rouvrir ses portes, a été codirigé après sa renaissance par un étrange tandem composé d'un ancien maoïste et d'un ex-trotskiste, que cette association faisait beaucoup rire.

Les ex-gauchistes, il est vrai, n'ont guère d'autre choix que de se tourner vers l'intérieur du Grand Orient : ce n'est pas dans les autres obédiences qu'ils risquent de trouver beaucoup de leurs semblables. Alors, ils organisent de paisibles cérémonies du souvenir, comme celle

---

1. Voir le chapitre 21, « Les sœurs voilées ».

qui les réunissait le 10 février 2007 au temple Arthur-Groussier de la rue Cadet, en hommage à Fred Zeller, auquel était ensuite consacré un colloque ouvert au public où l'on retrouvait parmi les orateurs... Marc Blondel, Pierre Lambert et Patrick Kessel.

15

Concurrence pure et parfaite

C'est le grand maître de la Grande Loge Nationale Française, François Stifani, qui le dit, en décembre 2007, dans son bureau en forme de triangle situé au dernier étage du somptueux siège de l'obédience, dans le XVIIᵉ arrondissement de Paris : « Nous sommes 38 000, appartenant à des catégories socioprofessionnelles élevées, dotés de capacités à s'interroger sur la marche du monde. Sommes-nous une force d'intervention et d'influence ? Bien sûr que oui. 38 000 hommes qui croient en quelque chose, ce sont autant de soldats[1]. » Un an plus tard, les chiffres ont encore augmenté, pour passer à plus de 41 000. « Mais cette question du nombre ne nous préoccupe pas. Nous ne faisons pas de prosélytisme. C'est simplement parce que nous avons une position juste que nous attirons autant de gens. »

La GLNF dit gagner environ 3 000 membres chaque année. Au Grand Orient, le « solde migratoire » est évalué à plus d'un millier, tandis que la Grande Loge de France assure initier 1 500 à 1 700 hommes tous les ans, un chiffre en augmentation notable depuis trois ans.

---

1. Entretien avec l'auteur, le 20 décembre 2007.

Le Grand Architecte de l'Univers, combien de divisions ?

50 000 au Grand Orient, 40 000 à la GLNF, 30 000 à la Grande Loge, 15 000 à la Grande Loge Féminine de France, autant au Droit humain, la principale obédience mixte... La France compte plus de 150 000 frères et sœurs à jour de leurs cotisations, auquel il faut ajouter un nombre au moins équivalent d'initiés qui ont repris leur liberté mais qui ont, comme l'on dit, « reçu la lumière ». Soit plus de 300 000 personnes, si l'on applique le précepte : « Franc-maçon un jour, franc-maçon toujours. » Et en être, aujourd'hui, n'est pas si « ringard » que le prétendent certains beaux esprits, puisqu'ils (et elles) sont chaque année plus nombreux à frapper à la porte des temples.

Pourquoi cet afflux de candidatures ? « Pour compenser la déliquescence des repères sociaux, la décomposition de la famille, mais aussi l'affaiblissement des règles morales et de courtoisie, poursuit François Stifani. Quand on ne se dit même plus bonjour entre voisins, il faut organiser des saucissonnades d'immeubles pour tenter de recréer artificiellement du lien social, pour retrouver un cadre de solidarité spontané à l'heure où celle-ci, à l'échelon national, ne s'exprime plus autrement que par une série de lignes budgétaires. » Alain Graesel, le grand maître de la Grande Loge de France, considère que la réponse tient en trois mots : « quête de sens ». « La moyenne d'âge est de 35-37 ans avec des profils divers, poursuit ce consultant. Dans ma loge, à Nancy, les deux derniers initiés sont un artiste peintre et un ingénieur, qui ont donc des itinéraires très différents[1]. » Au Grand Orient, on invoque un certain besoin de camara-

---

1. Entretien avec l'auteur, le 8 janvier 2009.

derie, de réflexion, mais aussi la perte de vitesse des corps intermédiaires traditionnels, comme les partis politiques et les syndicats, pour expliquer cette faveur nouvelle qui perdure depuis plusieurs années. « Il est très difficile de réfléchir tout seul dans son coin, explique Pierre Mollier, directeur de la bibliothèque et du musée maçonnique du Grand Orient de France[1]. Or, où se retrouver, aujourd'hui, pour s'interroger collectivement ? Dans ma loge, les candidats affluent, avec des profils très différents. Le temps des instituteurs est révolu. Ils sont remplacés par les médecins qui ont connu les charmes du collectif à la faculté, où ils ont passé pas mal d'années, et qui se retrouvent tout seuls dans leur cabinet et développent des tendances neurasthéniques. Pour moi, la franc-maçonnerie est une sorte d'académie philosophique pour quadras qui ont réalisé leurs objectifs dans leur vie professionnelle et familiale, qui s'arrêtent un instant et se disent "je m'emmerde un peu". Je dis souvent que la franc-maçonnerie est l'unique façon de se faire des amis d'enfance à quarante ans. »

Le Grand Orient connaît ses plus basses eaux dans les années soixante et soixante-dix. Les nouveaux venus, pas très nombreux, souvent agnostiques, cherchent une Église de remplacement ou souhaitent perpétuer une tradition familiale. « C'est l'époque où l'on frappe à la porte parce que l'on a un oncle maçon », s'amuse Pierre Mollier. Les affaires reprennent peu à peu à partir des années quatre-vingt-dix.

Il est vrai que c'est l'époque où la GLNF prend son envol. Longtemps, cette obédience a vivoté. Au début du XXe siècle, quelques frères du Grand Orient s'émeuvent que leur obédience ait abandonné lors du convent de 1877 la référence obligatoire au Grand Architecte de

---

1. Entretien avec l'auteur, le 3 décembre 2007.

218

l'Univers, accomplissant là sa mue laïque. Ils commencent par faire revivre, au sein du GO, le Rite Écossais Rectifié, le plus puriste, qui exige cette référence déiste. Très vite, la cohabitation se révèle intenable et ils s'en vont créer une micro-obédience, la Grande Loge Nationale Indépendante et Régulière pour la France et les Colonies françaises, qui ne se transformera en GLNF que très tardivement, en 1990. Malgré ses faibles effectifs, cette nouvelle venue obtient dès 1929 la bénédiction, si l'on ose dire, de la Grande Loge Unie d'Angleterre, berceau de la franc-maçonnerie qui veille sur le respect de la régularité, matérialisé par une règle en douze points[1], dont le premier dit que « la franc-maçonnerie est une fraternité initiatique qui a pour fondement traditionnel la foi en Dieu, grand architecte de l'univers ».

La GLNF vivote jusque dans les années soixante, mais bénéficie d'un coup de fouet significatif avec l'installation du siège de l'OTAN à Paris en 1952. Parmi les personnels, les demandes d'adhésion à l'obédience affluent : n'est-elle pas la seule à bénéficier de la fameuse reconnaissance de Londres, si chère aux maçons anglo-saxons ? C'est d'ailleurs le général Lemnitzer, chef d'état-major de l'OTAN, qui pose en 1964 la première pierre du siège de la GLNF, situé boulevard Bineau, à Neuilly-sur-Seine. Mais en mars 1966, le général de Gaulle décrète le retrait de la France du commandement intégré de l'OTAN, qui provoque, en décembre de la même année, le transfert des infrastructures de l'OTAN vers Bruxelles. Ce déménagement déclenche une hémorragie dans les rangs de la GLNF. Des défections que compense, à partir de 1965, l'arrivée de nouvelles recrues venues de la Grande Loge de France. Celle-ci a en effet signé en 1964 un accord d'amitié et de

---

1. Voir leur intégralité en annexe 3.

reconnaissance mutuelle avec le Grand Orient, qui permet aux membres de ces deux obédiences de « voyager » dans toutes les loges de l'une et de l'autre. Le « voyage » est une activité importante pour certains maçons. Il leur permet de s'inviter aux tenues auxquelles ils souhaitent assister en dehors de leur propre atelier, grâce à l'échange des « mots de semestre », noms de code qui changent périodiquement et qui sont demandés, tel un sésame, à l'entrée du temple. Ce rapprochement déplaît à de nombreux membres de la Grande Loge de France, attachés à la référence au Grand Architecte de l'Univers, qu'ils reconnaissent comme Dieu, et qui ne peuvent supporter l'osmose avec les mécréants du Grand Orient. Ils sont donc plus d'un millier à migrer vers la GLNF, si pointilleuse sur la régularité.

La bataille du nombre

Cet afflux est-il le moment fondateur de la nouvelle stratégie de la GLNF, qui repose sur un recrutement méthodique dans les catégories socioprofessionnelles les plus élevées ? Il semble que cette sélection systématique de profils « intéressants », des chefs d'entreprise aux médecins en passant par les magistrats, les journalistes, les responsables politiques, émerge un peu plus tard. Les effectifs commencent à augmenter fortement au début des années quatre-vingt-dix. En tout cas, ils sont multipliés par sept en l'espace de deux décennies.

« Il était évident qu'un bon vénérable[1] devait recruter au moins trois personnes chaque année, explique

---

1. Le vénérable est le président d'une loge, élu généralement pour trois ans.

Michel Milliasseau, ancien assistant grand maître provincial de la province Alpes-Méditerranée, la plus importante de la GLNF. Et tout aussi évident que dans une vie maçonnique, il fallait amener au moins un filleul afin d'assurer la continuité[1]. » L'ancien grand maître de cette province, Bernard Mérolli, écarté dans un climat de violence inouï au début des années deux mille, raconte lui aussi la fuite en avant : « Nous devions remplir des objectifs, si bien qu'il y avait dans la province 35 loges quand je suis arrivé avec mon équipe, et 78 quand nous sommes repartis. Il nous est arrivé de consacrer sept loges le même jour. Nous nous trouvions alors dans un sentiment d'allégresse et de légitimité[2]. »

Parmi les plus anciens maçons de la GLNF, il est un homme qui s'enorgueillit d'avoir, à lui tout seul, cent filleuls. Paul Studnia est le patron de la boutique de la GLNF. Il en est aussi une des mémoires. « Le début de notre progression remonte aux manifestations organisées par certains responsables du Grand Orient, paradant en grande tenue devant la cathédrale de Reims, pour protester contre l'accueil réservé à Jean-Paul II venu commémorer le baptême de Clovis, le 22 septembre 1996, expose-t-il. Beaucoup de maçons du GO ont été choqués par cette attitude insultante vis-à-vis du Saint Père, et certains d'entre eux ne l'ont pas accepté. Dans la quinzaine qui a suivi, j'ai régularisé en loge trois membres du GO, et pas des moindres. En tout, ce sont plusieurs milliers de frères qui ont ainsi changé d'obédience à la suite de la venue du pape[3]. »

Mais les ralliements de déçus des autres obédiences n'explique pas tout. Le recrutement, à la GLNF, est une

---

1. Entretien avec l'auteur, le 5 septembre 2008.
2. Entretien avec l'auteur, le 5 septembre 2008.
3. Entretien avec l'auteur, le 5 mars 2008.

discipline à part entière, menée avec un esprit de quadrillage quasi militaire. Les responsables des obédiences concurrentes s'en amusent ou s'en agacent, en tout cas, ils la constatent preuves à l'appui. « Dans de petites villes comme Valence, il n'y avait pas de loge de la GLNF jusqu'au début des années deux mille, raconte un responsable du GO. Quand la GLNF décide de s'implanter, elle demande à ses membres installés dans une ville voisine d'envoyer un courrier à tous les notables locaux, médecins, dentistes, pharmaciens, avocats, magistrats, chefs d'entreprise, pour les inviter à une réunion publique. Le problème, c'est que certains de ces destinataires sont déjà francs-maçons, au Grand Orient ou ailleurs. Ils sont souvent assez choqués par ces manières et nous font remonter les courriers. Mais la méthode est efficace : il y a toujours des curieux pour venir, et un certain nombre d'entre eux pour adhérer. »

Effectivement, au début des années deux mille, un responsable de la GLNF installé en Bretagne n'hésitait pas à envoyer à chacun de ses frères qui, dans sa région, avait atteint le grade de maître un étrange courrier :

« Et maintenant, à vous de jouer et... "MERDE". Juste pour rêver... Les dix expériences à ce jour ont donné les résultats suivants. Pour 100 adresses :
12 à 17 de présents à la conférence
3,5 à 5 de demandes d'initiation
3,5 à 4,5 d'initiations.
RECORD À BATTRE.
Je reste à votre disposition pour des renseignements complémentaires. »

Un ancien membre du souverain grand comité, le « parlement » de la GLNF, qui a démissionné à cause de cette fuite en avant, raconte comment fonctionnait le système : « Les grands maîtres provinciaux, à la GLNF, sont des sortes de préfets nommés par Paris et qui peuvent être suspendus du jour au lendemain. Ils ne sont pas l'émanation des loges mais les légats de la direction nationale, qui exerçait, jusqu'à ma démission il y a quatre ans, une forte pression sur eux. Cette maladie du quantitatif n'avait pas de limite. Il était par exemple demandé à chaque maître maçon de fournir quinze noms de personnes de leur entourage qui pouvaient être démarchées[1]. »

Une fois les noms collationnés, les « cibles » reçoivent une invitation. En Picardie, c'est un formulaire très officiel qui a été envoyé à des recrues éventuelles. Sur papier à en-tête de la Grande Loge Nationale Française, précédé de la mention « À la gloire du Grand Architecte de l'Univers », il est rédigé ainsi :

« Cher Monsieur,

Vous le savez, la Franc-Maçonnerie Régulière est une très vieille institution ouverte à tous ceux qui cherchent à s'améliorer au sein d'une réelle fraternité, où l'on ne polémique ni sur la religion ni sur la politique, mais où le développement personnel et le perfectionnement moral sont les buts recherchés. »

Une entrée en matière qui permet de se différencier du Grand Orient. Puis le grand maître provincial en vient aux faits :

« Comment dans ces conditions devient-on franc-maçon ? Essentiellement par cooptation, et plusieurs de nos frères nous ont parlé de vous, non seulement de votre probité morale, tant professionnelle que

---

1. Entretien avec l'auteur, le 14 février 2008.

familiale mais aussi de vos positions humanistes face aux grands problèmes de l'existence. Ceci montre à l'évidence que vous êtes déjà, quelque part en vous-même, franc-maçon. Vous ne craignez pas la voie de l'effort, et vous savez pouvoir, au sein d'un groupe multidisciplinaire, vous enrichir de l'expérience des autres, et aimez vous sentir, vous aussi, utile à vos semblables. »

Rappelons qu'il s'agit là d'une lettre type et non d'un courrier personnalisé. Elle se poursuit par une invitation :

« Pour répondre à vos questions, nous organisons une conférence débat le...... au......, avec la participation du Grand Maître Provincial de Picardie. Celle-ci est strictement privée, sur invitation, et regroupera quelques personnes ayant une même démarche[1]. »

François Stifani assure que de telles pratiques n'ont jamais eu cours depuis qu'il est devenu grand maître de la GLNF, en 2007. « Si quelqu'un a tenté de faire des courriers, de recruter des gens par marketing, c'est qu'il n'avait rien compris et qu'il a voulu faire du zèle, ajoute-t-il. La seule consigne que je donne aux grands maîtres provinciaux, c'est d'aller se présenter à leur maire, leur député, au préfet de leur département comme représentant de la GLNF, justement dans un souci de transparence[2]. »

Arguments de vente

C'est parmi les trois plus grandes obédiences que la concurrence sévit le plus durement. Chacun, en effet,

---

1. Voir annexe 7.
2. Entretien avec l'auteur, le 9 janvier 2009.

doit défendre son rang et son positionnement stratégique. L'argument principal de la GLNF, qui lui a permis de multiplier par sept ses effectifs en l'espace de vingt ans, tient en deux mots : régularité et reconnaissance. La régularité exige le respect de règles, ou « landmarks », édictées au XVIIIe siècle. Sans elle, il est impossible d'être reconnu par Londres, sorte de « Saint-Siège » de la franc-maçonnerie qui établit la reconnaissance. « Une obédience reconnue participe au concert universel, explique François Stifani. Cela fonctionne un peu à la manière des reconnaissances entre États. » Ce sauf-conduit permet au maçon de la GLNF d'être reçu dans cent quatre-vingt-six États par près de sept millions de frères. Un argument de poids à l'heure de la mondialisation ! Mais surtout, la « régularité », pour nombre de maçons, est primordiale. « Combien de frères un peu écœurés restent à la GLNF à cause de cette régularité ! déplore un ancien. Pour eux, ne plus être reconnus par Londres revient à être excommunié pour un catholique pratiquant. » Pour la GLNF, perdre la reconnaissance de Londres marquerait donc le début de la fin. Or il est plus difficile de répudier une institution bénéficiant d'une large audience qu'un rassemblement quasi confidentiel. Et la GLNF a eu chaud : durant les années quatre-vingt-dix, lorsque son sigle était plus souvent cité dans les pages « justice » que dans les rubriques « idées » des journaux, les responsables londoniens ont un peu haussé le ton. Mais aujourd'hui, le grand maître de la GLNF peut clamer, et il ne se prive d'ailleurs pas de le faire, qu'il représente « la plus grande loge régulière d'Europe continentale ».

À l'autre bout du spectre, le Grand Orient de France valorise son engagement dans la cité et sa défense des grands principes de la franc-maçonnerie dite « libérale et adogmatique » : laïcité, droits de l'homme, fraternité sociale... Cette invention cent pour cent française a fait école dans plusieurs pays, mais l'ensemble du monde anglo-saxon, entre autres, est dominé par la franc-maçonnerie régulière, qui croit en Dieu à travers le Grand Architecte de l'Univers. Les dirigeants du Grand Orient voient ceux de la GLNF réduire l'écart année après année. Ils ne peuvent admettre, question de prestige et de crédibilité, de voir leur obédience perdre sa place de numéro un dans la course fraternelle. Alain Bauer, lorsqu'il était grand maître, avait anticipé la difficulté. Il allait dans les universités, dans les villes de province pour porter la bonne parole. Objectifs : accroître et rajeunir les effectifs. Le Grand Orient oppose d'ailleurs à la « régularité » autoproclamée de la GLNF sa tradition historique : « Nous opposer cet argument remarque Pierre Mollier, directeur de la bibliothèque et du musée maçonnique, c'est un peu comme reprocher aux protestants de ne pas être catholiques[1] ! »

Au milieu, la Grande Loge de France se trouve un peu coincée. Elle reconnaît le Grand Architecte de l'Univers mais admet des adhérents qui ne croient pas en Dieu – ils représentent près de la moitié de l'effectif. Croyants ou pas, les membres de la GLDF sont unis par leur attachement à la tradition et à la régularité. Il ne leur manque pas grand-chose pour pouvoir prétendre, eux aussi, à la fameuse reconnaissance. Ils présentent bien et ont été globalement épargnés par le coup de torchon des affaires juridico-financières. Ils pèchent, certes, par excès de fraternité à l'égard du Grand Orient, regardé par la GLNF, donc par Londres, comme une sorte d'épouvantail laïcard infréquentable. Eux aussi, en tout cas, ont intérêt à faire du chiffre pour rester dans la course. Mais pour la reconnaissance londonienne, la

---

1. Entretien avec l'auteur, le 18 janvier 2009.

bataille n'est pas gagnée : « Il ne peut y avoir plus d'une loge souveraine et régulière par État », rappelle François Stifani. Traduction : la Grande Loge de France peut tenter de séduire Londres, elle n'y parviendra jamais. Question de nombre ! Alain Graesel, le grand maître de cette dernière obédience, continue infatigablement de sillonner l'Hexagone, à raison d'une ou deux réunions publiques par semaine. Dans son bureau de la rue de Puteaux, dans le XVIIᵉ arrondissement de Paris, trône en permanence une valise à roulettes. Cet homme de conviction n'a pas le choix : pour ne pas se trouver écrasée entre la GLNF et le GO, la GLDF est, comme les autres, condamnée à croître. Être grand maître, dans cette optique, c'est aussi payer de sa personne !

Questions de prestige... et d'argent

La croissance des effectifs est un élément de prestige, de puissance et d'influence. C'est aussi une question d'argent. Les grandes obédiences sont devenues d'énormes machines qu'il convient d'alimenter. Leurs dirigeants sont habitués à un certain train de vie. La bonne représentation exige de nombreux voyages à l'étranger, afin de labourer les terres de mission ou de visiter les frères d'ailleurs pour entretenir l'amitié. Tout cela coûte cher.

Or chaque nouvel adhérent apporte une nouvelle cotisation. « Il suffit de faire la multiplication, dit un membre de la GLNF. 40 000 fois 400 euros égalent 16 millions d'euros. À cela s'ajoutent les capitations payées pour participer aux ateliers supérieurs ou à diverses loges d'apparat telles que l'Arche royale. » Cette équation vaut pour les autres obédiences. Pierre Lambicchi, grand maître du Grand Orient désigné en septembre 2008, tient implicitement un raisonnement financier lorsqu'il développe les arguments en défaveur de l'initiation des femmes au Grand Orient de France : « Attention à ne pas créer une vague de départs de la part de ceux qui sont hostiles à cette innovation, dit-il. Il faut aussi se montrer responsable en termes de gestion de l'obédience[1]. »

Mais évidemment, l'afflux de nouveaux membres coûte aussi. Il faut bien les recevoir dans des temples dignes de ce nom. Au point que dans certaines régions et certaines obédiences, s'est développé un certain « maçonnisme immobilier ». Dans le sud, dont sont originaires le grand maître actuel et son prédécesseur, les dignitaires de la GLNF, par exemple, ont créé la société anonyme Immobilière Truelle. Un clin d'œil un peu appuyé à la symbolique, puisque la truelle est l'un des instruments indispensables au maçon. Chaque membre de la GLNF est invité à acheter au moins une action d'Immobilière Truelle. Son objet social consiste, en effet, à acquérir des locaux pour les transformer en temples, puis de les rentabiliser en les louant aux différentes loges de la GLNF ou d'autres obédiences. « Faites le calcul, dit un des anciens actionnaires d'Immobilière Truelle. Le prix d'une location est en gros de 250 euros par soirée. Si le lieu est loué cinq soirs par semaine, le revenu s'élève à 5 000 euros par mois, multiplié par huit temples, vous obtenez 40 000 euros de revenus mensuels[2]. » Cet « ex » est très bien renseigné, puisque le chiffre d'affaires d'Immobilière Truelle pour 2007 atteint un peu plus de 400 000 euros, et le résultat dépasse les 37 000 euros, soit une rentabilité de plus de 7 %. « Il

1. Entretien avec l'auteur, le 7 octobre 2008.
2. Entretien avec l'auteur, le 8 janvier 2009.

fallait bien doter les frères de lieux de réunions, explique François Stifani. Grâce à cet actionnariat, nous avons bénéficié d'un effet de levier appréciable. Devant ce succès, nous avons créé une société immobilière par province. Pour ma part, j'ai fait cadeau de mes actions à la Fondation pour la promotion de l'homme créée par la GLNF. »

Le jeu du menteur

Les représentants de toutes les obédiences le répètent inlassablement : il n'y a aucune concurrence ; chacun est très heureux de pratiquer sa maçonnerie à lui et personne ne se retourne pour regarder où en est le voisin. Voilà, c'est écrit. Pourtant, le Grand Orient et dans une moindre mesure la Grande Loge de France ne se font pas prier pour traiter leurs frères de la GLNF de tricheurs. Selon des confidences recueillies au sommet de ces deux obédiences, la GLNF compterait ses membres autant de fois qu'ils appartiennent à des loges. Or il n'est pas rare qu'un maçon accompli soit affilié à trois ateliers « bleus » – qui vont du premier grade, celui d'apprenti, au troisième, celui de maître –, et à un ou deux ateliers supérieurs – qui pratiquent les degrés d'initiation supérieurs au troisième, et dont le nombre varie selon les rites pratiqués. Certains frères seraient donc répertoriés jusqu'à cinq fois dans les registres de la rue Christine-de-Pisan. Une accusation qui fait bondir François Stifani : « La GLNF est une association unique, où chaque membre reçoit une carte d'adhérent numérotée. Je ne vois pas comment qui que ce soit pourrait être compté deux fois ! Ce n'est pas le cas de la GLDF et du GO, qui sont des fédérations de loges, ce qui peut leur permettre de gonfler leurs effectifs pour obtenir

229

plus de droits de vote au convent. De toute façon, c'est la GLNF qui a le plus grand nombre de loges, 1 530 exactement. Par quel étrange phénomène statistique ses loges compteraient-elles en moyenne moins de personnes qu'ailleurs ? De plus, le Grand Orient ajoute ses effectifs à l'étranger, ce que nous ne faisons pas puisque, dès qu'il existe trois loges dans un pays, elles se constituent en grandes loges régulières et prennent leur autonomie. Pour avoir une idée des effectifs du Grand Orient, il faut retrancher 10 000 frères à ce qu'ils annoncent. Ce n'est pas moi qui le dis, ce sont les services de l'État. Il suffit de leur demander... » Une déclaration qui fait bondir les responsables du Grand Orient : les loges affiliées rue Cadet ont traditionnellement de gros effectifs, qu'elles auraient plutôt intérêt à sous-déclarer afin de minimiser les cotisations qu'elles doivent à l'obédience.

En tout cas, pour un dirigeant décontracté que la concurrence numérique n'intéresse pas, François Stifani s'échauffe vite. Il est vrai que les autres ne lui épargnent rien. Ces amabilités échangées entre obédiences démontrent au moins la bonne ambiance, chaleureuse et fraternelle, qui règne entre ces frères haut gradés qui aspirent à la tolérance et se livrent sans relâche à la quête de perfection.

16

Petites niches entre frères

En cette journée d'automne 2004, Bernard Mérolli, ancien banquier, ex-responsable local du Parti radical valoisien, est sur le banc des prévenus du tribunal de grande instance de Nice. Il comparaît pour recel de violation du secret professionnel et entend défendre son honneur. Entre 1992 et 2000, cet homme à qui rien ni personne ne semblaient résister a été le grand maître de la province Alpes-Méditerranée, la plus importante de la GLNF. Puis il a été mis en cause dans une affaire de consultation illégale du fichier du STIC[1]. Le 20 juin 2000, en effet, une lettre anonyme est arrivée sur le bureau du procureur Éric de Montgolfier, accusant un brigadier de police, Alain Bartoli, par ailleurs député grand porte-glaive – en langage normal : chargé des affaires judiciaires adjoint – de la province, de « surfer » sur le fameux fichier pour y trouver des informations sur certains frères. Très vite, les soupçons remontent jusqu'à son grand patron, Bernard Mérolli, qui considère qu'il s'agissait là de

---

1. Le Système de traitement des infractions constatées, ou STIC, créé en 1995, est une base de données interconnectant les fichiers policiers et répertoriant toute personne ayant été concernée par une procédure judiciaire.

l'objectif ultime de cette manœuvre, destinée à le déstabiliser.

L'affairiste, c'est toujours l'autre...

Durant l'audience, celui-ci « balance » : des frères jaloux de ses prérogatives ont fabriqué une fausse carte du Front national à son nom pour le déconsidérer, ont envoyé un des leurs pour l'enregistrer à son insu et ont finalement joué les corbeaux auprès du procureur de Nice. Il continue, des années plus tard, de clamer son innocence. Il assure n'avoir pas été au courant de ces agissements, et précise que parmi les multiples noms passés à l'épreuve du STIC, il y avait le sien. La justice n'a pas estimé ses arguments assez convaincants puisqu'elle l'a condamné en première instance à huit mois de prison avec sursis, peine alourdie en appel à douze mois dont huit avec sursis et confirmée par la Cour de cassation en 2006. Certains de ses amis, plus nuancés, assurent que cette utilisation des frères policiers se pratique fréquemment en loges – qui comptent souvent des policiers dans leurs rangs – pour connaître le profil des nouvelles recrues. Édifiant !

En tout cas, beaucoup de points convergent pour suggérer que Bernard Mérolli a été la victime d'une vendetta maçonnique. Qui l'a orchestrée ? Mystère. Mérolli accuse à tue-tête l'un de ses rivaux d'alors, François Stifani, d'avoir tout manigancé. François Stifani, entretemps, est devenu grand maître de la GLNF à l'échelon national, et se refuse à commenter ces accusations. Tout autant que les effets de manche de Mérolli à l'audience, la lecture du dossier judiciaire montre à quel point la fraternité peut se résumer parfois à de belles paroles dépourvues de sens.

En 1999, François Stifani est avocat, et conseiller fiscal de Jean-Charles Foellner, le prédécesseur de Bernard Mérolli à la tête de la province Alpes-Méditerranée[1]. Bernard Mérolli s'en méfie, au point de provoquer un rendez-vous avec le trésorier de la province, pour vérifier si Stifani est à jour de ses cotisations, ce qui, dans les obédiences en général et à la GLNF en particulier, est le premier de tous les devoirs qu'un franc-maçon digne de ce nom se doit de remplir. Le non-paiement est d'ailleurs le principal motif de radiation, exclusion considérée comme une marque d'infamie qui interdit théoriquement tout retour dans un temple.

La rencontre avec le trésorier se déroule le 10 novembre 1999 à l'hôtel Méridien de Nice, le quartier général de Bernard Mérolli. « Le trésorier, pour toute réponse à mes interrogations, me posait des questions sur ce que je pensais de tel ou tel membre de l'obédience, se souvient celui-ci. Je ne parvenais pas à lui faire dire si oui ou non Stifani avait payé ses cotisations. Il a fini par m'avouer qu'il avait payé la cotisation de Stifani à la place de celui-ci, ce qui aurait pu être perçu par certains comme une forme de remerciement pour les conseils juridiques et fiscaux que ce dernier avait bien voulu lui prodiguer[2]. » Fort de cette information, Bernard Mérolli poursuit son enquête et découvre que François Stifani a été initié au Droit Humain par une... femme, vénérable de son atelier. *Horresco referens !* Les femmes ne peuvent en aucun cas être des sœurs pour les francs-maçons réguliers, qui tiennent à cet apartheid sexiste – presque –

---

1. Jean-Charles Foeller a été grand maître de la province Alpes-Méditerranée de la GLNF de 1983 à 1992. Il a ensuite gravi les échelons de la hiérarchie nationale jusqu'à devenir grand maître de 2001 à 2007. Il a été remplacé à ce poste par François Stifani.
2. Entretien avec l'auteur, le 5 septembre 2008... à l'hôtel Méridien.

autant qu'au secret d'appartenance. Il croit aussi savoir que François Stifani aurait subi une garde à vue dans une sombre histoire de Ferrari volée qui n'aurait pas eu de suite. Interrogé comme témoin dans le cadre de l'instruction pour recel de violation du secret professionnel visant Bernard Mérolli, François Stifani revient sur ce dernier épisode, utilisé, selon lui, comme facteur de déstabilisation à son encontre. « On a le sentiment, déclare-t-il au juge d'instruction, qu'il y avait un accès aux archives de police ou judiciaires, je ne sais pas. Je lui ai fait savoir qu'il ne devait pas s'amuser à ça, sinon cela ne se serait pas bien passé. »

De fait, cela ne s'est pas bien passé pour Bernard Mérolli, condamné définitivement en justice après avoir fait l'objet de diverses farces de mauvais goût. Il y eut d'abord la fausse carte du Front national fabriquée pour le déconsidérer, puis des micros destinés à le confondre lors de son entretien avec le trésorier. Celui-ci a reconnu, dans un courrier privé, avoir été « appareillé » par plusieurs policiers en tenue qui lui ont posé des micros sur le thorax afin d'enregistrer son entretien avec le grand maître provincial, lui ont indiqué plusieurs questions à poser et lui ont recommandé de ne pas dépasser une heure d'entretien, la bande du magnétophone n'excédant pas soixante minutes...

À Juan-les-Pins, le 15 décembre 2000, Jean-Charles Foellner, alors député grand maître national de la GLNF, prononce un discours dans lequel il annonce la mise sous tutelle de la province et dénonce les affaires qui entachent la franc-maçonnerie, dont la plupart proviennent de la Côte d'Azur. Bernard Mérolli n'en revient pas : certains des « mauvais compagnons » qu'il a dénoncés aux instances suprêmes pour leurs rapports élastiques avec la légalité ont été réintégrés dans des loges parisiennes. C'est à n'y rien comprendre, si ce n'est que l'affairiste, en franc-maçonnerie, c'est toujours l'autre.

Une seule tête, un seul tablier !

En normalisant le sud-est de la France, la direction de la GLNF n'en avait pas fini avec les tracasseries. En 2004, Jean-Charles Foellner, son grand maître, annonce qu'il sollicite un second mandat. Las ! Le grand maître de la province d'Occitanie – la Grande Loge Nationale Française raffole des dénominations mérovingiennes et a par exemple rebaptisé l'Alsace-Lorraine Austrasie, la Normandie Neustrie ou le Languedoc-Roussillon Septimanie... –, Gérard Ramond, patron d'une PME de cosmétiques, annonce qu'il sera lui aussi candidat. La réponse de Paris, par lettre recommandée avec accusé de réception, signée Jean-Charles Foellner, ne se fait pas attendre :

« Très Respectable Frère,

J'ai pris connaissance de votre lettre du 11 février 2004 m'informant "par courtoisie" de votre candidature à la Grande Maîtrise pour les années 2004 à 2007 [...]. Je tiens à souligner que depuis la création de notre Grande Loge, les candidatures à la Grande Maîtrise n'ont jamais été accompagnées ou précédées d'une campagne électorale, ce qui sera inévitablement le cas, puisque vous avez fait part dès maintenant, et avec éclat, de votre décision d'être candidat à la Grande Maîtrise. La discrétion et l'abstention de toute démarche préélectorale sont une constante de nos Us et Coutumes qui n'a jamais été transgressée, comme me le confirme le Président du Conseil des

Sages que j'ai tenu à consulter. C'est en effet une règle sage qui préserve l'Ordre de troubles inutiles et préjudiciables, comme le démontrent malheureusement aujourd'hui les textes agressifs à mon égard, attentatoires à mon honneur, véhiculés par certains de vos amis.

Compte tenu de votre position dans l'Ordre et des hautes fonctions que vous y exercez depuis longtemps, vous ne pouvez ignorer cela. Pas plus que vous ne pouvez avoir de doute sur l'incompatibilité radicale entre votre statut de Grand Maître Provincial et l'activité préélectorale à laquelle vous vous livrez [...].

Je ne puis, bien que ce devoir ne me soit guère agréable, que tirer les conséquences de cette atteinte à une déontologie élémentaire et au simple bon sens, en vous relevant de vos fonctions de Grand Maître Provincial. »

Dans la pratique, la démocratie élective est donc réduite à sa plus simple expression à la GLNF. Il est vrai que c'est le grand maître en personne qui nomme les membres du souverain grand comité, le collège chargé d'élire... le grand maître. Après avoir été déchu de sa fonction de grand maître provincial, Gérard Ramond, qui protestait notamment contre l'allocation d'une partie des fonds de l'Œuvre d'assistance fraternelle (OAF), destinée à secourir les frères en détresse, au profit de la toute nouvelle et assez floue Fondation pour la promotion de l'homme, sera suspendu, puis exclu pour six mois et radié du souverain grand comité, décision dont il obtiendra l'annulation par voie de justice. Il maintiendra sa candidature, écrira au grand maître une lettre ouverte dans laquelle il regrettera que l'obédience se soit progressivement positionnée « ces deux dernières années sur le terrain des clubs-services, se perde dans les allées bruyantes des marchés de plein vent d'une Babylone aux accents généreux à l'ombre d'une nouvelle tour de Babel qui se dresserait sur les parvis encombrés de nos loges vides ».

À dire vrai, dans les autres obédiences, les règles d'élection sont plus ouvertes mais la déviance tout aussi mal vue. Le Grand Orient a connu, au cours des vingt dernières années, des périodes agitées durant lesquelles les convents, ces assemblées où des représentants de chaque loge élisent le conseil de l'ordre, se terminaient parfois en foires d'empoigne au sens propre du terme. L'un des membres minoritaires élu dans ce conseil de l'ordre, Hugues Leforestier, qui a occupé le poste de grand secrétaire des affaires intérieures, a même écrit un livre pour dénoncer les dérapages du Grand Orient, les clans, les règlements de comptes et les dérives financières[1]. Une publication qui a été modérément appréciée dans les hautes sphères de l'obédience, mais qui soldait l'impossibilité de se faire entendre en interne. Quant à la Grande Loge de France, elle n'est pas non plus exempte d'épurations successives qui se sont réalisées, heureusement pour elle, dans une plus grande discrétion, les « bannis » ne souhaitant pas, par respect de leur serment de secret ou par défiance vis-à-vis du monde profane, livrer leurs états d'âme ou le détail de leurs affrontements.

Histoires d'honneur... et de pouvoir

Pourquoi tant de haine, et tant d'énergie dépensée en combats fratricides ? Alain Bauer a l'habitude d'évacuer par avance la question en évoquant les crises de « cordo-

---

1. Hugues Leforestier, *Frères à abattre*, Éditions Nouveau Monde, 2006.

nite » aiguë qui saisissent certains frères. Il fait référence aux colifichets plus ou moins chatoyants que peuvent revêtir les dignitaires, et qui témoignent de leur rang élevé. Une explication sympathique, qui transforme tous ces grands garçons, exerçant souvent d'importantes responsabilités dans le monde réel, comme autant de bambins un peu immatures se battant pour la plus belle panoplie de shérif. Ces rivalités résultent aussi du pouvoir conféré aux plus hauts dirigeants, lesquels savent, ou peuvent savoir, qui en est et qui n'en est pas. Un levier non négligeable, puisque le réseau fraternel compte, en France, près de 200 000 personnes.

Certains francs-maçons font astucieusement valoir que ces luttes, parfois violentes, sont bien la preuve que le réseau franc-maçon n'existe pas vraiment, étant donné que ceux-ci ne se tiennent parfois les coudes que pour mieux s'entretuer. L'un d'eux raconte comment Christian Estrosi, ancien membre de la GLNF, a été, malgré son ancienne appartenance, l'objet d'incessantes attaques des francs-maçons lorsqu'il était ministre des DOM-TOM. Ce qu'ils lui reprochaient ? D'avoir supprimé l'équivalent des Renseignements généraux pour l'Outre-Mer. Jusqu'en 2007, un service d'une trentaine de personnes faisait remonter des informations sur les politiques, les syndicalistes, les chefs d'entreprises et les médias dans la plus stricte opacité. Sur place, des informateurs étaient rémunérés grâce à une ligne budgétaire spéciale. Parmi ce petit monde, de nombreux francs-maçons n'ont guère apprécié l'opération transparence menée par l'ex-frère Estrosi. Mais le coup de grâce a été porté en février 2008, lors de l'élection de Gaston Flosse, éminent membre de la GLNF, à la tête de la Polynésie française, alors que le gouvernement avait soutenu ouvertement son adversaire, Gaston Tong Sang.

Quelques amis de Flosse rient encore de la bonne blague qu'ils ont faite au ministre. Ce qui restait des anciens « Renseignements généraux » maison, démantelés par Estrosi, lui aurait concocté des dépêches personnalisées qui ne donnaient pas la mesure de la situation à Tahiti, afin de pousser le ministre à s'exposer dans une attitude d'obstruction face aux ambitions de Flosse. Ils se vantent même d'avoir rédigé des fiches spéciales pour Christian Estrosi, qui différaient sensiblement de celles qui remontaient à l'Élysée. Une vengeance maçonnique à double détente et qui dévoile une effarante instrumentalisation de l'appareil d'État à des fins très privées.

Quatrième partie

FONDS DE COMMERCE

17

Places fortes

Existe-t-il une exception française, aussi, pour la franc-maçonnerie ? La réponse, positive, peut se résumer à une formule : l'État-providence. Après la guerre, les obédiences sont entièrement à reconstruire. L'État aussi, après la honte de Vichy et l'occupation nazie. Cela tombe bien, les unes et l'autre vont le faire ensemble. C'est l'époque des majorités introuvables, des gouvernements courants d'air, du progrès social et de la croissance à deux chiffres. Les maçons, plus spécialement ceux du Grand Orient, peuvent s'en donner à cœur joie. Ils sont les médiateurs entre les différents partis, les producteurs d'idées neuves, les émancipateurs, les gardiens du service public. Bref, ils ont le beau rôle. Et l'héritage est moins dilapidé qu'on ne pourrait l'imaginer. Tous les ministères, grands et petits, sont traversés par des influences fraternelles. Mais celles-ci ne se limitent pas au strict cadre de l'Administration.

Les frères paritaires

La loi du 19 octobre 1946 a été revisitée à de nombreuses reprises. Mais elle a institué l'un des fondements sociaux les plus fertiles pour la franc-maçonnerie : le paritarisme. Les chambres de commerce – à

243

commencer par la plus prestigieuse, celle de Paris –, tout comme la CGPME[1], et dans une moindre mesure le Medef, comptent en leur sein de nombreux frères, tout comme Force ouvrière et, avec une densité plus faible, la CGT.

La formation professionnelle est l'un des hauts lieux du paritarisme à la française où la fraternité s'exerce avec une grande constance. Il existe d'ailleurs, depuis 1975, une fraternelle regroupant les initiés de ce secteur, intitulée Humanisme et Formation permanente. Ses objectifs recouvrent une partie de l'idéal maçonnique, puisqu'il s'agit, en théorie, de permettre à chacun de progresser, de se perfectionner tout au long de sa vie. En pratique, ce secteur gère beaucoup d'argent, au travers notamment de la taxe d'apprentissage dont toutes les entreprises doivent s'acquitter. Or les employeurs peuvent soit payer une taxe anonyme, soit personnaliser leur contribution en la versant à l'organisme de leur choix. Un système qui favorise évidemment toutes sortes de connivences.

Un dirigeant de l'AGEFOS PME, l'organisme chargé de la formation professionnelle et de son financement pour les petites et moyennes entreprises, a pu observer de près le fonctionnement de cette amicale avant d'en devenir la victime. Profane, il n'a pas accepté de se faire recruter dans les loges. Le récit de son expérience en apprend plus que de longs discours. « J'ai vu des représentants du patronat et des syndicats tomber d'accord sur des sujets apparemment conflictuels comme l'aide aux bas niveaux de qualification, le recours à des partenaires privés plutôt qu'à l'AFPA[2], qui est une agence publique, ou encore le choix d'un cabinet d'études. Au début, je

---

1. Confédération générale des petites et moyennes entreprises, l'équivalent du Medef pour les PME.
2. Agence française pour la formation professionnelle.

n'ai pas décodé. Puis j'ai appris que tous les vice-présidents de la CGPME sauf un étaient francs-maçons. Cette coloration maçonnique se retrouvait évidemment parmi les responsables des antennes régionales[1]. »

Il existe en effet au sein de l'AGEFOS PME vingt-quatre délégations régionales qui comptent chacune vingt administrateurs : dix pour le patronat, dix pour les syndicats. « Ceux-ci, poursuit notre observateur profane, choisissent plus souvent qu'à leur tour des directeurs engagés par ailleurs dans une démarche maçonnique. Mais il arrive que des conflits éclatent entre diverses tendances. » Plusieurs témoins gardent ainsi un souvenir amusé d'une réunion au sommet à Corte, en Corse. L'objet de ce symposium était de la plus haute importance : il existait alors deux antennes dans l'île de Beauté, à Ajaccio et à Bastia. La collecte pour la formation professionnelle, là-bas, est tout à fait minime mais le conflit s'est envenimé lorsqu'il s'est agi de fusionner les deux délégations. Qui allait gagner ? Le nord ou le sud ?

Pour arbitrer cette affaire, un important équipage comprenant des responsables venus de Marseille et de Paris prend donc l'avion jusqu'à Corte, où les négociations ne durent pas moins de deux jours. Un accord est trouvé sur des critères échappant à tout non-initié. Seule certitude : la présence de continentaux triés sur le volet a été nécessaire pour avaliser le processus de décision !

Dans une telle ambiance, impossible de rester en place très longtemps sans se joindre au club. Le dirigeant qui ne faisait pas partie de la famille a ainsi été approché à deux reprises par des émissaires du Grand Orient.

Première tentative, menée par un membre du conseil d'administration : « Cher ami, nous partageons les mêmes valeurs. C'est ce que je crois du moins. Nous

---

1. Entretien avec l'auteur, le 21 avril 2008.

sommes quelques-uns à nous réunir pour travailler sur ces sujets ; vous devriez nous rejoindre. »

Le « cher ami », qui n'en est pas moins responsable devant le conseil d'administration, choisit la posture du naïf : « Je suis toujours intéressé par les discussions et les réflexions sur la formation professionnelle. » La désapprobation s'est lue sur le visage du demandeur.

Seconde chance, offerte par un représentant de Force ouvrière :

« Il est anormal qu'un haut fonctionnaire d'un organisme paritaire ne soit pas syndiqué...

– Mais si j'adhère à FO, que va penser la CFDT ?

– C'est vrai, c'est vrai. Mais dans ce cas, il faudrait que vous puissiez renforcer votre réflexion sous d'autres formes... »

« Ça n'a pas été plus loin, se souvient ce dirigeant. Mais les deux fois, j'ai bien compris le message : "On vous soutient, faites un effort si vous voulez que ça continue." » Son manque de coopération n'a d'ailleurs pas tardé à être sanctionné. Une délégation régionale a envoyé une lettre de doléances, laquelle a déclenché un audit téléguidé d'avance.

Y a-t-il un lien entre ceci et cela ? En tout cas, un dirigeant de l'UIMM, branche patronale où l'on affiche volontiers une distance hautaine à l'égard de la maçonnerie alors que plusieurs responsables y sont affiliés, a dit à ce dirigeant limogé : « Vous vous êtes fait flinguer par les francs-maçons. »

Cette pénétration des organismes paritaires s'explique par le besoin de créer des consensus qui doivent parfois émerger en dehors des tables de négociation. C'est la face avouable de l'effet réseau. Mais il n'y a qu'un petit pas à franchir pour verser dans la cooptation contestable, qui pourrait se résumer ainsi : « On vous soutient, à condition que vous acceptiez de recruter certains de nos amis dans les instances dirigeantes. » Difficile de résister, difficile d'accepter aussi. Car ce type d'accord tacite vous place, le jour venu, en première ligne pour assumer des recrutements qui peuvent se révéler risqués.

Hasard des carrières ? C'est aussi dans le secteur de la formation professionnelle que l'ancien journaliste Patrick Kessel, ancien grand maître du Grand Orient écarté dans des circonstances houleuses, s'est reconverti dans un organisme lié à la formation professionnelle et à l'apprentissage. Cette association placée sous la tutelle du ministère de l'Économie et des Finances occupe 105 salariés et est pilotée par un conseil d'administration regroupant des représentants des partenaires sociaux, de l'État et des régions, ainsi que des personnalités qualifiées. Un dispositif très important pour une structure dont les professionnels ne voient plus vraiment l'utilité, si tant est qu'elle ait existé un jour. Centre-Inffo est chargé d'informer les spécialistes ? Pour la réactivité, les agences de presse sont plus rapides ; pour la technicité, les revues de droit, telles *Liaisons sociales*, sont plus précises. Il organise des colloques ? Une myriade d'acteurs purement privés, à commencer par les médias économiques, le font aussi, sans compter les événements émanant directement des ministères. Le 18 octobre 2007, Patrick Kessel recevait de Philippe Dechartre, ancien ministre, doyen du Conseil économique et social, les insignes d'officier de la Légion d'honneur sous la présidence de Jacques Dermagne, président du Conseil économique et social. Une cérémonie cent pour cent maçonnique.

Les vestiges de l'empire public

Une autre caractéristique typiquement française, dans le concert des nations occidentales, tient à la taille de son secteur public. Depuis deux décennies, il ne cesse de se réduire, avec la privatisation de nombreuses entreprises longtemps possédées par l'État, mais il reste très étendu. C'est dans leurs conseils d'administration, mais aussi à tous les étages de leur hiérarchie, que les francs-maçons ont fait leur nid. Il a longtemps existé un ministère des PTT, véritable pépinière fraternelle. Cette administration a été éclatée en plusieurs entités, dont les deux plus importantes sont La Poste et France Telecom. La Poste, tenue de s'ouvrir à la concurrence dans le cadre de l'Europe, voit ses personnels faire de la résistance. Et pour cause : la gestion paritaire des carrières n'y est pas un vain mot, puisque la maçonnerie y tient presque le rôle d'une direction des ressources humaines dédoublée, qui a un droit de proposition en matière de nominations. Bien entendu, rien n'est exprimé aussi ouvertement, mais les faits sont là. Ils résistent, pour l'instant, aux sirènes du management moderne. Quant à France Telecom, nombre de ses hauts dirigeants, passés ou présents, ont fréquenté les loges. Thierry Breton ? L'ancien président de l'entreprise ne se cachait pas, au début de sa carrière, pour afficher son appartenance, et tenter d'attirer quelques amis près des colonnes du temple. « Je crois que Breton a été initié il y a très longtemps sous la houlette de son premier mentor, l'ancien président du Sénat René Monory, raconte Jean-François Probst, qui a tout du maçon mais qui ne l'est pas. J'ai même été démarché par Breton, un soir, bien avant que ce dernier ne devienne un grand manager. Nous dînions chez lui, tout près du lycée Stanislas. Il m'a fait venir dans la pièce qui lui servait de bureau pour discuter "entre hommes". Les étagères et les murs étaient remplis de colifichets maçonniques. Quand j'ai fait une réflexion à ce propos, il m'a vanté les mérites de cette appartenance. Et puis nous sommes retournés au salon[1]. » Il a notamment appelé à ses côtés Didier Quillot, patron d'Orange. Ce frère, initié au Grand

---

1. Entretien avec l'auteur, le 19 juin 2008.

Orient de France, a poursuivi sa carrière dans le groupe Lagardère. Mais ce qui est vrai au comité exécutif l'est aussi dans les échelons moins élevés de l'entreprise : « Il faut toujours s'intéresser à la généalogie des organisations, assure ce haut fonctionnaire qui est passé par plusieurs entreprises publiques. France Telecom est l'héritage en droite ligne de la direction générale des Télécommunications, où la culture de l'ingénieur, engagé dans le service public, qui allait moderniser la France, entrait en forte résonance avec les ambitions et les convictions affichées par le Grand Orient. » La démonstration vaut aussi pour EDF, où la fraternelle maison n'a jamais fait recette... parce que l'omniprésence maçonnique la rend presque inutile. La plupart des directeurs généraux qui se sont succédé étaient des initiés, de même que plusieurs présidents et une proportion importante de l'état-major. Et lorsqu'un haut responsable était profane, il suffisait de le coopter au sein de la grande famille.

Un directeur général, au début des années quatre-vingt-dix, a été parrainé à la GLNF par un commissaire des Renseignements généraux, ancien patron de la section financière, détaché à EDF. Le jour de la cérémonie d'initiation, tous les frères de la hiérarchie sont conviés. « Nous étions plusieurs à être surpris de nous retrouver aussi nombreux, se souvient cet ancien directeur. Cela s'est reproduit pour le passage du directeur général aux grades de compagnon et de maître. Mais une fois franc-maçon, celui-ci a cru devoir en rajouter dans la solidarité. Je me souviens qu'un cadre qui avait usurpé un diplôme d'HEC devait être mis à la porte. C'était un frère, le directeur général a passé l'éponge. Même chose pour les promotions. Il se sentait obligé de promouvoir les maçons, même s'ils n'avaient pas les compétences suffisantes. Cela lui a fait faire quelques bêtises. Peut-être a-t-il fait du zèle parce qu'il était, en maçonnerie, le moins ancien dans le grade le moins élevé, soit une position diamétralement inverse de celle qu'il occupait dans l'organigramme d'EDF[1]. »

La même démonstration vaut pour Air France, où les P-DG comme les pilotes connaissent un taux d'initiation bien supérieur à la moyenne nationale. « Il y a, à Air France, une variable qui n'existe pas avec la même intensité dans les autres entreprises : un membre d'équipage, sur les longs courriers notamment, se trouve fréquemment en escale à l'étranger. Certains aiment écumer les boîtes de nuit, d'autres se trouvent chez eux partout dans le monde grâce aux loges. » Aéroports de Paris, un établissement qui a servi de point de chute à nombre d'anciens des cabinets ministériels, se montre aussi, traditionnellement, très accueillant. Rien d'illogique : une de ses missions premières consiste à assurer la sécurité des passagers ; ses personnels sont donc en contact permanent avec les services du ministère de l'Intérieur. Alors qu'ils occupaient la plupart des postes clés, les frères ont vu arriver comme directeur général, en 2001, Hubert du Mesnil, un polytechnicien dont le profil ne leur disait rien qui vaille : pas du tout branché Grand Architecte de l'Univers. Une atmosphère de paranoïa a commencé à s'installer. « Tous les directeurs francs-maçons ont été écartés les uns après les autres, assure l'une des "victimes". Et ceux qui restaient ont cru s'étrangler quand, à la suite de l'effondrement de la voûte du terminal 2 E, qui avait provoqué la mort de quatre personnes, le directeur général a animé lui-même une cérémonie religieuse en hommage aux victimes sur le tarmac de Roissy. » Lorsqu'ils perdent pied dans un de leurs bastions, les frères se montrent susceptibles et voient de l'antimaçonnisme partout !

---

1. Entretien avec l'auteur, le 4 février 2009.

18

Les frères et le marché

La loi du marché est-elle plus forte que celle de la solidarité ? Les réseaux sont-ils solubles dans la mondialisation ? En première analyse, la rigueur de la concurrence, l'obligation de performance auxquelles sont soumises les entreprises cotées s'accommodent mal d'une gestion des ressources humaines fondée sur le favoritisme. Mais, sauf à considérer que les francs-maçons sont, dans leur métier, moins compétents que les autres, hypothèse absurde, la confiance qui peut exister entre frères apparaît au contraire, dans un monde de brutes, comme un gage de loyauté et de fiabilité. Donc de sérénité, voire d'efficacité. La plupart de ceux qui acceptent d'évoquer la dimension de cooptation susceptible d'exister, dans le monde profane, entre frères, assurent qu'à qualité égale, ils choisissent l'un des leurs. Bien souvent, cela suffit. D'autant que l'appartenance à une obédience permet d'obtenir plus vite des contacts intéressants dans la plupart des pays étrangers. Pourquoi, dès lors, se priver ?

Les frères à tablier vert

Il existe, bien entendu, une tradition de service public. Les secteurs de l'économie les plus fraternels sont la plupart du temps ceux qui ont prospéré à l'ombre de l'État ou dont la fondation elle-même a été frappée du sceau maçonnique.

Le Crédit agricole cumule ces deux caractéristiques. Créée à la fin du XIXe siècle par un gouvernement radical, cette institution mutualiste a toujours abrité des frères parmi ses dirigeants, même si quelques catholiques, dans certaines caisses, sont venus créer un deuxième courant. Sa privatisation n'a pas mis fin aux bonnes habitudes, bien au contraire, si l'on en croit ce profane qui a fait la majeure partie de sa carrière au sein de la banque verte : « Chez nous, jusqu'il y a trois ou quatre ans, la question était de savoir si les francs-maçons allaient prendre le pouvoir. Aujourd'hui, ce n'est plus d'actualité. Divisés en deux factions, ils se battent entre eux, avec d'un côté le canal historique, plutôt radical, et affilié au Grand Orient, de l'autre l'aile libérale, de droite, venue de la Grande Loge Nationale Française. Le problème, c'est que cet affrontement dépasse le stade de l'anecdote et touche à la stratégie même du groupe. Comment, par exemple, expliquer l'erreur qui consiste à prendre 20 % d'une banque espagnole, Bankinter, qui n'a que 2 % de parts de marché ? Pourquoi, sur la crise des subprimes, le Crédit agricole est-il si exposé ? Sait-on qu'en novembre 2007, quelques semaines avant que Jérôme Kerviel ne devienne une célébrité mondiale, un trader du Crédit agricole à New York a perdu 250 millions de dollars en prenant des positions de l'ordre de 50 milliards de dollars ? L'affaire a été étouffée et personne n'en a entendu parler. Il a fallu attendre le printemps 2008 pour que certains déboires rencontrés sur les marchés financiers parviennent aux oreilles des actionnaires. Mais ces dysfonctionnements à répétition prouvent que l'équilibre des pouvoirs est instable, que le jeu de balancier entre la Fédération nationale et la société cotée en Bourse, Crédit agricole SA, ne fonctionne plus. » Ce dirigeant de longue date de la maison vient de prendre sa retraite. Depuis plusieurs années, il s'inquiète de l'importance prise par la franc-maçonnerie au sein du groupe. Une influence variable au gré des époques, mais qui a failli, au moins une fois, faire basculer le destin de la banque verte.

Traditionnellement, malgré sa coloration « radsoc », le Crédit agricole a toujours été classé à droite dans l'imaginaire collectif des élites. C'est le point de départ d'une tentative de coup d'État maçonnique réalisée au cours des années quatre-vingt dans une des plus grandes banques du monde.

À cette époque, le pouvoir au sein de la banque verte était encore partagé entre la Fédération nationale du Crédit agricole, qui représente les caisses régionales, véritables coffres-forts où se trouve l'argent des épargnants, et la Caisse nationale du Crédit agricole, bras armé de l'État pour fonder la stratégie du groupe[1]. Du temps où la CNCA était un établissement public, son directeur général était nommé par l'État. Celui qui est en place en 1981, lors de l'arrivée de la gauche au pouvoir, s'appelle Jacques Lallement. Inspecteur général des Finances, il est perçu comme franc-maçon au sein de la banque, mais cette appartenance supposée ne rejaillit en rien sur sa stratégie. Lorsqu'il va présenter,

---

1. La CNCA est devenue, au moment de la privatisation, CASA (Crédit agricole SA). Aujourd'hui, par l'intermédiaire de la SAS Rue La Boétie, les caisses régionales détiennent 54,73 % de la société cotée CASA, aux côtés d'investisseurs institutionnels, d'actionnaires individuels et des salariés.

pour la forme, sa démission au nouveau ministre des Finances Jacques Delors, il est aussi surpris que déçu que celui-ci l'accepte. Mais il y a du monde à caser parmi les nouveaux favoris du pouvoir. Jacques Bonnot remplace donc Jacques Lallement. Quatre ans passent. Pendant ce temps, les pouvoirs parallèles prospèrent au sein des caisses régionales. En mai 1984 est créée la Fraternelle des initiés du Crédit agricole mutuel (FICAM), destinée à promouvoir « l'entraide entre ses membres, l'étude et la défense de leurs intérêts ».

La Fédération nationale, qui chapeaute les caisses, est pilotée par deux hommes catalogués de droite : Yves Barsalou et Lucien Douroux, qui ne sont ni l'un ni l'autre maçons. On leur prête – avec raison – le projet de vouloir sortir le Crédit agricole du giron de l'État. Une dizaine de caisses ont alors pour directeur général un frère, généralement du Grand Orient et presque toujours proche du PS. C'est le cas de celles de l'Yonne, du Morbihan, du Calvados, de la Somme, du Périgord, de Rouen, ou de Lyon.

La guerre entre les frères et les cathos est engagée. D'autant que Jean-Paul Huchon, ancien directeur de cabinet de Michel Rocard au ministère du Plan puis à l'Agriculture, aujourd'hui président de la région Île-de-France, vient de remplacer le très discret directeur général. Entre l'équerre et le goupillon, le choix de cet homme rond et amateur de second degré est fait. « Il est venu avec une équipe de dix personnes, ce qui ne s'était jamais vu, raconte l'un de ceux qui l'ont accueilli... un peu fraîchement. Beaucoup de gens, dans la maison, ont immédiatement considéré qu'il était lui-même initié, en raison du profil de cette garde rapprochée et des soutiens auxquels il faisait appel en interne. En tout cas, il a soutenu la guerre contre l'émancipation du Crédit agricole[1]. »

---

1. Entretien avec l'auteur, le 6 mai 2008.

Cette guérilla prend alors pour cible l'assurance en couverture de prêt (ADI), une activité très lucrative qui commence à prospérer. Elle oblige tout emprunteur à souscrire un contrat qui couvre ses remboursements en cas de décès. Le Crédit agricole a développé cette activité en interne. Mais la dizaine de caisses dirigées par des maçons décide subitement de choisir un prestataire extérieur, GMRA (Gestion et maîtrise des risques d'assurance), dirigé... par un frère bien sûr. Au grand désappointement des frères putschistes, les autres caisses ne suivent pas le mouvement de sécession. « Beaucoup d'entre nous étions indifférents à ces histoires de francs-maçons, raconte le directeur d'une de ces caisses. Mais subitement, il nous a semblé que notre banque allait sortir affaiblie de cette histoire, d'autant qu'il y avait des articles dans la presse, et puis un contrôle fiscal. » Un article, paru dans *Le Canard enchaîné*, accuse l'ADI de servir à financer les partis politiques. Le contrôle fiscal, où certains voient l'initiative de l'équipe Huchon, se solde par un redressement de plus d'un milliard de francs. Le chèque ne sera jamais fait, car de recours en recours, Yves Barsalou finit dans le bureau de Pierre Bérégovoy, ministre des Finances, à qui il assure que la mairie de Nevers brûlera s'il est obligé de payer. Le représentant du monde paysan, qui sait que certains éléments incontrôlables figurent dans ses rangs, parlait-il au sens propre ou au sens figuré ? L'histoire ne le dit pas. Ou alors il s'agissait d'un trait d'humour, ce qui est très possible aussi après tout !

Les coups portés, des deux côtés, sont donc très rudes. Dans le camp des frères, le directeur général de caisse le plus influent est sûrement Guy Delion, qui représente le Morbihan et sera ensuite président du Festival interceltique de Lorient. Cet homme ne cache pas son appartenance et déclare à plusieurs hiérarques parisiens, catalogués profanes : « Tu vas à la messe, tu sais que je n'y vais pas. » Mais, comme souvent, c'est un personnage placé plus bas dans la hiérarchie de la banque, mais plus gradé en maçonnerie, qui assure la fluidité de la stratégie maçonnique. Breton comme Guy Delion, Pierrick Livert, aujourd'hui décédé, s'occupe à la Caisse nationale des relations avec les caisses régionales. Un magnifique poste de coordination où ses prérogatives dépassent de loin ce que laisse supposer sa place dans l'organigramme. « Livert ne se cachait pas d'être franc-maçon, raconte un de ses amis du Crédit agricole. D'ailleurs, à ses obsèques, certains frères sont carrément venus en tablier, comme cela, les choses étaient claires. »

Mais le coup de force échoue. Malgré tous leurs efforts, malgré leurs nombreux relais, les maçons perdent puisqu'en 1988, la « mutualisation » – pour ne pas dire privatisation, tout de même ! – est actée. Les dirigeants qui étaient aux avant-postes de l'opération ont eu très peur : « La banque aurait pu basculer dans les années quatre-vingt, raconte un dirigeant de l'époque. Il aurait suffi que quelques caisses régionales de plus penchent du côté maçonnique pour changer toute la stratégie, empêcher la privatisation et fragiliser durablement l'édifice. »

Le Crédit agricole, une fois sorti de l'orbite de l'État, demeure néanmoins une terre de mission maçonnique. Au début des années quatre-vingt-dix, François Goulard, futur ministre de la Recherche dans le gouvernement Villepin, aujourd'hui député-maire de Vannes, n'est pas encore un homme politique, mais un haut fonctionnaire bien sorti de l'ENA – à la Cour des comptes – et reconverti dans la banque. Il est le directeur général de la Banque parisienne de crédit, une filiale du groupe Suez. Un jour, il est appelé par un chasseur de têtes du cabinet de recrutement Progress, dont le patron, aujourd'hui décédé, Jean Losi, était un frère. Alors qu'il

256

est à peine quadragénaire, on lui propose un joli poste : secrétaire général de la Caisse nationale du Crédit agricole. Évidemment, cela l'intéresse. Le premier entretien se passe bien. Le chasseur de têtes se montre séduit. D'ailleurs, au moment de prendre congé, il fait un peu comme l'inspecteur Colombo dans la célèbre série télévisée, qui lâche la poignée de la porte, se retourne vers son interlocuteur et lui pose la question. En l'espèce, elle est très simple : « Êtes-vous franc-maçon ? »

François Goulard, même s'il perçoit que ce n'est pas très bon, est bien obligé de répondre par la négative. Le chasseur de têtes masque à peine sa déception mais lui promet néanmoins de revenir rapidement vers lui. Le coup de fil ne traîne pas, en effet. Malheureusement, c'est non : « Ils en ont préféré un moins bien que vous », annonce, non sans humour, l'homme de Progress au jeune banquier. « Effectivement, j'ai mieux compris lorsque Jean-Paul Huchon est entré chez Progress comme partenaire[1]... », ajoute François Goulard avec malice. Un autre rocardien, Yves Colmou, qui ne cache pas son inclination pour les « activités intellectuelles », a rejoint depuis ce cabinet au nom tout à fait limpide, pour peu que l'on soit averti. C'est d'ailleurs un autre ancien du cabinet de Rocard à Matignon, Alain Prestat, qui a succédé à Jean Losi lorsque celui-ci est décédé prématurément.

La banque verte, à la même époque, doit faire face à plusieurs scandales internes qui, malheureusement, impliquent tous des maçons. Ses dirigeants découvrent avec effarement un trou énorme dans la Caisse de l'Yonne, haut lieu de la maçonnerie, masculine mais aussi féminine. Même le commissaire aux comptes est de la confrérie ! Le directeur général, lui, est, comme

---

1. Entretien avec l'auteur, le 31 janvier 2008.

Jean-Yves Haberer au Crédit lyonnais, un adepte de la « banque-industrie » : il fait entrer la Caisse dans le capital de certaines entreprises auxquelles celle-ci prête par ailleurs de l'argent. « Au départ, raconte un témoin de cette époque, il y avait sûrement une vision, mais très vite, l'opportunisme et le dévoiement ont pris le dessus. » Il convient de parler avec prudence de cette affaire ; en effet, alors qu'elle a été découverte en 1993, que le directeur a été licencié la même année, que la direction du Crédit agricole, après quelques atermoiements, a décidé de porter plainte, elle n'est toujours pas jugée. Quelque quinze années plus tard ! Les dirigeants du Crédit agricole ont compris à cette occasion que la justice, à l'époque, à Auxerre et à Marseille, n'était peut-être pas exempte d'interférences fraternelles qui l'ont incitée à se hâter lentement. Le fameux directeur, n'ayant pas été condamné, est donc présumé innocent.

La franc-maçonnerie n'est pas non plus absente du long conflit qui a opposé le Crédit agricole à l'ancien directeur général de la caisse de la Martinique et de la Guyane, Maurice Laouchez. Au milieu des années quatre-vingt-dix, il apparaît, après inspection, que les pertes rapportées au bilan sont abyssales, à cause de prises de participation dans le domaine immobilier. On retrouve d'ailleurs au capital de certaines opérations les caisses de l'Yonne et du Morbihan. La plainte pour escroquerie et abus de biens sociaux du Crédit agricole s'appuie notamment sur le fait que le directeur et trois de ses frères – au sens biologique du terme – avaient des intérêts dans une opération touristique appelée « Hameau de Beauregard » qui s'est soldée par un fiasco. Maurice Laouchez a été condamné le 14 février 2008. Quelques jours plus tard, alors qu'il venait de recevoir le commandement d'huissier lui réclamant, conformément à l'arrêt de la cour d'appel, plus de

11 millions d'euros, cet homme assez populaire à Fort-de-France entame une grève de la faim devant le siège du Crédit agricole de Martinique. Une initiative couronnée de succès : « Le 15 mai 2008, le Crédit agricole de Martinique et de Guyane et Monsieur Maurice Laouchez ont signé un protocole d'accord mettant définitivement fin à leur contentieux », annonce un communiqué laconique signé par les avocats des deux parties – au nombre desquels on retrouve, pour assister Maurice Laouchez, Me Paul-Philippe Massoni, fils du policier de haut rang et grand dignitaire de la Grande Loge de France. Le communiqué précise, comme il se doit, que les termes de cet accord sont confidentiels. Les frères – non biologiques cette fois ! – ont peut-être contribué à mettre du liant...

L'influence maçonnique s'est-elle émoussée avec l'entrée dans le CAC 40 et dans la mondialisation ? Le marché rend-il ce mode de gouvernance fraternelle plus compliqué que du temps du mutualisme à la papa ? Pas sûr. Par le passé, le lobby des frères n'a pas toujours remporté des victoires au sein de la banque verte. Lucien Douroux, qui a été le principal artisan du virage vers la privatisation, a conquis ses premiers galons, en 1981, en devenant secrétaire général de la Fédération nationale du Crédit agricole (FNCA). Issu de la Jeunesse agricole chrétienne (JAC), il figure parmi les rares à n'avoir jamais été crédité d'appartenir à une obédience. Quand il se présente à ses pairs, comme directeur de la Caisse d'Île-de-France, il a pour adversaire le patron de la caisse régionale de la Somme, candidat déclaré des loges. « Sur le papier, raconte un témoin de l'élection, Douroux n'était pas favori, car l'autre candidat avait derrière lui près d'une dizaine de caisses tenues par les frères, comme celles du Morbihan ou du Périgord. Mais c'est lui qui a fait le meilleur discours. L'autre s'est effondré à la tribune, comme quelqu'un qui n'est pas vraiment convaincu d'être à sa place[1]. »

Pour l'avenir, la privatisation a changé les règles des jeux d'influence, mais ne les a pas gommées... À la maçonnerie tendance radicale, affiliée au Grand Orient, s'en est simplement ajoutée une autre, plus à droite et plus capitaliste.

Les chasses gardées mutualistes

Et dans les autres banques de la place ? L'emprise fraternelle est très variable. La franc-maçonnerie n'exerce en revanche aucune influence visible à la BNP. « Il est possible que certains de ses dirigeants en soient, mais si c'est le cas, ils ne le montrent vraiment pas, assure ce haut fonctionnaire du ministère des Finances. Je serais moins affirmatif en ce qui concerne, par exemple, la Société générale. »

Elle demeure en revanche forte dans tout le secteur mutualiste, comme en témoignent les mésaventures du Crédit agricole. Des histoires similaires jalonnent l'existence du Crédit mutuel, où certains dirigeants ne se cachent pas de leur appartenance devant leurs jeunes collaborateurs, des golden boys issus des salles de marché qui trouvent ces attitudes aussi pittoresques qu'anachroniques. Au moins leurs supérieurs ne jouent-ils pas la carte de l'hypocrisie et de la dissimulation, à moins qu'ils ne sous-estiment les qualités d'intuition de leur entourage. Aux Banques populaires, l'ambiance est moins décontractée et plus dissimulatrice, mais la présence maçonnique constante. C'est également le cas chez Natixis, banque d'investissement issue d'un mariage de raison entre Banques populaires et Caisse d'épargne, où

---

1. Entretien avec l'auteur, le 29 avril 2008.

existe depuis 1983 la fraternelle de l'Écureuil. Un dirigeant – maçon – peut ainsi défendre, avec toutes les apparences de la sincérité, l'idée que la franc-maçonnerie, dans ce groupe, n'a aucune importance, puisqu'il a licencié un frère... Il ne précise pas que celui-ci a été remplacé par un autre ! .

Ah, les mutuelles ! Voilà le vrai paradis des frères. Ils s'y cooptent depuis des années, au risque d'alourdir les frais de structures. L'exemple de la Camif est de ce point de vue exemplaire. Établir un lien direct entre le poids des réseaux francs-maçons et la faillite de cette coopérative créée pour les enseignants serait peut-être abusif... Encore que ! La déconfiture de cette entreprise liée à la MAIF, autre maison de maçons, laisse, à Niort, quelque deux mille salariés sans emploi. Certains d'entre eux commencent à raconter leurs doutes et leur rancœur. Le patron, ancien inspecteur d'académie, n'avait pas d'expérience dans le secteur privé lorsqu'il a pris le gouvernail. Cette fragilité a vraisemblablement contribué à des investissements hasardeux, tels que l'ouverture de filiales en République tchèque et au Portugal, ou encore l'achat d'un hôtel particulier. Quant à Internet, l'équipe dirigeante n'y a pas cru pendant longtemps, avant d'engloutir des millions dans l'élaboration d'une plate-forme. Sur les recommandations de Ségolène Royal, présidente de la région Poitou-Charentes et ancienne députée des Deux-Sèvres, les policiers ont épluché les comptes, éclairé des pistes afin d'établir s'il y avait eu des malversations. Ils n'ont rien trouvé, à part une tendance dépensière et une certaine extravagance gestionnaire. Le liquidateur qui a été désigné, lui, s'est étonné auprès de plusieurs interlocuteurs des pressions qui sont exercées sur lui, et derrière lesquelles il n'est pas difficile de déceler l'empreinte maçonnique. L'enjeu ? Désigner le « bon » repreneur, alors que des propositions venant de l'ancienne équipe rivalisent avec des offres extérieures, provenant notamment de... mutuelles. Des institutions qui ont bien entendu elles aussi leur fraternelle : Mucaso, pour Mutualité carrefour social dont le but est de « mieux se connaître et de mener une réflexion sur le devenu des structures mutualistes ».

À l'ombre de l'État

Les bâtisseurs de cathédrales restent le modèle historique des francs-maçons du XXIe siècle, qui leur ont emprunté une bonne part de leurs traditions, outils et symboles : l'équerre, le compas, le fil à plomb, mais aussi les mots de passe qui permettaient aux compagnons de se reconnaître entre eux lorsqu'ils voyageaient de chantier en chantier. De nos jours, on construit moins de cathédrales mais des tours, des routes, des ponts, toutes sortes d'ouvrages d'art pour lesquels le béton a remplacé la pierre taillée. Mais l'appartenance reste la même.

C'est vrai chez Bouygues, mais aussi dans d'autres groupes importants comme Eiffage, une très belle entreprise qui a connu une notoriété nouvelle comme maître d'œuvre du viaduc de Millau. « Nous avons mis du temps à comprendre que plusieurs membres de l'état-major étaient engagés dans la franc-maçonnerie, ou au moins en sympathie avec elle, raconte un représentant des actionnaires. Mais cela nous est apparu très clairement lorsqu'il a fallu recruter un cadre dirigeant de haut rang. »

Serge Michel, le président du comité de rémunération d'Eiffage, a fait toute sa carrière dans le bâtiment et les travaux publics, d'abord à la Générale des Eaux, puis dans sa filiale, la SGE, devenue par la suite Vinci, dont il a été le président. Âgé de plus de 80 ans, il continue de jouer un rôle de premier plan dans le secteur. Beaucoup d'acteurs et d'observateurs du monde des entreprises voient en lui un fin connaisseur du sérail maçon, même si son carnet d'adresses ne se limite pas, loin s'en faut, à la fraternelle du bâtiment et des travaux publics. Il est membre du club des 100, un rassemblement de gourmets très sélect, et copropriétaire du grand restaurant parisien Ledoyen. Jusqu'en 2006, il avait réussi à rester un homme de l'ombre, dont le nom n'apparaissait – presque – jamais dans les journaux.

C'est le scandale Vinci qui a permis d'en apprendre plus sur ce faiseur de rois, Vinci dont il fut le président, puis un administrateur influent. En 2000, Antoine Zacharias prend la tête de l'entreprise, devenue indépendante, et en fait, en quelques années, le numéro un mondial de la construction et des services associés, comme l'on dit : parkings, autoroutes et concessions en tous genres. Six ans plus tard, en juin 2006, Antoine Zacharias quitte le groupe à l'issue d'une sanglante bataille à ciel ouvert avec son successeur désigné, Xavier Huillard. Zacharias a porté Vinci au zénith et entend en être récompensé. Sa rémunération culmine à plus de 4 millions d'euros par an, sans compter la retraite chapeau qu'il s'est accordée en quittant la présidence exécutive du groupe, et les stock-options pharaoniques qui, avec l'appréciation du titre, sont évaluées à plus de... 170 millions d'euros. L'X-Ponts Xavier Huillard, son successeur désigné, semble un peu terne comparé à son flamboyant prédécesseur, diplômé de l'obscure École nationale supérieure d'électronique, d'électrotechnique, d'informatique et d'hydraulique de Toulouse, mais très extraverti et sensible au luxe ostentatoire. Il a du mal à exister à l'ombre d'un Zacharias retranché dans un hôtel particulier redécoré façon palais mais soucieux de continuer, de loin, à tout piloter. La goutte d'eau, ce sont les 8 millions d'euros qu'Antoine Zacharias entend toucher comme « bonus » pour avoir obtenu les Autoroutes du Sud de la France (ASF) lors de leur privatisation.

Une transaction qui ne sert pas au mieux les intérêts de l'État et où l'on suggère l'intervention de réseaux maçonniques. François Bayrou s'en indigne d'ailleurs en ces termes : « On sait désormais pour qui était la bonne affaire de la privatisation des autoroutes ! On découvre que les avantages de cette privatisation pour ces sociétés privées étaient tels que l'ex-président de Vinci exigeait des gratifications de millions et de millions d'euros pour avoir réalisé cette superbe opération. Or, cette privatisation des ASF a été acceptée par le gouvernement sans qu'il y ait aucune concurrence véritable. Par le plus grand des hasards, il n'y a eu qu'un seul repreneur intéressé... Et l'affaire s'est révélée en fait si juteuse qu'il n'y avait rien de plus urgent, après la signature, que de répartir des millions d'euros de prime. On l'a découvert par hasard, à la suite d'un conflit interne. Mais cela était destiné à demeurer secret[1]. » À ceci près que Xavier Huillard a pris les devants. Sent-il sonner l'heure de sa disgrâce ? Il a consigné par écrit, dans un courrier manuscrit à Antoine Zacharias, sa réprobation.

Excellente intuition, car « Zach », comme on l'appelle dans le milieu, a déjà le nom de son remplaçant. Il s'agit d'Alain Dinin, administrateur et patron de Nexity, qui vient lui aussi de la Générale des Eaux. Il s'est ouvert de ses desseins à la plupart des administrateurs... Le sort de Xavier Huillard semble scellé. Mais le bon élève se rebelle. Le 26 mai, les administrateurs reçoivent de lui un courrier dont le ton autant que le contenu sont inhabituels. Conseillé par un avocat pénaliste, Jean-Pierre Versini-Campinchi, le patron opérationnel de Vinci

---

1. Interview au *Parisien*, 3 juin 2006.

« charge » Zacharias, qu'il accuse de n'être plus mû que par l'argent, d'être « gavé » de stock-options, d'avoir fait décorer à grands frais l'hôtel particulier où il a installé son bureau, d'exiger en sus une prime pour le rachat des ASF. Pour se faire bien comprendre, il menace le conseil d'administration de dénoncer sa complaisance à l'égard de tels comportements et cible plus particulièrement deux de ses membres : le consultant de luxe Alain Minc et Serge Michel, qui, via leurs sociétés de conseil, sont rémunérés par Vinci. Sans compter les « frais de bouche », puisque les repas de Vinci ont souvent lieu chez… Ledoyen. La vilaine expression de « conflit d'intérêts » est même énoncée. Le 1er juin, date du conseil d'administration qui doit destituer Xavier Huillard, de larges extraits de sa lettre sont publiés par *Le Parisien*. L'ambiance autour de la grande table est plus que tendue. Effrayés par d'éventuelles poursuites judiciaires et soucieux de ne pas voir un nouveau scandale sur la rémunération des patrons éclabousser la place de Paris, quelques administrateurs, notamment les représentants des banques, tournent casaque. Par neuf voix contre sept, le conseil refuse la révocation de Xavier Huillard. C'est la défaite, plus qu'inattendue, d'Antoine Zacharias, qui quitte la salle, pâle et défait. Il risque de se priver, du même coup, de la fortune qui l'attend : les stock-options sont attribuées en cas de révocation, pas de démission. Voilà pourquoi il fera valoir de manière constante, par la suite, qu'il n'a pas démissionné…

Quel rapport avec la franc-maçonnerie ? L'avocat d'Antoine Zacharias, Me Olivier Schnerb, fait une note à son client que celui-ci joint à la lettre qu'il adresse au conseil d'administration pour réclamer son dû. « Combien d'irrégularités la conduite de Grenoble, dont le président de Vinci a été victime, comporte-t-elle ? » interroge l'homme de loi, distingué agrégé de philosophie. La formule, incompréhensible pour le profane, est relevée par plusieurs journalistes, dont Frédéric Lemaître, du *Monde*, et Martine Orange, alors à *Challenges*. Celle-ci consacre un article au décryptage de cette formule énigmatique. « La question, écrit-elle, fait référence à une cérémonie en usage dans les loges maçonniques, au cours de laquelle un membre coupable de vol ou d'escroquerie est exclu. Mais pourquoi avoir recours au langage codé de la franc-maçonnerie ? On pressentait déjà, depuis le début de l'affaire Vinci et du renvoi d'Antoine Zacharias, que tout n'avait peut-être pas été dit. Certes, les rémunérations astronomiques de l'ancien P-DG, ses pratiques isolées du pouvoir justifiaient des sanctions. Mais tout ceci avait été supporté pendant bien longtemps, sans que personne n'y trouve à redire. Pourquoi ? Derrière cette brusque prise de conscience donnée en guise d'explication officielle, n'y avait-il pas quelques intentions, quelques motifs inavoués, dont on comprendrait plus tard les tenants et aboutissants ? La lettre d'Antoine Zacharias ne peut que renforcer cette impression. » La journaliste dresse un constat sévère : « Tout oppose le monde des loges, secret, obscur, à celui des affaires, censé – comme on ne cesse de nous le répéter – être celui de la transparence, du respect des règles de gouvernance. Pourtant, on ne peut que constater que le premier déborde de plus en plus sur le second. Depuis des mois, sans cette clé, certains dossiers semblent être hors de toute compréhension. Des disputes apparaissent, des règlements de comptes se produisent, des mariages sont réalisés qui semblent s'inscrire dans un ordre autre que celui de la stricte rationalité économique et financière. La querelle entre la Caisse des dépôts et les Caisses d'épargne, par exemple, aurait-elle pris autant d'ampleur, sans cette dimension-là ? Aujourd'hui, Vinci paraît être dans le même contexte de lutte d'influence entre loges ou obédiences, avant peut-être d'aboutir à une prise de contrôle par Veolia. Où tout cela s'est-il décidé ? Dans des conseils ou dans des loges[1] ? »

Une bonne question qui soulève l'indignation, un peu partout. Plusieurs voix maçonniques expliquent que la conduite de Grenoble n'a rien à voir avec le rituel voué au Grand Architecte de l'Univers. Pourquoi, alors, Me Schnerb a-t-il choisi cette référence, pas très explicite pour le commun des profanes ? En 2009, alors qu'Antoine Zacharias n'est plus son client – il a choisi un autre conseil et une autre stratégie –, l'avocat assure que ni lui ni Antoine Zacharias ne sont maçons. Ah bon ! Pourquoi, alors, évoquer la « conduite de Grenoble » ? Il s'agit, selon l'avocat, d'une vieille expression issue du compagnonnage, et non de la franc-maçonnerie, qui décrit le sort déshonorant réservé à celui qui a commis une escroquerie dans un univers où tout repose sur la confiance[2]. Il estime que c'est là la formule qui convient le mieux pour qualifier la façon dont son client avait été traité et qui l'avait flétri indûment. Mais une telle référence ne sert à rien si elle n'est comprise par personne... Aucun des membres du conseil d'administration de Vinci n'étant compagnon du tour de France, l'allusion ne vaut que par sa résonance maçonnique.

Quelques semaines plus tard, le groupe Veolia, qui a hérité, peut-être plus encore que Vinci, des réseaux fraternels de la Générale des Eaux, lançait une OPA contre Vinci. Son P-DG, Henri Proglio, avait obtenu le feu vert de son conseil d'administration, dans lequel siège Serge Michel, soutien de la dernière heure d'Antoine Zacharias. Une opération considérée comme très hostile par l'entourage de Xavier Huillard, et qui a été vouée à

---

1. *Challenges*, 15 juin 2006.
2. Entretien avec l'auteur, le 17 décembre 2008.

l'échec. Vinci coûtait trop cher pour Veolia, très endettée. Les voies des conseils, comme celles des loges, demeurent souvent impénétrables. Sauf lorsqu'une querelle interne laisse entrevoir l'envers du décor...

Service public, toujours

Il existait à la GLNF, à une époque, un atelier surnommé Loge des Eaux. La plupart de ses membres étaient, de près ou de loin, intéressés par les concessions de service public destinées à approvisionner tous les robinets de France. Une activité des plus rentables, en grande partie partagée pendant des années entre deux mastodontes, la Lyonnaise et la Générale des Eaux. « C'était assez caricatural, raconte un des anciens membres de cette loge. Des élus locaux, ou mieux, des fonctionnaires territoriaux, étaient initiés de temps à autre. Quatre fois sur cinq, ils travaillaient dans une collectivité qui allait renouveler bientôt sa concession. Comme un geste en entraîne un autre, les premières discussions qu'ils avaient eues avec des frères travaillant pour l'un ou l'autre fournisseur avaient été si chaleureuses que ceux-ci leur avaient proposé de les parrainer. Quelquefois, ce n'était pas la peine. Ils étaient déjà initiés... »

La Générale ou la Lyonnaise des Eaux[1], en effet, appartiennent à des groupes privés, de taille internationale, mais leur prospérité dépend de leurs clients. Et leurs clients ne sont autres que les villes, les communautés de communes et d'agglomération. Voilà comment la franc-maçonnerie fait de la résistance et prouve qu'elle n'est pas soluble dans la mondialisation...

---

1. Qui font respectivement partie des groupes Veolia et Suez.

19

À la conquête du monde

Pour se lancer à l'assaut de la planète, la franc-maçonnerie a précédé les multinationales. L'implantation des
loges en Afrique ou en Inde remonte aussi loin que la
colonisation. La GLNF ne s'appelait-elle pas, jusqu'en
1990, Grande Loge Nationale Indépendante et Régulière pour la France et les Colonies françaises ? Tendant
à l'universel, les frères anglo-saxons, puis français, ont
de tout temps souhaité planter leur drapeau à l'étranger. Le Grand Architecte de l'Univers mérite bien d'être
célébré sous toutes les latitudes. L'entreprise a d'ailleurs
été couronnée de succès, puisqu'ils sont aujourd'hui
plus de 7 millions à porter le tablier sur tous les continents, essentiellement sous le haut patronage de la
Grande Loge Unie d'Angleterre, mère de toutes les
loges régulières.

Avec l'intrusion de la politique, du commerce international, de la course au pétrole, les missionnaires ont été
remplacés par les hommes de pouvoir et d'affaires. Et la
fraternité n'est plus seulement une fin en soi. C'est
aussi, souvent, un moyen bien pratique pour se livrer à
des quêtes très prosaïques.

Désunion européenne ?

À l'échelon des obédiences, l'Europe des frères n'est pas pour demain ! Rien que les Belges et les Français du Grand Orient sont en désaccord sur la manière de s'unir. Les premiers souhaitent une sorte de super-grande maîtrise située à Bruxelles, avec locaux, président, vice-président... Les seconds veulent opter pour une plus grande souplesse, afin de ne pas perdre la main, alors qu'ils sont en situation de supériorité numérique. La GLNF, elle, se montre beaucoup plus à l'aise. Appartenant au grand réseau mondial des obédiences, elle a un pied à Bruxelles comme ailleurs.

Un peu plus qu'ailleurs, peut-être, car la capitale de l'Europe compte de nombreux anciens de Bineau, des Américains exilés après le déménagement du siège de l'OTAN, en 1966. Mais avec le temps, ce petit avantage comparatif tend à s'estomper. Car derrière le désaccord apparent des obédiences, qui ne parviennent pas à se fédérer officiellement, les loges se multiplient à Bruxelles depuis que la ville est devenue à la fois le théâtre d'un intense lobbying et un lieu où beaucoup de fonctionnaires vivent en solo, s'ennuient un peu et ne demandant pas mieux qu'occuper une partie de leurs soirées en élargissant leur carnet d'adresses. « Beaucoup de fonctionnaires travaillant pour la Commission, pour le Conseil européen ou pour des instances qui en dépendent ont été initiés sur place, raconte ce haut fonctionnaire qui, lui aussi, vit seul à Bruxelles. C'est une façon de se sentir moins isolé tout en faisant des rencontres intéressantes[1]. »

---

1. Entretien avec l'auteur, le 13 décembre 2007.

Mais la fraternité ne sert pas seulement à meubler les soirées de quelques solitaires. Elle a, ces dernières années, joué un rôle dans des nominations, et même, semble-t-il, dans la conduite de certaines enquêtes menées par l'OLAF, l'Office de lutte anti-fraude mis en place pour contrôler, notamment, l'utilisation légale des fonds européens.

En 2007, l'hebdomadaire italien *L'Espresso* publie une enquête intitulée « La loge des affaires ». « Parlementaires, généraux, industriels, tous unis pour garder la main sur les marchés en Calabre et peser à Bruxelles. Pour le ministère public, c'est un véritable cartel qui menace les institutions comme en son temps la loge P2 », écrivent les deux enquêteurs, Peter Gomez et Marco Lillo. De quoi s'agit-il ? De la pollution en Calabre, où plus de 50 millions d'euros ont été dilapidés en dix ans pour construire des stations d'épuration et des incinérateurs de déchets qui n'ont pratiquement jamais fonctionné. Le rapport avec l'Europe ? Au cours de son enquête, Luigi De Magistris, le procureur de Cantanzaro, capitale de cette région du sud de l'Italie, décide de faire figurer sur la liste des suspects le secrétaire de la Démocratie chrétienne, Lorenzo Cesa, député européen et membre de la très influente Cocobu, la Commission de contrôle budgétaire du Parlement des 27. Cesa doit répondre, avec un groupe important de généraux, d'industriels et de parlementaires, du délit de violation de la loi Anselmi : adoptée à la suite du scandale de la loge P2, elle réprime la constitution d'associations secrètes. Lorenzo Cesa est, d'après les investigations menées par la justice en Italie, associé à deux autres personnes au sein d'une société, Digitaleco[1]. Celle-ci aurait pour prin-

---

1. Digitaleco, qui a depuis changé de propriétaire, tente de montrer par l'exemple qu'il est possible d'entreprendre en Calabre.

cipal objet d'obtenir des fonds – en l'espèce, 5 millions d'euros – auprès de l'Union européenne. Les deux associés de Cesa sont Fabio Schettini, ancien secrétaire, à Bruxelles, du vice-président de la Commission européenne Franco Frattini, devenu depuis ministre des Affaires étrangères dans le gouvernement de Silvio Berlusconi, et Giovanbattista Papello, ex-responsable du Commissariat à l'urgence environnementale de Calabre. Le procureur De Magistris soupçonne une « loge secrète » de contrôler l'approvisionnement en fonds européens d'un axe Bruxelles-Rome-Cantanzaro.

L'OLAF se saisit du dossier et tente d'établir si des fonds européens ont été détournés, d'une part, et si Lorenzo Cesa, d'autre part, aurait utilisé abusivement ses fonctions au Parlement européen pour favoriser des amis, par exemple. Mais à Bruxelles, l'affaire se complique. Le directeur général de l'OLAF, l'Allemand Franz Hermann Bruner, vient d'être reconduit dans ses fonctions, contre trois candidats, un Suédois, un Français et un Italien qui semblaient au moins aussi bien placés que lui. Il a reçu le soutien du porte-parole de l'OLAF, Alessandro Buttice, très lié au général Cretella, cité dans le dossier de Calabre comme membre éminent de la Grande Loge de San Marin… et celui de Lorenzo Cesa, puisque l'OLAF est placé sous le contrôle de la fameuse Cocobu.

Ce qui trouble les observateurs, c'est qu'à peine reconduit, Franz H. Bruner donne une interview au journal allemand *Stern* laissant entendre qu'il n'y a rien d'irrégulier dans l'histoire de Digitaleco. Il adresse également une lettre, rédigée en italien, au ministre de la Justice du gouvernement Prodi, Clemente Mastella, réclamant une enquête disciplinaire contre le procureur De Magistris, soupçonné de violation du secret de l'instruction. Ce dernier s'est montré en effet imprudent en parlant à la presse. Il est donc menacé de dessaisissement. Le vice-ministre de la Justice italien, Luigi Scotti[1], interrogé à la télévision italienne sur les ennuis du procureur, répond pour se dédouaner que le directeur général de l'OLAF lui-même lui a demandé, par écrit, d'intervenir contre De Magistris. En interne, les enquêteurs de l'OLAF sont invités à classer le dossier Digitaleco visant Cesa. Motif : rien ne prouve que celui-ci ait usurpé ses fonctions de parlementaire européen. Selon des proches du dossier[2], aucune fraude alléguée n'a pu être prouvée, mais tous les renseignements trouvés n'ont pas eu le temps d'être exploités. À peine le classement obtenu, l'avocat de Cesa réclame un communiqué de presse annonçant que son client est blanchi. Et il faillit bien l'obtenir. L'équipe qui a enquêté doit batailler trois semaines durant contre le porte-parole pour stopper cette entreprise de blanchiment médiatique. Les services juridiques de l'OLAF lui donnent raison in extremis. Trois ans plus tard, le dossier judiciaire, retiré au procureur De Magistris, a été « dépaysé » à Rome, où il dort paisiblement et, semble-t-il, pour longtemps. « On assiste dans cette histoire à une sorte d'opération *Manisporche* (mains sales) qui est le symétrique terrifiant de ce qu'avait été *Manipulite* (mains propres) dans les années quatre-vingt-dix », déplore un magistrat italien. Seul le général Cretella, cité dans l'affaire, a subi quelques déconvenues. Soutenu notamment par ses amis de Bruxelles, il avait réussi à décrocher un poste de consultant auprès de la Commission européenne. Après la publication de l'article de *L'Espresso*, sa nomination a été annulée...

---

1. Luigi Scotti fait alors partie du gouvernement de centre-gauche de Romano Prodi.
2. Entretien avec l'auteur, le 23 janvier 2009.

L'Afrique, le fric et la guerre

Fraternité Europe Afrique est le bulletin de liaison du Groupe fraternel d'étude des questions africaines, connu des initiés sous le sigle GFEQA. Il est envoyé aux membres de cette fraternelle depuis le bureau de la vice-présidente du Sénat, Michèle André. Cela évite les frais postaux et permet aux destinataires de ne pas risquer de se dévoiler aux yeux de leur facteur, de leur gardien ou de leurs voisins. L'innocente enveloppe porte juste l'en-tête de la Haute Assemblée : prestigieux et pas compromettant. En janvier 2009, son contenu est inhabituellement dense. La fraternelle fête son 33ᵉ anniversaire. Et 33, en maçonnerie, n'est pas un chiffre comme les autres. Puisqu'il marque « le dernier degré franchi dans cette mort progressive à la vie profane ». Mais surtout, le GFEQA annonce et prépare le grand symposium qui réunit chaque année les francs-maçons français et africains. Les Rencontres humanistes et fraternelles africaines et malgaches (REHFRAM) se tiennent cette année 2009 au Maroc, à Casablanca, au mois de février. Il y est question, comme chaque année, de la paix, de l'Autre, d'économie et de développement...

En 2008, c'était le Congo-Brazzaville qui recevait. Un lieu où ne règne pas particulièrement l'esprit de concorde et de fraternité. Jean-Michel Quillardet, qui était encore grand maître du Grand Orient, a refusé de s'y rendre. « Je ne voulais pas avoir à rencontrer Sassou[1] », explique-t-il. « Sassou », c'est le petit nom du président de la République, Denis Sassou-N'Guesso, un ancien général qui a pris le pouvoir en 1997 à l'issue d'un coup d'État accompagné d'une guerre civile très meurtrière. Il est

---

1. Entretien avec l'auteur, le 22 octobre 2008.

également grand maître de la Grande Loge du Congo, installée par la GLNF, et n'a pas précisément une réputation de grand ami des droits de l'homme. On comprend que rencontrer un tel frère ne soit pas forcément un moment agréable, qui illustre l'idéal maçonnique. « De toute façon, poursuit Jean-Michel Quillardet, j'avais renoncé à tout espoir que ces rencontres servent à quelque chose lorsqu'en février 2007, au Cameroun, les obédiences maçonniques qui y participaient avaient voulu lancer un appel pour dénoncer le génocide au Darfour. Il s'agissait donc d'un sujet consensuel. Mais le lendemain, nos frères camerounais, qui étaient aussi nos hôtes, n'étaient plus d'accord avec cette initiative, vraisemblablement parce que cela dérangeait les autorités de Douala. Les maçons, en Afrique, se confondent totalement avec le pouvoir politique. Ils sont donc conduits à pratiquer l'inverse de tout ce que l'on doit apprendre en loge. »

C'est en effet une tradition sur tout le continent. Un président initié, même de fraîche date, peut être bombardé grand maître de l'obédience locale – qui de toute façon n'oserait pas bouger le bout d'un compas sans solliciter son autorisation ! Omar Bongo, le très autocrate président gabonais, est également grand maître de la plus importante obédience locale, parrainée par la... GLNF « Au départ, Bongo a été initié au Grand Orient, raconte un membre de son entourage. Son parrain était l'ancien numéro deux du régime, l'ancien président du Sénat Georges Rawiri. Mais un jour, il est devenu évident que pour les affaires, notamment pétrolières, le Grand Orient ne suffisait plus. C'était utile pour discuter avec Elf, mais pas avec les Anglo-Saxons. Et pour s'ouvrir au monde anglo-saxon, il fallait rallier la GLNF, qui permettait, à terme, d'être reconnu par Londres et d'avoir accès à l'ensemble du réseau. »

Bongo et Sassou, qui sont proches – le premier était, à la ville, le gendre du second –, aiment favoriser l'installation de nouvelles obédiences, une manière d'asseoir leur puissance sur le continent. Ces dernières années, c'est Sassou-N'Guesso qui a fait deux belles prises. Il y a quelques années, il a recruté le président du Tchad Idriss Déby. Le 1ᵉʳ décembre 2008, il s'envolait pour Bangui, capitale d'une Centrafrique dévastée. Il allait introniser son filleul en maçonnerie, François Bozizé, à la tête de la loge Amour et solidarité, une obédience reconnue par la GLNF. La règle est en effet, sur le papier, des plus simples : il faut trois loges pour créer une obédience. La GLNF opère donc en deux temps. D'abord, elle initie sous son propre flambeau. Puis, lorsque les effectifs sont suffisants, elle transmet ses « patentes » à une nouvelle obédience créée de toutes pièces. Amour et solidarité est un nom de baptême à l'ironie cruelle, au regard du chaos qui règne en Centrafrique.

François Stifani, le grand maître de la GLNF, hausse les épaules lorsqu'on évoque devant lui le malaise provoqué par ces frères dignitaires, décorés de leurs tabliers brodés et de leurs sautoirs aux couleurs chatoyantes mais qui ont laissé les droits de l'homme au vestiaire : « Bien sûr que nous revendiquons l'initiation de chefs d'État. Notre rêve n'est-il pas qu'un chef d'État en France porte un jour nos couleurs ? » Et la manière dont certains de ces chefs d'État piétinent les règles élémentaires de la démocratie ? « Nous aussi sommes les héritiers, en France, de gens qui sont arrivés au pouvoir par la révolution et par la force. Je ne suis pas comptable des agissements des uns et des autres. » Mais alors, il introniserait aussi Kim Jong Il ou n'importe quel tyran ? « Nous sommes fiers que ces chefs d'État s'engagent sur nos valeurs. Savez-vous que le président de la République du Congo a créé lui-même la maison du maçon à Brazzaville, financée sur ses deniers personnels ? Je trouve très bien que des Présidents et des Premiers ministres puissent venir chez nous et se sentir chez eux. »

Comme c'est touchant ! Denis Sassou-N'Guesso en mécène de la maçonnerie ! Ceux qui se souviennent de toutes les personnes assassinées par le régime instauré par ce grand humaniste doivent hésiter, devant les paroles de François Stifani, entre l'éclat de rire et la colère. Car aucune obédience française n'a pu empêcher que se produise un bain de sang au Congo-Brazzaville. Et pourtant, tout le monde était maçon parmi les protagonistes. Pascal Lissouba, le président régulièrement élu et renversé par Sassou, avait été initié peu auparavant en France, au Grand Orient. « En 1997, Philippe Guglielmi, qui était grand maître du Grand Orient de France, a lancé un appel à l'arrêt des combats sur les ondes de Radio France International, se souvient Joseph Badila, lui aussi membre du GO et ancien grand maître de l'obédience locale qui lui est rattachée. Les armes se sont tues un moment puis la guerre a repris de plus belle[1]… » Joseph Badila est un des responsables de Mwinda, parti d'opposition à Sassou-N'Guesso. Il se souvient que peu de temps avant le coup d'État, celui-ci lui avait fait des offres de services, à lui et à quelques frères.

Les liens entre la GLNF et Denis Sassou-N'Guesso sont si ténus que l'ancien grand secrétaire de l'obédience, Yves Trestournel, celui qui a tenu, pendant trente ans, tous les rouages de la machine avant de se faire écarter, écrivait en 2000 une lettre assez directive au président du Congo. Thierry Imbot, l'ancien de la DGSE lié à l'affaire des frégates qui est mort dans des circonstances étranges, avait aussi un contrat de consultant avec le frère Sassou. Après son décès, Yves Trestournel entend recouvrer les créances pour le compte de la famille endeuillée :

---

1. Entretien avec l'auteur, le 10 décembre 2008.

« Monsieur le Président,

Très Respectable Frère,
Vous avez été informé du décès accidentel de notre regretté frère Thierry Imbot avec lequel vous avez établi des relations de collaboration.
Nous attirons votre bienveillante attention afin que le paiement de la somme de 75 millions de CFA correspondant au travail effectué soit versé à sa famille via la CAIC-Brazzaville [...].
Nous comptons sur votre célérité, compte tenu des circonstances dramatiques de sa disparition. »

Voilà qui donne une idée des relations de proximité entre le palais présidentiel, à Brazzaville, et la rue Christine-de-Pisan.
La médiation maçonnique n'a pas été plus efficace pour apaiser les tensions en Côte d'Ivoire. Le président Laurent Gbagbo a été initié au Grand Orient, à Paris, du temps où il vivait en France, exerçant le métier de professeur d'histoire. Depuis, il a lui aussi pris langue avec la GLNF, clé d'accès aux réseaux d'affaires.
« La GLNF a taillé des croupières au Grand Orient en Afrique, c'est certain, reconnaît Joseph Badila. Mais il reste vrai que le simple fait d'être franc-maçon, pour un étranger qui arrive sur ce continent, ouvre beaucoup de portes dans les gouvernements. » Il fut un temps, par exemple, où tous les ministres du gouvernement camerounais, sans exception, avaient reçu la lumière... Et la proportion reste élevée dans toutes les équipes gouvernementales, sans exception, du Sénégal au Bénin, du Burkina Faso au Niger.
Même si beaucoup de maçons sincères tentent de tisser avec l'Afrique des liens destinés à aider le développement tant économique que démocratique, d'autres profitent de ce sauf-conduit pour faire leurs affaires et

maintenir le système dit de la Françafrique, constitué pour perpétuer l'influence de la France sur la partie francophone du continent après les indépendances, et parfois utilisé pour l'enrichissement des chefs d'État et de quelques intermédiaires. Le rôle de la franc-maçonnerie, là encore, provient du serment de secret et de solidarité qui lie tous ses membres, et qui offre à certains une garantie contre la dénonciation d'actes contraires à la loi, à la morale ou aux deux...

Nouveaux espaces

Les terres africaines sont travaillées depuis si longtemps que les frères de France cherchent d'autres débouchés. Le Grand Orient tente de pénétrer le marché américain, tenu par la franc-maçonnerie anglo-saxonne, en situation de monopole sur cet immense marché. Mais leurs cénacles se sont peu à peu transformés en clubs chic, si bien qu'une poignée de purs et durs ont créé en juin 2008... le Grand Orient des États-Unis. Une minuscule entité d'une centaine de personnes, qui représente néanmoins une tentative inédite et mal vécue par la GLNF.

Un autre champ de bataille prend place en Europe de l'Est, où les loges furent longtemps confinées sous une chape de plomb par les régimes totalitaires, dans lesquels il ne faisait pas bon être maçon. Là, le Grand Orient, le premier à s'implanter, est rattrapé par la GLNF, qui construit des obédiences en Moldavie, en Lituanie, en Russie et en Macédoine, dont l'ambassadeur en France a été initié à Paris. La GLNF, qui se déclare fièrement « première loge régulière d'Europe continentale », emploie un argument de choc : il ne peut y avoir, dans chaque pays, qu'une seule obédience reconnue par Londres... La Grande Loge de France, elle, met en avant sa spécificité : elle pratique, à titre exclusif, le Rite Écossais Ancien et Accepté. C'est ainsi qu'elle a récemment créé une loge en Inde, autre chasse gardée, en raison d'un long passé commun, des frères anglo-saxons.

Pourquoi se donner tant de mal, pourquoi passer des mois, voire des années, à négocier avec des hommes et des femmes venus d'ailleurs ? Une évidence : c'est la base même de la franc-maçonnerie, vouée à jeter des ponts entre les hommes. Mais cette stratégie de conquête du monde répond à un autre impératif. L'Europe est le berceau de la maçonnerie. Elle a donné naissance à deux courants : celui de la tradition déiste, représenté par la GLNF, et celui du Grand Orient de France et dans une moindre mesure de la Grande Loge de France, qualifié de libéral. Le prestige et l'influence ne se mesurent plus au seul échelon national. Il faut donc conquérir de nouveaux territoires. C'est ce que les économistes appellent la croissance externe.

20

Au nom des droits de l'homme

Est-ce pour créer un peu d'animation dans les loges, par méconnaissance de l'attachement du Grand Orient de France à la laïcité ou par indifférence vis-à-vis de ces frères dont il sait qu'ils seront toujours heureux de venir se faire câliner à l'Élysée ? En tout cas, une fois élu, Nicolas Sarkozy a offert une visibilité inespérée à cette obédience en panne de grandes idées et de médiatisation depuis plusieurs années.

À la grande consternation des obédiences concurrentes, et notamment de la très conquérante GLNF, l'opinion publique associe très souvent la franc-maçonnerie à la défense opiniâtre de la laïcité, héritage du petit père Combes, à qui l'on doit la loi de 1905 sur la séparation des Églises et de l'État. Cette orientation n'appartient pourtant qu'à la frange « libérale et adogmatique », se réclamant d'aucune sorte de croyance et revendiquant la liberté de conscience, incarnée principalement par le Grand Orient de France et le Droit Humain, la Grande Loge de France s'associant de loin à ces affaires.

La laïcité n'est pas le seul fonds de commerce du GO, qui entend depuis plus d'un siècle peser en France sur les choix de société. Mais depuis quelques années, cette vocation est contrariée, faute de combats à livrer. Il semble bien loin le temps où, défendant la contraception, des frères et des sœurs créaient le Planning familial, puis, au début des années soixante-dix, promouvaient la loi sur l'avortement que Simone Veil a défendue au Parlement dans un contexte de haine inouï à droite, mais avec le soutien des frères de gauche. Depuis, il y a bien eu la défense des mal-logés, la réflexion sur la bioéthique ou encore le droit à mourir dans la dignité. Mais tous ces thèmes, considérés comme purement maçonniques, ne font pas la une des journaux, sauf lorsqu'un fait divers émouvant frappe l'esprit public, comme ce fut le cas de la fin de vie terrible de Vincent Humbert ou de Chantal Sébire. Qui, pourtant, sait que l'Association pour le droit de mourir dans la dignité (ADMD) est une sorte de succursale de la franc-maçonnerie ? Personne ou presque. Celle-ci n'en tire donc aucun profit en termes de positionnement ou de notoriété. C'est pourquoi, mi-ironique mi-désabusé, Alain Bauer allait jusqu'à estimer, quelques mois avant la présidentielle de 2007 : « C'est la première fois dans l'histoire de la Ve République qu'il n'y a aucune production intellectuelle qui soit utilisable par les candidats. Le Grand Orient fonctionne un peu comme une assemblée de rédacteurs sans rédacteurs en chef. Ils travaillent en loge sur l'intégration de la Turquie à l'Europe, les sans-abris ou l'accès à l'eau dans le monde, mais leurs réflexions ne passent pas la barrière du grand public. Sur les SDF par exemple, les Enfants de Don Quichotte disposent d'un impact émotionnel et médiatique sans commune mesure avec les francs-maçons[1]. »

---

1. Entretien avec l'auteur, le 4 janvier 2007.

Le curé et l'instituteur

Le plus médiatique des anciens grands maîtres est certes prompt à minimiser le rôle des frères dans la vie publique, mais son constat, en ce début 2007, est en pleine harmonie avec la réalité. Certes, son successeur à la tête de l'obédience, l'avocat Jean-Michel Quillardet, a bien fait quelques tentatives pour percer le mur de l'indifférence. Il s'est inquiété des conclusions du rapport sur les relations entre les cultes et les pouvoirs publics rendu en septembre 2006 au ministre de l'Intérieur Nicolas Sarkozy. Rédigé par le professeur d'université Jean-Pierre Machelon, ce document, fruit d'une réflexion approfondie, malmène à ses yeux la loi de 1905 sur la séparation des Églises et de l'État. Il déplore ainsi l'interdiction faite aux collectivités locales de financer la construction de nouveaux lieux de culte, alors qu'elles participent à l'entretien de ceux qui existent déjà, créant une sorte d'inégalité de fait entre religions installées depuis longtemps et cultes « émergents ». Il suggère aussi de créer des carrés confessionnels dans les cimetières communaux, pour ne reprendre que les propositions qui hérissent le plus les francs-maçons. Quelques voix s'unissent à celle du Grand Orient pour dénoncer ce retour au régime concordataire. Mais pas assez pour attirer l'attention des grands médias et du public.

« Pourtant, ce rapport Machelon n'était pas un fait isolé, mais un des éléments de la vision sarkoziste de la laïcité, assure Bernard Teper, membre de longue date du Grand Orient et président de l'Union des familles laïques (Ufal). En 2004, Sarkozy publie un livre d'entretiens avec un agrégé de philosophie et un religieux dominicain, intitulé *La République, les religions, l'espé-*

rance[1]. C'est un ouvrage qui n'a pas été beaucoup lu, me semble-t-il, sauf par nous. Nous étions bien seuls, alors, à critiquer son contenu. Car tout y était déjà, notamment l'attaque en règle contre la loi de 1905[2]. Tout ce qui a provoqué la polémique, près de quatre ans plus tard, était déjà imprimé dans ce livre. En 2004, toujours, Nicolas Sarkozy, devenu ministre des Finances, reçoit Tom Cruise avec chaleur et flashs de photographes à Bercy, sans s'émouvoir de ce que l'acteur est une des têtes de gondole de la scientologie[3]. »

Mais il faut attendre le 20 décembre 2007 pour que la laïcité devienne un sujet médiatiquement porteur. Ce jour-là, le président de la République est en visite officielle au Vatican. Après avoir été reçu, le matin, par Benoît XVI, il se rend l'après-midi à la basilique Saint-Jean-de-Latran, dont le Président français est traditionnellement fait chanoine d'honneur après son élection. Là, il prononce un discours assez éloigné de l'idée que l'on peut se faire de la neutralité républicaine face à la religion. Il commence en effet par rappeler que « les racines de la France sont essentiellement chrétiennes », ce qui risque déjà de déplaire. Mais ce n'est rien, comparé à ce qui suit. « La laïcité, poursuit-il, ne saurait être la négation du passé. La laïcité n'a pas le pouvoir de couper la France de ses racines chrétiennes. Elle a tenté de le faire. Elle n'aurait pas dû. » Après cette mise en

---

1. Nicolas Sarkozy, *La République, les religions, l'espérance*, Éditions du Cerf, 2004, rééd. Pocket, 2007.
2. Sur la loi de 1905, Nicolas Sarkozy déclare dans ce livre : « Doit-on considérer ce qui a été rédigé il y a un siècle comme coulé dans le marbre et ne devant jamais être changé ? Je ne le crois pas. On peut faire évoluer le texte. Il reste notamment une question à régler, qui n'est pas conjoncturelle, qui n'est pas anecdotique : c'est celle du financement des grandes religions de France. »
3. Entretien avec l'auteur, le 21 février 2008.

cause assez radicale, il se souvient de la République, dont l'intérêt, selon le tout nouveau chanoine d'honneur, est « qu'il y ait beaucoup d'hommes et de femmes qui espèrent ». « La désaffection progressive des paroisses rurales, le désert spirituel des banlieues, la disparition des patronages, la pénurie de prêtres, ajoute-t-il, n'ont pas rendu les Français plus heureux. » Il présente alors le concept qui lui tient à cœur : « J'appelle de mes vœux une laïcité positive, c'est-à-dire une laïcité qui, tout en veillant à la liberté de pensée, à celle de croire ou de ne pas croire, ne considère pas que les religions sont un danger, mais plutôt un atout. » Dans cette phrase réside le fond du désaccord avec la franc-maçonnerie libérale ; pour elle, la laïcité est un principe intangible, qui s'applique à tous les citoyens sans considération de leur inclination religieuse, de nature purement privée. Mais le meilleur est encore à venir : « Dans la transmission des valeurs et dans l'apprentissage de la différence entre le bien et le mal, l'instituteur ne pourra jamais remplacer le curé ou le pasteur, même s'il est important qu'il s'en approche, parce qu'il lui manquera toujours la radicalité du sacrifice de sa vie et le charisme d'un engagement porté par l'espérance. » Une étrange comparaison, qui a laissé perplexes, aussi, de nombreux profanes.

Dès le lendemain, le Grand Orient de France diffuse un communiqué courroucé. Habituellement, ces efforts de communication ne sont guère suivis d'effets. Mais cette fois, le grand maître Jean-Michel Quillardet se voit ouvrir les colonnes de *Libération*[1], du *Nouvel Observateur*[2], dans lesquels il peut donner des leçons de République au président : « De De Gaulle à Chirac, on n'avait jamais

---

1. *Libération*, 4 janvier 2008.
2. *Le Nouvel Observateur*, 3-9 janvier 2008.

entendu pareils discours dans toute l'histoire de la Ve, ni vu un chef d'État avoir une pratique aussi ostentatoire de son culte [...]. On est en train de détruire une certaine idée de la République. Les Français restent très attachés à la laïcité et le Président commettrait une grave erreur en voulant y porter atteinte. »

Nicolas Sarkozy réagit vite. Le 8 janvier, il reçoit le grand maître, accompagné par quatre de ses prédécesseurs, dans son bureau pour leur redire son attachement à la loi de 1905 qu'il n'entend pas réviser. Cette visite n'est pas du goût de tous les frères. « Ce n'est pas parce qu'ils arrivent comme les rois mages à l'Élysée pour rencontrer le Président qu'ils obtiennent quoi que ce soit sur la laïcité », ironisera, quelque temps plus tard, le grand maître de la GLNF, François Stifani[1]. Les faits ne lui donnent pas tort. Moins d'une semaine plus tard, Nicolas Sarkozy est en visite en Arabie saoudite. À Riyad, il prononce un discours devant le conseil de sages nommés par le roi. « En tant que chef d'un État qui repose sur le principe de la séparation de l'Église et de l'État, je n'ai pas à exprimer ma préférence pour une croyance plutôt que pour une autre, dit-il. Je dois les respecter toutes, je dois garantir que chacun puisse librement croire ou ne pas croire, que chacun puisse pratiquer son culte dans la dignité. Je respecte ceux qui croient au Ciel autant que ceux qui n'y croient pas. » Voilà qui ne peut plaire aux frères de la rue Cadet ; à leurs yeux, la laïcité concerne chaque citoyen et l'on n'est donc pas « ou croyant ou laïc », au choix. Fidèle à sa gestion par segmentation, qui le conduit à flatter des communautés les unes après les autres, il poursuit ainsi : « J'ai le devoir de faire en sorte que chacun, qu'il soit juif, catholique, protestant, musulman, athée, franc-

---

1. *Le Point*, 20 janvier 2009.

maçon ou rationaliste, se sente heureux de vivre en France, se sente libre, se sente respecté dans ses convictions, dans ses valeurs, dans ses origines. » Voilà pour les petits câlins, puisque le mot de franc-maçon est prononcé dans un des pays les moins laïques et les moins démocratiques qui soient. Les mots qui fâchent arrivent plus tard : « Mais j'ai le devoir aussi de préserver l'héritage d'une longue histoire, d'une culture, et, j'ose le mot, d'une civilisation. Et je ne connais pas de pays dont l'héritage, dont la culture, dont la civilisation n'aient pas de racines religieuses. Je ne connais pas de culture, pas de civilisation où la morale, même si elle incorpore bien d'autres influences philosophiques, n'ait un tant soit peu une origine religieuse. » Voilà, la pensée présidentielle n'a pas changé depuis la publication de son livre, en 2004.

Jean-Michel Quillardet en a la confirmation lors du dîner du CRIF[1] qui se tient moins d'un mois plus tard, le 13 février 2008 exactement. Il fait partie des mille convives invités au Pavillon d'Armenonville, en bordure du bois de Boulogne, tout comme Nicolas Sarkozy et la quasi-totalité des membres du gouvernement. Il croit s'étrangler lorsque le président prend la parole et regrette de s'être mal fait comprendre : « Jamais je n'ai dit que la morale laïque était inférieure à la morale religieuse [...]. Ma conviction est qu'elles sont complémentaires [...]. Jamais je n'ai dit que l'instituteur était inférieur au curé, au rabbin ou à l'imam. » Une manière habile de réinterpréter ses propres propos, selon lesquels « l'instituteur ne pourra jamais remplacer le curé ou le pasteur ». Jean-Michel Quillardet peut alors faire le deuil de son grand projet : recevoir le président en personne au siège du Grand Orient. Il a lancé

---

1. Conseil représentatif des institutions juives de France.

l'invitation lors de sa visite à l'Élysée, Nicolas Sarkozy y a répondu favorablement. Mais l'événement tant convoité n'aura pas lieu : beaucoup de frères font savoir, parfois par écrit, que la présence présidentielle provoquerait des manifestations de mécontentement ostensibles dans les couloirs de l'obédience. Téméraire mais pas imprudent, l'entourage présidentiel a préféré annuler la visite.

Le mirage de 1994

À défaut de s'afficher avec le premier personnage de l'État, certains frères du Grand Orient caressent un autre rêve : rééditer l'exploit du 16 janvier 1994. Ce dimanche-là, plus d'un million de personnes ont manifesté contre le projet du ministre de l'Éducation de l'époque, François Bayrou, de réformer la loi Falloux, en déplafonnant les subventions pour investissement que les collectivités locales peuvent accorder aux établissements d'enseignement privé. Les maçons avaient réussi à s'entendre avec les organisations syndicales, où ils sont souvent bien représentés, pour organiser des cortèges géants. « L'opération s'était préparée depuis le mois de juin précédent, raconte Bernard Teper. Il faut affréter des trains spéciaux, réserver des autocars, disposer d'une logistique et d'un service d'ordre. Cela coûte cher à tous points de vue, mais c'est excellent pour le moral et pour l'image. »

Quatorze ans plus tard, en janvier 2008, le Grand Orient crée un « pôle laïcité » et commence à fédérer les associations de défense de la laïcité. Ce n'est pas bien compliqué puisque la plupart d'entre elles, telles l'Ufal, le Cnafal, La Libre-Pensée, Europe et Laïcité, le Chevalier de La Barre[1], Laïcité Liberté, le Comité Laïcité République, sont pilotées par des francs-maçons. Les dirigeants des trois dernières sont membres de la loge Intersection, tandis que celui de La Libre-Pensée, Marc Blondel, ancien patron de Force ouvrière, appartient à la loge République.

Le premier communiqué rédigé par ce collectif ne convient pas au conseil de l'ordre du Grand Orient, qui le trouve trop radical. Une seconde réunion se tient donc le 23 janvier 2008 à la Ligue de l'enseignement, autre démembrement maçonnique. Elle accouche d'un texte plus consensuel signé par une centaine d'organisations, dont la CGT et la CFDT, qui recueillera plus de cent signatures. Mais le rêve de grand soir laïque et fraternel tourne court : il n'y aura pas un million de personnes dans les rues pour défendre la laïcité. C'était pourtant bien essayé.

---

1. Le chevalier de La Barre, victime de l'intolérance religieuse, a été exécuté en 1766 à l'âge de 19 ans.

21

Les sœurs voilées

Le samedi 24 mai 2008, une foule se presse dans les couloirs du Grand Orient de France, rue Cadet. Des hommes mais aussi quelques femmes venues assister à la Grande Transgression. Le temple Lafayette, initialement prévu pour accueillir l'événement, se révèle trop exigu. Il faut se transporter dans le plus grand, situé au premier étage et dédié à l'ancien grand maître Arthur Groussier, syndicaliste et député socialiste de la III⁰ République. La cérémonie qui se prépare va faire du bruit. La loge parisienne Combat, présidée par Jean-Jacques Mitterrand, un professionnel du lobby associatif du cinéma, fils de l'ancien grand maître Jacques Mitterrand, s'apprête à initier une femme. Une femme ! Un frisson d'horreur parcourt l'échine de certains frères, révoltés à l'idée que leur obédience puisse devenir un lieu comme un autre, un lieu mixte !

Ce sujet tabou a resurgi lors du précédent convent, en septembre 2007, ou plutôt en 6007, pour se conformer au calendrier maçonnique[1]. Au cours de cette assemblée générale annuelle, les loges peuvent présen-

---

1. Par tradition, le calendrier maçonnique démarre à la création du monde selon la chronologie biblique, soit approximativement quatre mille ans avant l'ère calendaire.

ter des vœux soumis aux suffrages. L'un d'entre eux proposait d'accorder à celles-ci la liberté d'initier des femmes. Une majorité de 57 % s'est prononcée en faveur du statu quo : restons entre hommes. C'est beaucoup moins qu'à la grande époque du CLIF, le Comité pour la liberté d'initier des femmes qui s'était créé, au GO, une vingtaine d'années plus tôt et tenait un peu du groupuscule gauchiste. « À l'époque, raconte un de ses animateurs, il s'agissait surtout de faire de la provoc. » La situation a évolué aussi par rapport au convent de 2002, où un vœu à peu près identique n'avait remporté qu'un petit tiers des voix. Il peut sembler étrange que les francs-maçons du Grand Orient, qui n'ont que les mots progrès, liberté ou modernité à la bouche, se rétractent collectivement lorsqu'il s'agit précisément d'affronter la mixité, qui n'est plus un sujet de débat dans la société française aujourd'hui.

« *Testing maçonnique* »

Pour se prémunir contre ce que certains considèrent comme une terrible menace, il a été proposé, à plusieurs reprises lors d'un convent ou d'un autre, de réécrire le règlement interne, rédigé en 1919. Aucun des articles ne stipule en effet dans les statuts que l'obédience est réservée aux hommes. La dernière tentative remonte à septembre 2007. Et là, tandis qu'ils refusaient à 57 % la liberté pour les loges d'initier des femmes, les frères du convent ont rejeté aux trois quarts la proposition d'écrire noir sur blanc que le GO est une obédience masculine. Vous avez dit contradiction ? Les militants de la mixité, eux, y ont vu un encouragement.

Dès la fin 2007, un juriste, membre de la loge Prairial de Paris et ancien conseiller technique de Marie-George Buffet au ministère de la Jeunesse et des Sports, rédige une note technique pour faire le point sur cette épineuse question. Il fait référence à un arrêt de la Cour de cassation datant de 2002 sur le droit des associations : quand une condition restrictive ne figure pas dans les statuts, la structure dirigeante ne peut s'en prévaloir pour refuser une adhésion. Le règlement du GO ne dit pas que seuls des hommes peuvent adhérer. Il est donc impossible d'empêcher des femmes de rejoindre leurs rangs. D'autant que les conditions restrictives ne manquent pas : il faut être parrainé, que l'enquête de personnalité soit concluante, que les membres de la loge ne « blackboulent » pas le nouvel impétrant... Soit un processus assez sélectif, dont le déroulement est très détaillé.

Jusqu'alors, les quelques tentatives provocatrices pour initier des femmes avaient été bloquées par un tour de passe-passe. Avant de recevoir un impétrant, une loge doit envoyer un courrier au Conseil de l'ordre pour savoir si le candidat a déjà demandé son admission dans un autre atelier. Une façon de pister ceux qui voudraient revenir par la fenêtre lorsqu'on les a sortis par la porte. Quand il s'agissait d'une femme, le conseil de l'ordre avait pris l'habitude de ne même pas répondre. Et l'affaire en restait là. Mais la loge Prairial se montre insistante : elle souhaite une réponse.

En février 2008, elle en reçoit une, qui dit que la candidate n'a jamais fait l'objet d'une autre procédure d'admission. Et pour cause ! Mais la lettre, adressée au vénérable de la loge Prairial, ne s'arrête pas là : « Toutefois, je te rappelle qu'en 6002 et 6007[1], le convent s'est

---

1. Soit 2002 et 2007 dans le calendrier « profane ».

prononcé contre la liberté des loges d'initier des femmes... »

Peut-être. Mais, statutairement, toutes les conditions sont remplies. Le plan des « rénovateurs » consiste à initier plusieurs femmes, dans plusieurs loges, à quelques jours d'intervalle et en même temps que des hommes. Une sorte de « testing », pour voir si le traitement réservé aux unes et aux autres par l'exécutif de la rue Cadet sera le même. La loge Combat passe à l'action le 24 mai, suivie par Prairial le 30, puis par deux autres loges parisiennes et par une autre encore, située à Auch et dénommée La Ligne droite.

Normalement, les initiations doivent être notifiées au conseil de l'ordre dans le mois suivant la cérémonie. Soit, pour la première, le 24 juin au plus tard. En cas de tollé, il ne restera plus assez de temps pour convoquer la Chambre suprême de justice maçonnique afin de suspendre les cinq loges et leurs vénérables, puisque cette instance, à l'image de la justice ordinaire, prend ses quartiers d'été avant la mi-juillet jusqu'à la fin août. Et ensuite... le convent 6008 se réunit en septembre. Il sera temps de faire entériner cette innovation, en arguant que chaque loge doit garder la liberté d'initier ou non des femmes. C'était compter sans la vantardise d'un psychiatre vosgien soixante-huitard qui, trop content que sa loge, Combat, ait procédé à une initiation transgressive, vient le clamer sur le site Internet Rue89 et annonce la cérémonie qui doit avoir lieu à Auch. Un membre du conseil de l'ordre, très hostile à la cooptation de femmes, se rend donc dans la préfecture du Gers, et frappe à la porte du temple le jour dit :

« Est-il exact que vous allez procéder à l'initiation d'une femme ? demande-t-il au frère couvreur chargé de surveiller les entrées.

– C'est vrai, lui répond ce dernier.

– Dans ce cas, je demande à couvrir ce temple. »

Traduction profane : je préfère m'en aller et ne pas assister à pareille abomination.

Mais la mèche est vendue. Les cinq loges s'empressent d'envoyer au conseil de l'ordre les notifications des initiations – féminines et masculines. Les timbres confirmant les adhésions reviennent pour les hommes, mais pas pour les femmes. Dans sa grande sagesse – et sa division –, le Conseil souhaitait « laisser reposer » jusqu'au convent de septembre. Désormais, cette politique est rendue impossible par les plaintes qui émanent des tenants de l'exclusivité masculine. Les loges Combat et La Ligne droite, ainsi que le psychiatre par lequel le scandale est arrivé, sont traduites devant la justice maçonnique le 10 juillet 2008. Désemparée, la formation de jugement rend un simple sursis à statuer, ce qui, de fait, reporte la décision au-delà du convent.

Les « anti-mixité » tentent de faire monter la pression, avec pour objectif de soumettre au vote, en septembre, le fameux article masculin. Les mutins, eux, s'en amusent : quelle serait donc cette étrange association réservée aux hommes dans laquelle six femmes ont été initiées préalablement de manière tout à fait régulière ? Le grand maître Jean-Michel Quillardet, auquel les intégristes de la masculinité reprochent sa mollesse, a d'ailleurs adressé une circulaire aux loges dans laquelle il reconnaît : « Notre position sur le plan juridique et judiciaire est, je dois le dire, assez fragile... » Pour ne pas rater sa sortie, lors du convent de septembre 2008, Quillardet se doit de préserver une certaine paix sociale au sein de l'obédience. Il n'est pas très à l'aise dans ce rôle.

Il s'est déclaré, à titre personnel, favorable à la liberté pour chaque loge d'initier des femmes. Il appartient au Rite français, plus dépouillé, plus « laïque », moins traditionnel que le Rite Écossais Ancien et Accepté. Or les « Écossais », très opposés à l'entrée des femmes, développent de plus en plus une mentalité d'assiégés face aux « modernes », que certains parmi eux considèrent comme des maçons au rabais.

Quillardet avait négocié, de façon informelle, avec la loge Combat pour tenter de la dissuader de procéder à des « initiations sauvages ». Il se sent trahi par le passage en force de celle-ci et de quelques autres.

Il tente donc de se raccrocher à l'article 75.1 du règlement général, selon lequel toute loge et tout frère doivent se conformer aux décisions du convent. Fort bien, mais le convent n'a-t-il pas voté des motions contradictoires ? Dur, dur, d'être grand maître. Surtout que les insurgés comparent leur expérience au « testing » pratiqué par SOS Racisme à l'entrée des boîtes de nuit. Ils ont envoyé par virement bancaire les cotisations des femmes et des hommes initiés le même jour, au même endroit, dans la même loge. Ils ont reçu la confirmation d'enregistrement pour ceux-ci, mais pas pour celles-là. Et riposté illico par lettre recommandée avec accusé de réception, s'étonnant de la discrimination éventuelle que semblait traduire l'attitude sélective du conseil de l'ordre.

Mezza voce, les tenants de la mixité, conscients que le ridicule a bien failli tuer l'obédience à chaque fois qu'elle s'est déchirée publiquement, assurent qu'ils n'envisagent pas de porter l'affaire devant les tribunaux profanes. Mais ce qu'ils ont organisé dépasse la simple fanfaronnade, pour ouvrir une brèche dans un consensus que beaucoup croyaient éternel. Demeurer entre hommes apparaît comme un combat d'arrière-garde, peut-être, mais mené avec l'énergie du désespoir.

Hommes entre eux

« Le Grand Orient est une institution humaniste, initiatique et fraternelle, expose Pierre Mollier, directeur de la bibliothèque et du musée du Grand Orient. Humaniste : pas de problème avec la présence de femmes. Initiatique : c'est déjà plus difficile. Fraternelle : c'est impossible. » Certes, mais la devise de la République française contient le mot « fraternité » et s'applique aussi aux femmes ? « La fraternité est un argument anthropologique, poursuit Pierre Mollier. Pour dire la vérité, même dans une loge intello, lorsque les agapes commencent, il ne se passe pas dix minutes avant qu'un frère raconte une histoire salace. D'ailleurs, comment expliquez-vous, si la mixité en loge est une chose évidente, que la franc-maçonnerie mixte végète depuis toujours ? Le Droit Humain devrait être la plus grande obédience du pays, alors qu'elle plafonne à moins de quinze mille adhérents, avec plus de 75 % de femmes et moins de 25 % d'hommes dont la majorité est constituée de conjoints[1]. » La franc-maçonnerie mixte serait donc une forme mineure, à laquelle seuls quelques maris, par charité conjugale, accepteraient de sacrifier !

Les tenants de la tradition ajoutent qu'ils ne rejettent pas les sœurs, bien au contraire, puisqu'elles peuvent assister, comme invitées, à certaines de leurs tenues. Elles sont ensuite invitées aux agapes. Comme leurs frères doivent souffrir de l'autocensure qui les oblige à ravaler leurs plaisanteries lestes ! Autrement dit, les frères du GO veulent bien accepter les femmes, mais pas trop, et pas tout le temps. Elles sont reçues sur invitation, mais ne doivent pas se considérer comme chez elles.

À la Grande Loge Féminine de France (GLFF), qui n'initie que des femmes, comme son nom l'indique, certaines n'apprécient guère. Cette institution assure recevoir dans n'importe lequel de ses ateliers les hommes

---

1. Entretien avec l'auteur, le 20 juin 2008.

venus de toutes les obédiences, même de la GLNF. Comme cette dernière interdit à ses adhérents de « voyager » ailleurs que sur ses terres, les contrevenants agissent dans la plus grande discrétion, de peur d'être exclus. Mais ils viennent à leur guise. Bref, la GLFF se dit ouverte aux hommes. Vraiment ouverte. La réalité est un peu plus complexe, comme le raconte ce frère du GO – militant de la cause des femmes, toujours prêt à les accueillir en nombre dans sa loge dont il est, depuis un an, le vénérable : « C'est vrai que nous pouvons venir visiter nos sœurs, mais la dernière fois que j'y suis allé, nous avons passé plus de temps à faire le pied de grue dehors qu'à assister à la séance. Il a fallu sortir pour les initiations, pour les votes[1], pour les augmentations de salaire[2]... Au bout d'un moment, lassé d'attendre derrière la porte, j'ai préféré partir avant la fin. Alors, je veux bien admettre les archaïsmes du Grand Orient, mais nous n'avons pas le monopole du sectarisme. Elles ne se défendent pas mal non plus à la GLFF[3] ! »

Côté masculin, le « sectarisme », pour reprendre l'expression du vénérable, ou du moins le sexisme, est encore plus radical, pour ne pas employer un autre adjectif commençant par *r* : ringard. La GLNF ne peut même pas envisager de recevoir des femmes, quel que soit le contexte ! La Grande Loge de France est dans une situation plus ambiguë. Avant de prendre son autonomie, après-guerre, la GLFF était une sorte de succursale féminine de la GLDF, qui a reconnu sa protégée

---

1. Comme dans toute association 1901, les adhérents doivent voter un certain nombre de résolutions. Mais le vénérable parle ici des suffrages concernant l'admission d'une nouvelle adhérente.

2. Dans le dialecte maçonnique, une augmentation de salaire désigne le passage à un grade supérieur (d'apprenti à compagnon ou de compagnon à maître).

3. Entretien avec l'auteur, le 20 août 2008.

quand elle est devenue une obédience à part entière. Les frères de la Grande Loge reconnaissent donc leurs sœurs mais... à condition de ne pas les fréquenter de trop près. Celles-ci n'ont même pas le droit d'assister au convent de leurs « grands frères ». On leur a expliqué qu'elles seraient tolérées à certaines tenues, à condition de venir sans tablier, comme des profanes. Alors, évidemment, elles s'abstiennent.

Au Grand Orient, certains adorent aussi jouer à « Hommes entre eux ». Jusqu'en 1973, dans cette obédience qui se proclame progressiste, si un atelier souhaite qu'une sœur puisse assister à une tenue, il faut encore déposer une demande d'autorisation un mois à l'avance auprès du conseil de l'ordre, qui se réserve le droit de refuser sans justification. Roger Bensadoun, qui est alors vénérable du très remuant atelier Salvador-Allende, en a assez. Il décide que les femmes initiées pourront venir en visite quand elles le veulent. Tollé ! « J'ai été convoqué par le grand maître, Jean-Pierre Prouteau. Il m'a prévenu que je risquais d'avoir de gros ennuis si je continuais dans cette voie, se souvient Roger Bensadoun. J'ai protesté contre cette discrimination. Il m'a rétorqué que la présence de femmes en loge nuirait à la sérénité, troublerait les frères qui auraient les yeux rivés sur elles. À l'écouter, on aurait dit que l'on faisait venir des prostituées dans une garnison[1] ! » Quelque temps plus tard, Jean-Pierre Prouteau a rendu les armes, et fait passer en conseil de l'ordre une autorisation permanente de visite des femmes.

Mais trente-cinq ans plus tard, celle-ci n'est toujours pas appliquée partout, contrairement à ce qu'affirme publiquement la direction du GO. Certaines loges, notamment en province, refusent carrément les visites

---

1. Entretien avec l'auteur, le 3 décembre 2008.

féminines. Elles ne sont pas majoritaires, mais demeurent nombreuses à pratiquer la politique de la porte close. Quant aux autres, elles reçoivent des femmes « sur invitation », alors que les hommes des autres ateliers ou des autres obédiences se présentent quand ils veulent, sans prévenir. « Il ne viendrait à l'esprit d'aucune d'entre nous de nous rendre à une tenue du GO sans avoir été conviée d'une manière ou d'une autre, explique la vénérable de la loge Louise-Michel de la GLFF. Il faut a minima qu'un petit carton indiquant le thème et le lieu soit déposé chez nous pour qu'on se sente libre de s'y rendre[1]. » Le vénérable parisien du Grand Orient a même été rappelé à l'ordre parce que sa loge était trop visitée par des femmes. Il n'a même pas répondu et a convié cinq ou six sœurs à la tenue suivante afin que les choses soient claires. Le conseil de l'ordre n'a pas poussé plus loin son étrange démarche.

Comment comprendre que les défenseurs farouches de la laïcité, qui pointent du doigt tout manquement en la matière, puissent adopter un tel comportement sur la mixité ? Ce sont les mêmes, en effet, qui s'indignent – à juste titre – lorsqu'une piscine municipale décide de n'ouvrir ses bassins qu'aux femmes à certaines heures pour complaire aux revendications des islamistes. Cet accroc à la mixité leur semble alors une insulte à la laïcité et à l'esprit républicain. Mais se réunir en tenue de ville avec tablier et gants blancs leur paraît curieusement plus problématique que de se côtoyer en maillot de bain !

À moins que certains n'aient pas envie d'assumer le regard de leurs chères sœurs. « Si les femmes voyaient ça ! s'exclame Marcel Laurent, grand maître de la GLCS, une obédience mixte qu'il a créée en 2003 après

---

1. Entretien avec l'auteur, le 2 juillet 2008.

avoir claqué la porte de la GLNF. Si les femmes voyaient combien certaines loges ne travaillent pas consciencieusement ou ne travaillent pas du tout ! Il y a en a 25 % et encore, je minimise par amabilité fraternelle, où il ne se passe rien d'intéressant : un exposé à chaque tenue, que personne ne suit vraiment, puis un faux débat où chacun s'écoute parler. Quant aux agapes, ça ressemble un peu au repas des pompiers, plaisanteries grivoises comprises. Les loges féminines sont beaucoup plus sérieuses. Et je suis sûr que certains frères n'ont pas envie de donner ce pitoyable spectacle. » Marcel Laurent raconte avec une rare liberté de ton que lorsqu'il était aux Antilles, il a surpris des frères qui avaient transformé leur loge en atelier de « francs-mécaniciens » et remplacé l'équerre et le compas par le tournevis et la pince coupante. Il est probable qu'eux non plus n'avaient pas envie de voir débarquer des sœurs en pleine séance de bricolage !

Le bouclier des hauts grades

Explication amusante, provocatrice, qui donne une clé pour comprendre l'attitude fermée de certaines loges. Mais on trouve aussi des opposants à l'initiation des femmes dans des ateliers du Grand Orient qui, par ailleurs, reçoivent volontiers celles-ci. Alors ? Les plus rétifs à l'initiation des femmes sont souvent membres des hauts grades, ces instances supérieures que l'on fréquente pour se perfectionner. Ceux-là acceptent, et même apprécient, les visites féminines dans les loges « bleues », où se réunissent apprentis, compagnons et maîtres, mais ne supporteraient pas qu'elles s'immiscent aux échelons supérieurs. Or d'éventuelles initiées au Grand Orient y accéderaient fatalement un jour ou l'autre. Cette hostilité des plus gradés s'est manifestée lors d'un rassemblement maçonnique à Royaumont. La Grande Loge de France avait, une fois n'est pas coutume, convié la GLFF, que certains frères surnomment aimablement « Grande Loge des Folles Furieuses ». Quand vient son tour de parole, la Grande Maîtresse de la GLFF, Yvette Nicolas, une femme énergique qui fut l'assistante de Raymond Barre, monte en chaire et prononce un discours musclé. Elle dit en substance qu'en ce qui concerne le partage de la foi et de l'espérance maçonniques, il n'y a pas de problème, mais que pour la fraternité, elle s'exerce de manière sélective et jamais à destination des femmes. « À sa droite, les hommes présents ont tous applaudi avec enthousiasme, mais à sa gauche, l'ambiance était polaire, se souvient un témoin de la scène. L'explication est simple : d'un côté, il y avait les représentants des loges "bleues", assez ouverts, de l'autre les hauts grades, où l'idée même de mixité provoque des haut-le-cœur. D'ailleurs, même au Grand Orient de France, les sœurs ne sont pas admises à visiter les ateliers supérieurs, même si leur grade le leur permet théoriquement. »

Cet ostracisme a un résultat tangible : l'inexistence des loges féminines ou mixtes dans le débat public et les sphères du pouvoir. Quand la loi sur la parité a été concoctée, puis votée, tous les ateliers de la GLFF ont rendu des travaux sur cette question. La Grande Maîtresse a été reçue poliment par les ministres avec ses homologues masculins, et conviée aux consultations parlementaires. Mais la voix de la maçonnerie féminine compte pour presque rien. Se rattrape-t-elle au moins en termes de réseaux ? À peine. La loi sur la parité, en créant un phénomène d'aspiration, notamment dans l'univers politique, aurait dû permettre aux sœurs de placer quelques-unes d'entre elles en bonne position sur les listes de candidature. Ce ne fut le cas, aux régionales comme aux municipales, que de façon très marginale et pas du tout organisée. Cette absence de cynisme et de carriérisme collectif est d'ailleurs à mettre au crédit des maçonnes... à moins qu'elle ne marque leur incapacité à manœuvrer.

Depuis Yvette Roudy, qui n'a jamais caché son engagement à la GLFF, pas une femme ministre qui appartienne à la maison et qui ait réussi à faire passer quelques idées, quelques messages. La loge d'Yvette Roudy, Louise-Michel, compte pourtant des personnalités très actives. « Mais nous ne sommes ni connues ni reconnues, assure une de ses éminentes responsables. C'est sans doute la faute des anciennes grandes maîtresses, qui étaient très rétractées en termes de communication, mais pas seulement. La vérité, c'est que nous cherchons moins que les hommes à faire de la maçonnerie une histoire de pouvoir et d'influence. Nous sommes en loge comme dans la vie : les pieds sur terre, obstinées, travailleuses, solides dans l'engagement. Et puis, je crois que nos chers frères pratiquent de temps à autre un travail de sape, peut-être inconscient, en nous considérant comme un sous-produit de la franc-maçonnerie et en nous présentant comme telles auprès de l'extérieur. L'histoire de l'initiation des femmes au Grand Orient est symptomatique de cette manière de faire : ils ne veulent pas que nous jouions dans la même cour qu'eux. »

Procès collectif

En septembre 2008, les tenants de l'ordre ancien ont réussi à tenir la barre du convent, puisque la liberté pour les loges d'initier les femmes n'a recueilli que...

302

49,01 % des suffrages. Pour calmer les esprits, ce sujet a été soumis aux travaux des ateliers pendant une année et doit revenir en discussion à l'automne 2009.

Mais il est une hypothèse cauchemardesque, qui provoque des froncements de sourcils très réprobateurs : que certains frères féministes aillent saisir la « justice profane ». Que, comme tout citoyen membre d'une association, ils s'en remettent à l'extérieur pour juger un litige interne et interpréter les statuts ; « une décision de la justice profane ne s'imposerait pas et provoquerait une crise au sein du GO, car beaucoup ne l'accepteraient pas[1] », prévenait le grand maître Jean-Michel Quillardet, lui-même avocat dans le civil, au plus fort du suspense, en juillet 2008. Ce qui tempère les ardeurs, du côté des frondeurs, tient moins à cette mise en garde qu'à la profession d'une des initiées. Magistrate, elle n'est pas pressée de saisir les tribunaux pour statuer sur son initiation, qui serait automatiquement versée dans le domaine public. Durant l'été, le clan des féministes agite, en interne, une autre idée : saisir la Halde[2] en s'appuyant sur la loi du 28 mai 2008 qui instaure un délit d'incitation à la discrimination.

Le vote du convent aurait pu apaiser les esprits, mais le nouveau grand maître élu, le chirurgien cardiologue de Marseille Pierre Lambicchi, a pris, avec son conseil de l'ordre, une initiative que d'aucuns jugent peu fraternelle : traduire tous les maîtres maçons présents aux initiations féminines devant la Chambre suprême de justice maçonnique, soit un chapelet de... 169 inculpés. Du jamais vu ! Ce procès collectif, le 17 octobre 2008,

---

1. Entretien avec l'auteur, le 7 juillet 2008.
2. Haute autorité de lutte contre la discrimination et les exclusions.

est un fiasco qui aboutit à des non-lieux et des sursis à statuer. Pour mettre fin à la crise, le grand maître signe dans le plus grand secret, fin 2008, un protocole d'accord avec les « hors-la-loi ». Il renonce aux poursuites contre l'arrêt des initiations de femmes et le silence des frondeurs... jusqu'au convent 2009. En attendant, les six femmes, maçonnes sans papiers, se font le plus discrètes possible.

Cet anachronisme, pour une institution qui se veut à la pointe du combat social, semble aussi en contradiction avec la volonté affichée par le Grand Orient, comme par ses concurrents, de dominer le marché maçonnique français : pourquoi se priver d'une vague de nouvelles adhésions féminines qui feraient bondir les effectifs ? À cette question, Pierre Lambicchi propose une réponse stupéfiante : la féminisation ne ferait-elle pas fuir plus de frères qu'elle n'attirerait de sœurs ? On n'ose y croire !

Conclusion

Le problème, avec la maçonnerie, c'est que ses ennemis déclarés sont rarement sympathiques. Toutes les dictatures, de l'Espagne de Franco à l'Irak de Saddam Hussein, ont d'une manière ou d'une autre pourchassé les frères. Les nazis ont pillé le siège du Grand Orient de France et ont déporté des membres de loges. L'extrême droite française se nourrit depuis Maurras du « complot judéo-maçonnique ». Mais une collection de pourfendeurs si épouvantables vaut-elle absolution ?

L'univers des francs-maçons, en France, est de plus en plus partagé entre ceux, toujours majoritaires, qui s'accrochent au secret de l'appartenance et ceux, de plus en plus nombreux, qui en ont assez, qui le considèrent comme le paravent permettant tous les arrangements, même les plus contraires à l'esprit des fondateurs. Ces derniers sont convaincus que l'antimaçonnisme se nourrit de cette opacité. Les premiers défendent donc le secret comme rempart aux persécutions, devenues, fort heureusement, imaginaires. Les seconds désignent le secret comme l'origine même du soupçon.

Au terme de cette enquête, on ne peut que rendre hommage à leur courage et à leur clairvoyance. Assumer son appartenance permet de couper court à toutes les rumeurs, toutes les supputations. Gérard Collomb, le maire socialiste de Lyon, a été l'un des premiers à oser, au début de son premier mandat. Son entourage était partagé, pourtant. Certains redoutaient la suspicion que risquait de susciter cette révélation. C'est l'inverse qui s'est produit : l'information a tué le fantasme et l'appartenance du maire de Lyon à la franc-maçonnerie est devenue un sujet d'une grande banalité.

Il est, en revanche, difficile d'admettre qu'un pays moderne, contraint de se réformer à grande vitesse après des années de sur-place, s'accommode de l'existence de réseaux secrets qui traversent la justice, la police, les ministères, les grandes entreprises publiques, qui pèsent sur des nominations, des négociations, des transactions.

La franc-maçonnerie, en effet, est tout naturellement une société de services, dotée d'effectifs nombreux qui opèrent dans toutes les sphères de la société. Ce n'est pas pour rien que les loges les plus chic, celles où la proportion de VIP est la plus élevée, ont pris l'habitude de se réunir dans la journée et non le soir, pendant que la plupart des frères vaquent à leurs occupations professionnelles. Leurs membres redoutent plus que tout de croiser du monde dans les couloirs. Chaque accolade est l'occasion de demander un petit coup de pouce. Un stage pour la petite, un emploi pour un copain, une introduction auprès d'un as de la chirurgie qui permettrait d'éviter la file d'attente, un soutien pour un ami qui se présente pour la première fois aux élections sénatoriales, un budget de publicité, ou même un simple numéro de portable difficile à obtenir.

La GLNF s'en fait même une gloire, avec une des ONG qu'elle a créées, Cœur Assistance, chargée de mettre le réseau au service de ceux qui en ont besoin. François Stifani, son grand maître, raconte volontiers comment ils ont aidé une petite Niçoise à se faire hospitaliser dans un hôpital de New York qui seul pouvait la soigner. Un frère ambulancier s'est chargé du transfert jusqu'à l'aéroport, un autre, travaillant à Air France, a tout réglé pour le vol...

Voilà pour la part de lumière. Mais le secret engendre aussi une part d'ombre. Celle qui, n'en déplaise aux maçons, mêle certains de leurs frères à presque toutes les affaires politico-financières depuis plus de vingt ans. Du dossier de l'ARC – l'association dirigée par Jacques Crozemarie – à celui de l'UIMM en passant par la Mnef ou Urba, on finit toujours par repérer un ou plusieurs initiés aux premières loges. Réduire la franc-maçonnerie à ces dérapages plus que regrettables n'aurait pas de sens. La plupart de ceux qui fréquentent leurs ateliers se sentent bien éloignés de ces dérives.

Mais ils ne peuvent se retrancher derrière l'argument commode d'un prétendu « antimaçonnisme » pour justifier le secret d'appartenance. Cet antimaçonnisme, quel est-il exactement aujourd'hui ? Celui qui, hérité de Maurras, fantasme sur un complot des loges ? Il n'existe plus qu'au sein d'une extrême droite rabougrie ne rencontrant plus, heureusement, le moindre écho dans l'immense majorité de l'opinion publique. Celui, un peu moqueur, qui brocarde le folklore des tabliers ? Il est vrai que les traditions désuètes de la confrérie évoquent parfois, par ses anachronismes, le film *Les Visiteurs,* où l'on voit débarquer dans un monde moderne des personnages sortis d'un autre temps. Mais c'est aux intéressés d'assumer leur attachement à ce rituel. C'est d'ailleurs la stratégie adoptée par les obédiences, qui n'hésitent plus à réaliser, de temps à autre, des « opérations portes ouvertes » pour se dévoiler au public. La confidentialité qui entoure ce qui se dit dans les ateliers, en revanche, importe à de nombreux frères, qui entendent continuer à pouvoir s'exprimer en toute liberté. Pourquoi s'y opposer, si ces discussions n'interfèrent pas directement avec la vie profane ?

Mais il n'est pas possible d'arguer de l'antimaçonnisme pour maintenir le secret d'appartenance, qui laissera toujours planer la suspicion sur telle décision de justice, telle protection, telle promotion, telle ou telle transaction. Il ne s'agit pas de se proclamer franc-maçon, mais de pouvoir le reconnaître, éventuellement dans la discrétion, au lieu de le taire comme une maladie honteuse. Cette démarche personnelle reste malheureusement très minoritaire, et les encouragements lancés par certains responsables d'obédiences ne semblent guère entendus.

À l'heure où il est question de réforme de l'État, où l'on note chaque ministre, où l'on redessine les contours de la fonction publique, pourquoi ne pas s'intéresser, d'abord, aux frères qui évoluent dans la sphère publique ? La Grande-Bretagne et l'Italie ont, chacune à sa manière, et avec des résultats mitigés, tenté d'apporter des réponses à cette question lancinante qui perdurera aussi longtemps que le voile ne sera pas levé. Réfléchir à la construction d'un État moderne devrait conduire à s'interroger sur la levée du secret d'appartenance, au moins pour tous ceux qui exercent des fonctions d'autorité engageant le sort des autres. Le dire n'a rien à voir avec de l'antimaçonnisme. Bien au contraire.

ANNEXES

1

C'est la lettre anonyme qu'a reçue le procureur de Nice, Éric de Montgolfier, dans le cadre de la « guerre des frères » qui a sévi sur la Côte d'Azur au début des années 2000 et qui a conduit à la révocation du juge Jean-Paul Renard.

Nice le 20 Juin 2000.

Monsieur,

Nous venons auprès de vous pour dénoncer l'utilisation qui est faite du fichier centrale, police et autres corps de sécurité, par des fonctionnaires, Francs-Maçons, lesquels exercent à la PAF de Nice, ancienne DISSILEC, et en particulier de Monsieur Alain BARTOLI, Brigadier,

Ce frère si on peut l'appeler ainsi, à été nommé en Mars 2000, à « la va vite » Député Grand porte Glaive, est pour l'anecdote à l'encontre du règlement général de la GLNF, par les responsables de la Province locale. Cet fonction est en relation avec tout problème disciplinaire à l'encontre d'un Frère.

Pourquoi une telle entorse au règles établies, tout simplement pour son manque assurément d'éthique afin de « surfer » dans le fichier central en quête d'informations sur des frères, lesquels auraient peut être commis des actes pas toujours avoués dans leurs passé, ainsi que sur des futurs candidats, qui malgré la justification de leur extrait de casier judiciare NE SONT PAS ABSOUS POUR AUTANT. Cela est déja une atteinte trés grave aux libertés et aux droits de l'homme sachant que par ailleurs il y a plus grave encore, certaines informations bégnines ou éteintes sont utilisées afin d'assouvir des ambitions particulières en exerçant des pressions ou autres chantages sur des Frères.

Cet éboueur des fichiers centraux utilise sans vergogne cette possibilité que lui donne sa fonction professionnelle, et il vous sera trés aisé de vérifier nos dires sachant que lui seul possède son « propre » code au fichier, qui est renouvelable. Ainsi l'édition du listing de tous ses accès au fichier central démontrera que peu des vérifications des fiches effectuées seront justifiées par des dossiers en sa possession ou à traiter dans l'exercice de sa compétence, hélas la grande majorité concernent des Francs-Maçons.

Notre délation envers ce pseudo-frère est l'aboutissement d'un trop plein, et dans la continuité de délivrer la Franc-Maçonnerie de ces gens qui n'ont rien à y faire si ce n'est que porter gravement préjudice à tous ceux qui sont de vrais Francs-Maçons dans leurs coeurs et dans leurs têtes, et qui souhaitent continuer d'être fiers de l'être!.

Vous devez vous demander pourquoi ne pas informer nos autorités nationales, elles le sont, et de tous les travers de notre Province, attendu que celui qui la dirige est le meilleur ami de notre responsable national qui le protège depuis plus de 7 ans, tous les plaintes transmises à Paris sont classées sans suite.......

C'est pour cela que nous sollicitons votre bienveillance pour notre anonymat, il se comprend assurément, avec l'espoir que vous accorderez l'attention que mérite cette lettre, veuillez croire Monsieur le Procureur à toute notre considération distinguée.

♥ Pour la Franc-Maçonnerie. ♥

2

Cet extrait du règlement général du Grand Orient de France reproduit l'intégralité du serment, appelé « obligation », que doit prêter tout nouvel initié, et qui contient notamment ce passage très significatif : « Je m'engage à garder inviolablement le secret maçonnique, à ne jamais rien dire ni écrire sur ce que j'aurais pu voir ou entendre pouvant intéresser l'Ordre. »

Lorsque le candidat admis aux épreuves les a subies, le Vénérable Maître en Chaire lui donne lecture de l'obligation suivante :

« Sur cette équerre, emblème de la conscience, de la rectitude et du droit, sur ce Livre de la Constitution, qui sera désormais ma loi, je m'engage à garder inviolablement le secret maçonnique, à ne jamais rien dire ni écrire sur ce que j'aurais pu voir ou entendre pouvant intéresser l'Ordre, à moins que je n'en aie reçu l'autorisation, et seulement de la manière qui pourra m'être indiquée.

Je promets de travailler avec zèle, constance et régularité à l'œuvre de la Franc-Maçonnerie, je promets d'aimer mes FF∴ et de mettre en pratique, en toutes circonstances, la grande loi de la solidarité humaine, qui est la doctrine morale de la Franc-Maçonnerie.

Je pratiquerai l'assistance envers les faibles, la justice envers tous, le dévouement envers ma famille, ma Patrie et l'Humanité, la dignité envers moi-même.

Je promets de défendre l'idéal et les Institutions laïques, expressions des principes de raison, de tolérance et de fraternité.

Je promets de me conformer à la Constitution et au Règlement Général du Grand Orient de France, dans leurs dispositions actuelles et dans celles qui pourront être adoptées plus tard.

Je consens, si jamais je venais à manquer à ces engagements, à ce qu'il me soit fait application des sanctions prévues par la Constitution et le Règlement Général du Grand Orient de France. »

Lorsque le candidat a prêté cette obligation, la Lumière lui est donnée. Le nouveau F∴ confirme l'obligation en apposant sa signature au-dessous du texte ci-dessus. Le Vénérable Maître en Chaire lui fait remettre aussitôt un exemplaire de la Constitution et du Règlement Général ainsi que sa carte d'identité maçonnique. Il désigne un Maître de la Loge pour assurer, en qualité de parrain, l'éducation maçonnique du nouvel initié.

3

Voici la « règle en douze points » qui fonde, selon elle, la régularité de la Grande Loge Nationale Française, la seule qui soit reconnue par Londres. Cette règle est héritée des « landmarks » (points de repères) adoptés au XVIIIe siècle par les fondateurs de la franc-maçonnerie.

RÈGLE EN DOUZE POINTS DE LA FRANC-MAÇONNERIE

1-LA FRANC-MAÇONNERIE EST UNE FRATERNITE INITIATIQUE QUI A POUR FONDEMENT TRADITIONEL LA FOI EN DIEU, GRAND ARCHITECTE DE L'UNIVERS

2-LA FRANC-MAÇONNERIE SE RÉFÈRE AUX « ANCIENS DEVOIRS» ET AUX « LANDMARKS » DE LA FRATERNITE, NOTAMMENT QUANT A L'ABSOLU RESPECT DES TRADITIONS SPECIFIQUES DE L'ORDRE, ESSENTIELLES À LA RÉGULARITE DE LA JURIDICTION.

3-LA FRANC-MAÇONNERIE EST UN ORDRE AUQUEL NE PEUVENT APPARTENIR QUE DES HOMMES LIBRES, INDEPENDANTS ET RESPECTABLES QUI S'ENGAGENT À METTRE EN PRATIQUE UN IDEAL DE PAIX, D'AMOUR ET DE FRATERNITÉ.

4-LA FRANC-MAÇONNERIE VISE AINSI, PAR LE PERFECTIONNEMENT MORAL DE SES MEMBRES, À CELUI DE *L'HUMANITÉ* TOUTE ENTIERE.

5-LA FRANC-MAÇONNERIE IMPOSE À TOUS SES MEMBRES LA PRATIQUE EXACTE ET SCRUPULEUSE DES RITUELS ET DU SYMBOLISME, MOYENS D'ACCES À LA CONNAISSANCE PAR LES VOIES SPIRITUELLES ET INITIATIQUES QUI LUI SONT PROPRES.

6-LA FRANC-MAÇONNERIE IMPOSE À TOUS SES MEMBRES LE RESPECT DES OPINIONS ET CROYANCES DE QUICONQUE. ELLE LEUR INTERDIT EN SON SEIN TOUTE DISCUSSION OU CONTROVERSE POLITIQUE OU RELIGIEUSE. ELLE EST AINSI UN CENTRE PERMANENT D'UNION FRATERNELLE OU RÉGNE UNE COMPRÉHENSION TOLERANTE ET UNE FRUCTUEUSE HARMONIE ENTRE DES HOMMES QUI, SANS ELLE, SERAIENT RESTES ETRANGERS LES UNS AUX AUTRES.

7-LES FRANCS-MAÇONS PRENNENT LEURS OBLIGATIONS SUR LE VOLUME DE LA LOI SACRÉE AFIN DE DONNER AU SERMENT PRÉTE SUR LUI LE CARACTERE SOLENNEL ET SACRÉ INDISPENSABLE À SA PERENNITE.

8-LES FRANCS-MAÇONS S'ASSEMBLENT EN LOGE, HORS DU MONDE PROFANE, POUR Y TRAVAILLER SELON LE RITE, AVEC ZÈLE ET ASSIDUITE ET CONFORMÉMENT AUX PRINCIPES ET RÉGLES PRESCRITS PAR LA CONSTITUTION ET LES REGLEMENTS GENERAUX DE L'OBEDIENCE.

9-LES FRANCS-MAÇONS NE DOIVENT ADMETTRE DANS LEURS LOGES QUE DES HOMMES MAJEURS, DE REPUTATION PARFAITE, GENS D'HONNEUR, LOYAUX ET DISCRETS, DIGNES EN TOUS POINTS D'ETRE LEURS FRÉRES ET APTES À RECONNAÎTRE LES BORNES DU DOMAINE DE L'HOMME ET L'INFINIE PUISSANCE DE L'ETERNEL.

10-LES FRANCS-MAÇONS CULTIVENT DANS LEURS LOGES L'AMOUR DE LA PATRIE, LA SOUMISSION AUX LOIS ET LE RESPECT DES AUTORITES CONSTITUEES. ILS CONSIDERENT LE TRAVAIL COMME LE DEVOIR PRIMORDIAL ET L'ETRE HUMAIN ET L'HONORENT SOUS TOUTES SES FORMES.

11-LES FRANCS-MAÇONS CONTRIBUENT, PAR L'EXEMPLE ACTIF DE LEUR COMPORTEMENT SAGE, VIRIL ET DIGNE, AU RAYONNEMENT DE L'ORDRE DANS LE RESPECT DU SECRET MAÇONNIQUE.

12-LES FRANCS-MAÇONS SE DOIVENT MUTUELLEMENT, DANS L'HONNEUR, AIDE ET PROTECTION FRATERNELLE, MÊME AU PÉRIL DE LEUR VIE. ILS PRATIQUENT L'ART DE CONSERVER EN TOUTE CIRCONSTANCE LE CALME ET L'ÉQUILIBRE INDISPENSABLES À UNE PARFAITE MAÎTRISE DE SOI.

Signature du Candidat

4

À la demande de Fred Zeller, qui n'est pas encore grand maître du Grand Orient mais aspire à le devenir, Michel Reyt réactive les fraternelles, comme ici celle de l'automobile. Avec ses frères responsables de la loge L'Émancipation, ils feront ainsi le tour des secteurs d'activité.

P..RIS le 28 juin 1965

Mon T.·. C.·. F.·.

et Ven.·. M.·.

Désirant redonner force et vigueur à la frat.·. de l'automobile, je te serais reconnaissant de bien vouloir me communiquer le nom et l'adresse des F F.·. qui travaillent dans cette branche.

D'autre part tu peux leur demander de prendre contact avec moi : soit à mon bureau

    222 av.

      BAGNEUX (Seine)

  soit à mon domicile

    185 Route

      Ste GENEVIEVE DES BOIS

Veux tu avoir l'amabilité de leur rappeler que le 12 octobre à l'occasion du Salon se tiendra le diner frat.·. international de l'automobile au Cercle Républicain, 5 av. de l'opéra à 19 h

Te remerciant à l'avance de faciliter les contacts de nos F F.·. au sein de cette profession, je te prie de croire en mon affection toute frat.·.

      Michel REYT

    Ven.·. de la R.·. L.·. Emancipation

      CR.·. de Paris

5

Dans les années soixante, à la grande époque de la remise en selle des fraternelles au Grand Orient de France, celle des « arts graphiques » entend ratisser très large. Les buts de cette association sont formulés en termes prudents, voire ambigus : « pratiquer une solidarité agissante, travailler en commun à l'amélioration de la situation matérielle et morale de chacun. »

FRATERNELLE
DES ARTS GRAPHIQUES

T∴ C∴ V∴ M∴

Nous vous prions de vouloir bien porter à la connaissance des FF∴ de votre R∴ L∴ qui exercent les professions suivantes :

ouvriers, employés, cadres, directeurs, techniciens et chefs d'entreprise

dans les branches :

IMPRIMERIE ● ÉDITION ● PUBLICITÉ ● MESSAGERIES ● MECANOGRAPHIE PAPIERS - CARTONS ● BROCHAGE ● RELIURE ● FAÇONNAGE PHOTOGRAVURE ● DESSINS - MAQUETTES

et, d'une manière générale, tous ceux qui participent à la création, l'impression, la fabrication et la diffusion des imprimés par tous procédés et ont pour occupation principale d'apporter leur concours aux **Industries Graphiques**, que

LA FRATERNELLE DES ARTS GRAPHIQUES

reprend ses activités.

BUTS

Se mieux connaître, pratiquer une solidarité agissante, travailler en commun à l'amélioration de la situation morale et matérielle de chacun, prolonger dans le monde profane l'action maçonnique.

COTISATION 10 F (minimum) par an.

FRÉQUENCE DES RÉUNIONS 1 par mois

T∴ C∴ V∴ M∴, d'avance nous vous remercions d'attirer l'attention de vos FF∴ sur cette nouvelle activité maçonnique et vous prions de croire en nos sentiments Frat∴ dévoués.

PROCHAINES RÉUNIONS

Jeudi 31 Octobre 1963 à 19 h - 8, rue Puteaux, PARIS-17ᵉ - Assemblée Générale

Lundi 18 Novembre 1963 à 12 h - 8, rue de Puteaux, PARIS-17ᵉ - Déjeuner Fraternel

6

Le règlement intérieur des clubs des 50, ces fraternelles géographiques qui existent dans toutes les grandes villes de France, exige « le secret le plus strict concernant l'identité des frères » et recommande à ses membres, avec un vocabulaire choisi, de ne pas spéculer maladroitement *sur leurs rapports privilégiés « pour souhaiter obtenir d'un autre membre des avantages* **excessifs** » *(c'est nous qui soulignons).*

REGLEMENT INTERIEUR

****

I! est recommandé aux membres de ne pas s'engager ou de ne pas se prêter à des débats ou à des polémiques d'ordre philosophique ou politique susceptibles de troubler le climat chaleureux et fraternel qui règne à l'occasion de nos rencontres.

La fraternité et l'amitié étant l'essence même de nos rencontres il est recommandé aux membres du CLUB DES 50 de ne pas spéculer maladroitement sur ces rapports privilégiés pour souhaiter obtenir d'un autre membre des avantages excessifs que sa situation semblerait pouvoir faire obtenir.

7

Ce document marqué du sceau officiel de la Grande Loge Nationale Française est un formulaire envoyé à tous les notables que la GLNF, à l'échelon provincial, aimerait compter parmi ses membres. Il montre comment se réalise le « marketing maçonnique » qui consiste à recruter activement de nouveaux initiés.

A la Gloire du Grand Architecte de l'Univers
GRANDE LOGE NATIONALE FRANCAISE
GRANDE LOGE PROVINCIALE DE PICARDIE

Amiens le .

Cher Monsieur,

Vous le savez, la Franc Maçonnerie Régulière est une très vieille institution ouverte à tous ceux qui cherchent à s'améliorer au sein d'une réelle fraternité, où l'on ne polémique ni sur la religion ni sur la politique, mais où le développement personnel et le perfectionnement moral sont les buts recherchés.

Les Francs-Maçons Réguliers possèdent entre autres des Loges à Amiens Amiens, Beauvais, Abbeville, Creil, Senlis, Saint Quentin, Soissons....Certes, l'entrée dans la Franc-maçonnerie régulière n'est pas évidente, et la qualité intrinsèque des individus prime sur la quantité des membres.
Comment dans ces conditions devient-on Franc-maçon ? Essentiellement par cooptation, et plusieurs de nos frères nous ont parlé de vous, non seulement de votre probité morale, tant professionnelle que familiale mais aussi de vos positions humanistes face aux grands problèmes de l'existence. Ceci montre à l'évidence que vous êtes déjà, quelque part en vous-même, Franc-maçon.
Vous ne craignez pas la voie de l'effort, et vous savez pouvoir au sein d'un groupe multidisciplinaire, vous enrichir de l'expérience des autres, et aimez vous sentir, vous aussi, utile à vos semblables.
Pour répondre à vos questions, nous organisons une conférence, débat le ....
Au ...., avec la participation du Grand Maître Provincial de Picardie.Celle-ci est strictement privée, sur invitation et regroupera quelques personnes ayant une même démarche.
Espérant pouvoir compter sur votre présence et dans l'attente du plaisir de vous rencontrer, je vous prie d'agréer, Monsieur, mes sentiments les meilleurs.

T.R.F.A. ████████
Grand Maître Provincial de Picardie

NB : Si vous êtes intéressé mais que vous n'êtes pas disponible le jour vous pouvez nous écrire à l'adresse ci-dessous, nous vous recontacterons.

Table

DU MÊME AUTEUR

Aux Éditions Albin Michel

L'OMERTÀ FRANÇAISE (en coll. avec Alexandre Wickham), 1999.

LE RAPPORT OMERTÀ 2002, 2003 et 2004.

LA VENDETTA FRANÇAISE, 2003.

LE MARCHAND DE SABLE, LA VÉRITÉ SUR LE SYSTÈME DELANOË, 2007.

Chez d'autres éditeurs

LA NOMENKLATURA FRANÇAISE (en coll. avec Alexandre Wickham), Belfond, 1986.

LA RÉPUBLIQUE BANANIÈRE (en coll. avec Jean-François Lacan), Belfond, 1989.

LE JOUR OÙ LA FRANCE A BASCULÉ, Robert Laffont, 1991.

LE NOUVEAU DICTIONNAIRE DES GIROUETTES (en coll. avec Michel Richard), Robert Laffont, 1993.

LES BONNES FRÉQUENTATIONS : HISTOIRE SECRÈTE DES RÉSEAUX (en coll. avec Marie-Thérèse Guichard), Grasset, 1997.

Composition Nord Compo
Impression : Imprimerie Floch, avril 2009
Éditions Albin Michel
22, rue Huyghens, 75014 Paris
www.albin-michel.fr

ISBN 978-2-226-18986-8
N° d'édition : 18175/05 – N° d'impression : 73690-1
Dépôt légal : mars 2009
Imprimé en France